KIND VAN DE
DUISTERNIS

Virginia
ANDREWS®

KIND VAN DE
DUISTERNIS

 DE KERN

Sinds de dood van Virginia Andrews werkt haar familie met een zorgvuldig uitge-
kozen auteur aan de voltooiing van haar nagelaten verhalen en ideeën en aan het
schrijven van nieuwe romans, waartoe ook deze behoort, die zijn geïnspireerd op
haar vertelkunst.

Alle namen, personen, plaatsen en gebeurtenissen in dit boek zijn bedacht door de
auteur. Elke gelijkenis met feitelijke gebeurtenissen of bestaande personen, nog in
leven of overleden, berust op puur toeval.

Oorspronkelijke titel: *Child of Darkness*
Original English language edition © 2005 by The Vanda General Partnership
All rights reserved including the right of reproduction in whole or in part in any
form
This edition published by arrangement with the original publisher, Pocket Books,
a Division of Simon & Schuster, Inc., New York
V.C. ANDREWS and VIRGINIA ANDREWS are registered trademarks of The Vanda
General Partnership
Copyright © 2006 voor deze uitgave:
Uitgeverij De Kern, De Fontein bv, Postbus 1, 3740 AA Baarn
Vertaling: Parma van Loon
Omslagontwerp en -illustratie: Mesika Design, Hilversum
Zetwerk: Scriptura, Westbroek
ISBN 90 325 1040 1
NUR 335

www.virginia-andrews.nl
www.uitgeverijdefontein.nl

Proloog
Dr. Feinbergs rapport

Dr. Clayton Feinberg
Forensisch Staatspsychiater
Community General Hospital, Psychiatrische Afdeling

Aantekeningen over patiënte Celeste Atwell, leeftijd zeventien jaar en vier maanden

Achtergrondinformatie (verstrekt door rechercheur Steven Gary, Sullivan County Sheriff's Department):

Celeste Atwell woonde met haar moeder, Sarah Atwell, en een kleuter die wordt aangezien voor het kind van Celestes moeder en haar tweede echtgenoot, wijlen Dave Fletcher. Ze woonden op een farm aan Allen Road, ongeveer anderhalve kilometer ten zuidoosten van het dorp Sandburg, New York. De kleuter heet ook Celeste, maar werd thuis onderscheiden van de eerste Celeste door haar Baby Celeste te noemen.

Identieke namen voor twee zusjes werd echter nooit een probleem, want onmiddellijk na de schijnbaar door een ongeval veroorzaakte dood van haar tweelingbroer, Noble, werd Celeste grootgebracht als haar tweelingbroer. Ze moest zich een mannelijke persoonlijkheid aanmeten en al haar vrouwelijke eigenschappen verloochenen. Ten tijde van Nobles dood overtuigde Sarah Atwell de justitiële autoriteiten ervan dat haar dochter, Celeste, ontvoerd was en vermist werd. De redenen voor al deze geheimzinnigdoenerij blijven onduidelijk. Er is nog steeds onderzoek gaande naar de feitelijke oorzaak van Noble Atwells dood, Baby Celestes afkomst, en de gebeurtenissen die onlangs aan het licht zijn gekomen met betrekking tot de dood van Betsy Fletcher.

De dochter van Dave Fletcher, Betsy, trok kortgeleden bij de familie in met een buitenechtelijke baby van het mannelijke geslacht, Panther Fletcher genaamd. Een onenigheid tussen Betsy Fletcher en Celeste Atwell, die resulteerde in de dood van Betsy Fletcher, vond plaats vlak voor of vlak na het overlijden van Sarah Atwell. De beste informatie waarover we op dit moment beschikken is dat de dood werd veroorzaakt door een val van de trap tijdens een worsteling die tot gevolg had dat Betsy Fletcher haar nek brak. Daarop begroef Celeste Atwell Betsy's lijk in de kruidentuin van het gezin.

De conclusie van de patholoog-anatoom na de lijkschouwing is dat Sarah Atwell is gestorven aan een hartstilstand. Ook is gebleken dat haar stoffelijk overschot minstens twee tot drie dagen in haar bed is blijven liggen.

Het bureau van de county sheriff bracht de patiënte over naar de psychiatrische afdeling, in opdracht van rechter Levine, en vertrouwde haar aan mij toe, met het verzoek om een psychoanalyse, teneinde te kunnen vaststellen of ze al dan niet verantwoordelijk kan worden gesteld voor haar daden en of ze enigermate behulpzaam kan zijn bij het beantwoorden van de nog onopgeloste vragen.

Die nacht kreeg ze kalmerende middelen, waarna ze naar mijn spreekkamer werd gebracht voor een eerste gesprek.

Eerste psychiatrische evaluatiesessie
De patiënte was opmerkelijk ontspannen en op haar gemak, ondanks de traumatische gebeurtenissen die haar naar de psychiatrische afdeling hadden gebracht om onder mijn hoede te worden geplaatst. Ze scheen te begrijpen waar men haar naartoe bracht en bood geen tegenstand en uitte geen enkele klacht. Haar kalmte gaf me het gevoel dat ze een fatalistische instelling had ten aanzien van haar eigen doen en laten en bestemming. Na het voor mijn sessie noodzakelijke vertrouwen tussen ons te hebben gevestigd, ontstond een dialoog, waarvan ik de belangrijkste punten onderstaand heb genoteerd.

Interview met patiënte
In het politierapport lees ik dat je zei dat je probeerde Betsy Flet-

cher te beletten een pan met kokend water naar boven te brengen. Je zei dat ze dreigde die uit te gieten over je moeder, die zich niet goed voelde en in bed lag?
Celeste Atwell: Ja.

Waarom wilde ze dat doen?
Celeste Atwell: Ze dacht dat mijn moeder het geld wilde stelen dat haar vader haar had nagelaten en dat ze weigerde haar dat te geven.

En het was tijdens die worsteling tussen jou en Betsy om haar te beletten je moeder pijn te doen, dat ze van de trap viel en haar nek brak?
Celeste Atwell: Ja.

Als je Betsy Fletcher per ongeluk doodde, Celeste, waarom belde je dan niet de politie of een ambulance? Waarom heb je Betsy Fletcher in de kruidentuin begraven?
Celeste Atwell: Baby Celeste zei dat ik dat moest doen.

Waarom zou je luisteren naar een kind van zes jaar? (De patiënte glimlachte naar me alsof ik dom en onwetend was.)
Celeste Atwell: Baby Celeste is niet een gewoon kind van zes jaar. Ze heeft de wijsheid van haar familie geërfd. Onze familiegeesten vertelden haar wat ze tegen mij moest zeggen.

Hoe weet je dat ze haar die dingen vertelden?
Celeste Atwell: Ik weet het. Ik kan het voelen als zij bij haar zijn en zij bij hen.

Waarom vertelden ze het jou niet rechtstreeks?
Celeste Atwell: Baby Celeste is bijzonder, heel bijzonder.

Ben jij niet ook bijzonder voor hen? (De patiënte toonde enige onrust en gaf geen antwoord.) Was er een andere reden, Celeste? Was er een reden waarom ze niet rechtstreeks met jou spraken?
Celeste Atwell: Ja.

Wat was die reden?
Celeste Atwell: Ik had ze teleurgesteld. Ze waren kwaad op me.

Wie precies was teleurgesteld in je en kwaad op je?
Celeste Atwell: Allemaal. Alle geesten van mijn familie, hun zielen.

Hoe had je ze teleurgesteld?
Celeste Atwell: Ik...

Waarom waren ze kwaad op je, Celeste? (Patiënte werd onrustiger. Ik gaf haar een glas water en wachtte.) Kun je me vertellen waarom je denkt dat je hen teleurstelde, Celeste? Ik zou het graag willen weten.
Celeste Atwell: Ik had Noble weer dood laten gaan.

Hoe deed je dat? Noble was toch al dood? Hoe kan hij weer doodgaan als hij al dood is? (Op dit punt weigerde de patiënte mijn vragen te beantwoorden. Ze hield haar ogen gesloten en haar lippen op elkaar geklemd. Ze begon over haar hele lichaam te beven. Ik besloot dat ik de grens had bereikt van wat mogelijk was in een eerste sessie.)

Dr. Feinbergs conclusie
Celeste Atwell lijdt aan ernstige smart- en schuldgevoelens over de dood van haar tweelingbroer, Noble. De reden daarvoor hebben wij nog niet kunnen vaststellen, maar mijn beoordeling is dat ze nog een tijdlang onder psychiatrische zorg en behandeling zal en moet blijven en dat ze terug moet naar het psychiatrische ziekenhuis in Middletown. Ten tijde van haar daden, en nog steeds, was en blijft ze niet in staat de gevolgen van haar daden te begrijpen, evenmin als het verschil tussen een illegale en een legale handeling.

Dr. Clayton Feinberg

Uit het dagboek van Baby Celeste

Lang geleden, toen ik onder kindergeneeskundige behandeling was, vroeg mijn dokter me alles op te schrijven wat ik dacht, alles wat ik zag, en alles wat ik geloofde dat er gebeurde en dat met mij gebeurde. Ik ben nooit daarmee opgehouden. Het was echt of ik vreesde dat het allemaal een droom was, en de enige manier om het tegendeel te bewijzen, was om het op te schrijven, zodat ik het later kon lezen en tegen mezelf zeggen: Zie je wel, het *is* gebeurd. Het is allemaal echt gebeurd!

1. 'Ik ben weer bij je'

Ik wilde niet weg voordat ik mijn haar geborsteld had. Mama besteedde altijd zoveel tijd aan mijn haar, terwijl Noble toekeek, alsof hij jaloers was en hij degene wilde zijn die mijn haar borstelde. Ik liet het hem doen, maar hij deed het nooit waar mama bij was, omdat het haar zo kwaad zou maken. Hij borstelde het met lange, weloverwogen slagen en volgde de borstel met zijn hand omdat hij mijn haar niet alleen wilde zien maar ook voelen. Toen ik mezelf bekeek in de spiegel, kon ik de aanraking van zijn hand op mijn haar bijna voelen. Het werkte toen hypnotiserend, en dat doet de herinnering nu nog.

'Moeder Higgins zei: nu meteen,' jammerde Colleen Dorset. Ze stampvoette om me uit mijn gepeins te halen. Ze was acht jaar en al bijna een jaar lang mijn kamergenote. Haar moeder was in een steeg bevallen en had haar in een kartonnen doos achtergelaten om daar dood te gaan, maar een voorbijganger hoorde haar huilen en belde de politie. Ze woonde twee jaar bij een echtpaar dat haar een naam had gegeven, maar toen ze gingen scheiden, wilden ze haar geen van beiden houden.

Haar ogen stonden te ver uit elkaar en haar neus was te lang. Ze was gedoemd om te eindigen zoals ik, dacht ik met mijn karakteristieke helderziende zelfverzekerdheid, en in een flits zag ik haar hele leven aan mijn ogen voorbijtrekken – in een eindeloze eenzaamheid. Ze was niet sterk genoeg om te overleven. Ze was als een jong vogeltje dat te zwak is om te leren vliegen.

'Waar dat jonge vogeltje uit het nest valt,' vertelde mama me, 'zal ze leven en sterven.'

Mooi nest is dit, dacht ik.

'Celeste, je moet opschieten.'

'Het geeft niet, Colleen. Als ze niet wachten, zijn ze niet de moeite waard,' zei ik op zo'n onverschillige toon, dat Colleen bijna in tranen uitbarstte. Ze wilde zo verschrikkelijk graag dat iemand om haar zou vragen. Ze was als iemand die verhongerde en naar een man of vrouw in een restaurant keek, die eten verspilde.

Ik haalde diep adem en verliet de kleine, bijna claustrofobische kamer, die ik met haar deelde. Er was nauwelijks voldoende ruimte voor de twee bedden en de ladekast met de spiegel erboven. De muren waren kaal, en we hadden maar één klein raam dat uitkeek op een andere muur van het gebouw. Het deed er niet toe. Het uitzicht dat ik had, bewaarde ik in mijn geheugen, een uitzicht samen met andere, die ik bekeek zoals je een familiealbum doorbladert.

De wandeling naar het kantoor van de directrice leek plotseling langer dan ooit. Met elke stap die ik zette, strekte de gebrekkig verlichte gang zich tien passen verder uit. Het leek of ik me door een lange, donkere tunnel bewoog, terugploeterend naar het licht. Net als Sisyfus in de Griekse mythe die we onlangs op school hadden gelezen, was ik gedoemd nooit het einde te bereiken van mijn lange, moeizame klimtocht. Telkens als ik bijna bij het einde was, viel ik weer omlaag en moest ik opnieuw beginnen, alsof ik gevangenzat in een eeuwige herhaling, gekweld werd door het duivelse noodlot.

Ondanks de komedie die ik opvoerde voor Colleen, begon mijn hart altijd vol verwachting te bonzen zodra ik hoorde dat ik een echtpaar zou ontmoeten dat misschien mijn pleegouders wilde worden en me misschien zou willen adopteren. De oproep voor een gesprek kwam als een totale verrassing; het was jaren geleden dat iemand enige belangstelling voor me had getoond, en ik had net mijn zeventiende verjaardag gevierd. De meeste echtparen die naar het weeshuis komen, zijn op zoek naar veel jongere kinderen, vooral pasgeboren baby's. Wie zou tegenwoordig een tiener willen opnemen, vooral iemand als ik? vroeg ik me af. Zoals een van mijn counselors, dr. Sackett, eens tegen me zei: 'Celeste, je moet je realiseren dat je heel wat meer bagage meeneemt dan het doorsnee weeskind.'

En die bagage bestond niet uit dozen met kleren en schoenen. Hij zinspeelde op mijn verleden, het stigma dat aan me kleefde door mijn ongewone familie en ons verleden. Weinig potentiële pleegouders bekijken je als een zelfstandige persoonlijkheid. De vragen zijn gemakkelijk te lezen in hun ogen. Welke slechte gewoontes heeft dit kind geërfd? Hoe is ze gevormd en misvormd door haar verleden, en hoe gaan we daarmee om? Waarom zouden we onaangename verrassingen riskeren?

En voor mij gold dat meer dan voor ieder ander. Ik was 'zonderling' genoemd, 'vreemd', 'ongewoon', 'moeilijk' en zelfs 'raar'. Ik wist wat een afwijzing was. Ik was al een keer bijna geadopteerd en teruggebracht als een beschadigd product. Ik kon bijna horen hoe de Prescotts, het oudere echtpaar dat me had opgenomen in hun leven, teruggingen naar de kinderbescherming en, alsof ze spraken tegen iemand van de klantenservice van een warenhuis, klaagden: 'Ze deugt niet voor ons. We willen graag ons geld terug.'

Nu, misschien door deze nieuwe mogelijkheid, kwam die ervaring weer in volle kracht terug in mijn geheugen. Tegelijk met veel van mijn verleden, zodat, terwijl ik van mijn kamer naar het kantoor liep voor de ontmoeting met dit nieuwe echtpaar, de meest dramatische gebeurtenissen van mijn leven zich weer voor mijn ogen afspeelden. Het was alsof ik al eens eerder had geleefd en was gestorven.

Eerlijk gezegd, had ik altijd het gevoel gehad dat ik twee keer was geboren, maar niet in religieuze zin. Het was niet een of andere nieuwe bewustwording, waarna ik de wereld in een ander licht kon zien, de waarheid kon zien, en alle mirakels en wonderen die anderen die niet herboren waren, niet zagen. Nee, eerst was ik geboren en had ik ergens geleefd waar mirakels en wonderen vanzelfsprekend werden gevonden, waar geesten zweefden als rook in de wind, en waar dagelijks gefluister en zacht gelach klonken in de duisternis. Niets daarvan verbaasde me, en niets ervan joeg me angst aan. Ik geloofde dat het er allemaal was om mij te beschermen, me veilig in een spirituele cocon gewikkeld te houden, die mijn moeder had gesponnen op haar magische weefgetouw.

We woonden in de staat New York op een farm die tientallen jaren in bezit was geweest van mijn familie en nog steeds mijn wettige eigendom is. Ik was een afwijking, omdat ik een weeskind was met een erfenis, een bezit dat werd beheerd door de advocaat van mijn moeder, mr. Deward Lee Nokleby-Cook, die tot beheerder was benoemd. Ik wist er niet veel van, maar meer dan één directrice of counselor had haar vinger naar me geschud en me eraan herinnerd dat ik bevoorrecht was boven de andere weeskinderen.

Dat deden ze niet om me een beter gevoel over mezelf te geven. O, nee. Het was bedoeld om me aan te moedigen me goed te gedragen en elke regel en elk bevel op te volgen, en het werd me gewoonlijk als een soort brandijzer boven het hoofd gehouden. Per slot betekende bezit van enige waarde meer verantwoordelijkheid, en meer verantwoordelijkheid betekende dat je je volwassener moest gedragen. Als het aan hen had gelegen, zou ik mijn kindertijd volledig hebben overgeslagen – ook al was een kindertijd in een weeshuis niet bepaald iets om lyrisch over te worden. Ik wilde dat ik alles voorgoed kon vergeten, elk moment, elk uur, elke dag, en dat het niet steeds als oprispingen van zure melk in me bovenkwam.

Ondanks het feit dat ik niet veel ouder was dan zes toen ik de farm verliet, waren de herinneringen eraan nog heel levendig. Misschien omdat de tijd die ik daar had doorgebracht zo dramatisch was, zo intens. Het grootste deel van mijn prilste jeugd werd ik achter slot en grendel gehouden, verborgen voor het publiek. Zelfs al beschouwde mijn moeder mijn geboorte als een wonder, of misschien juist daardoor, werd mijn geboorte bewaard als het diepste, meest gekoesterde familiegeheim. Ze gaven me het gevoel dat ik iets heel bijzonders was. Als gevolg daarvan was het huis zelf gedurende de eerste vijf jaar van mijn leven mijn enige wereld. Ik kende elke hoek en spleet, waar ik de vloer kon doen kraken, waar ik weg kon kruipen en me verbergen, en waar er krassen en deuken waren in de plint, stuk voor stuk bewijzen van de geheimzinnige bewoners die er vóór mij geweest waren en zich nog steeds ophielden achter gordijnen of zelfs onder mijn bed.

Tijdens het grootste deel van mijn leven op de farm werd ik na het invallen van de duisternis mee naar buiten genomen en zag ik de buitenwereld overdag slechts door een raam. Ik kon urenlang zitten staren naar de vogels, de wolken, de bomen en bladeren die bewogen in de wind. Ik was erdoor gebiologeerd, zoals andere kinderen van mijn leeftijd gehypnotiseerd zijn door de televisie.

Ik had maar één echt kameraadje, mijn broer Noble. Mijn neefje Panther was toen nog een baby, en ik hielp vaak hem te verzorgen, maar ik was ook jaloers op de aandacht die hij stal van mijn moeder en broer, aandacht die op mij gericht had moeten zijn.

14

Vanaf het begin verfoeide ik het dat hij en zijn moeder, Betsy, bij ons kwamen wonen.

Betsy had al eerder bij ons gewoond. Ze was kort nadat mijn vader met mama trouwde bij ons ingetrokken. Ik wist nooit helemaal zeker of hij ook mijn echte vader was, maar hij wilde meteen dat ik hem papa noemde. Hij stierf voordat Betsy terugkwam. Ze was weggelopen met een vriendje, en ze wist niet eens dat hij gestorven was. Al die tijd dat ze weg was, had ze nooit gebeld of zelfs maar een briefje geschreven om haar vader te vertellen waar ze was, maar toen ze terugkwam en hoorde dat hij dood was, werd ze woedend. Ik herinner me dat ze ons de schuld gaf van de dood van haar vader, maar ze was nog kwader over de manier waarop haar erfenis zou worden verdeeld. De lucht in huis was gevuld met statica. Mama lachte niet meer. Er waren onheilspellende fluisteringen in elke schaduw, en die schaduwen werden elke dag die voorbijging donkerder en dichter en groter, tot ik dacht dat we voortaan in duisternis zouden leven en niemand me zou kunnen zien, zelfs Noble niet.

Voordat Panthers moeder Betsy ons huis was binnengedrongen en ons leven had verwoest, had ik Noble volledig voor mij alleen. Hij was degene die met me naar buiten ging, met wie ik in de kruidentuin werkte en wandelingen maakte over het terrein van onze farm, toen ik eindelijk overdag naar buiten mocht. Vaak zat hij met me te lezen in de zitkamer en droeg hij me naar mijn slaapkamer om me naar bed te brengen. Hij leerde me de namen van bloemen en insecten en vogels. We waren praktisch onafscheidelijk. Ik voelde dat hij nog meer van me hield dan mijn moeder. Ik was er zeker van dat ik op een dag zou weten waarom; eens zou ik alles begrijpen.

En toen op een dag verdween hij. Ik kan er op geen andere manier aan denken, of aan hem als een ander dan wie hij voor me geweest was. Het was werkelijk of een boze heks met haar toverstaf had gezwaaid en hem in een oogwenk had veranderd in het jonge meisje, dat, zoals me verteld werd, mijn halfzusje Celeste was, naar wie ik was vernoemd. Ik had vaak foto's van haar gezien in onze familiealbums en verhalen over haar gehoord, waarin beschreven werd hoe intelligent ze was en hoe mooi. Het zou jaren duren voor ik het begreep, en zelfs dan nog vroeg ik me vaak af of alle anderen zich vergisten en niet ik. Maar ik zou te weten komen dat mijn moeder geloofde dat het Celeste was die bij een tragisch ongeluk tijdens het vissen de dood had gevonden, en niet Noble, haar tweelingbroer.

Uiteindelijk, en heel pijnlijk, zou ik ontdekken dat het werkelijk Noble was die verdronken was. Mama weigerde het te accepteren. Ze dwong Celeste haar tweelingbroer te worden, en het enige dat ik nu over Celeste wist was dat ze zich in een psychiatrische inrichting bevond, niet ver van de farm. Zoals ik al zei, ik zou heel wat schokkende ontdekkingen doen over mijzelf en mijn verleden, maar het zou tijd kosten. Het zou een lange, kronkelige tocht worden, die me ten slotte terug zou voeren naar mijn huis, naar de plaats waar alles begonnen was en waar het tot een afronding zou komen wanneer ik daadwerkelijk herboren zou worden.

Er is me verteld dat ik, toen ik naar het eerste weeshuis werd gebracht, een vreemd, somber kind was. Mijn gedrag en de doordringende blik waarmee ik de mensen bekeek, verjoegen alle mogelijke adoptief- of pleegouders, ondanks mijn opmerkelijke schoonheid. Ook al werd me aangeraden om te glimlachen en er onschuldig en lief uit te zien, zette ik altijd een gezicht dat bij een veel ouder meisje hoorde. Mijn ogen werden te donker en mijn lippen te strak. Ik stond er in een stijve houding bij en keek alsof ik het verschrikkelijk zou vinden om te worden geknuffeld en gezoend.

Hoewel ik beleefd hun vragen beantwoordde, gaven mijn eigen vragen de echtparen die overwogen me te adopteren, een heel onbehaaglijk gevoel. Ik sprak op de toon van een aanklager. Meer dan eens werd me verteld dat ik me gedroeg alsof ik hun diepste geheimen, angsten en zwakheden kende. Mijn vragen prikten als naalden, maar onwillekeurig vroeg ik me altijd weer af waarom ze mij zouden willen. Waarom hadden ze geen eigen kinderen? Waarom wilden ze nu een kind, en waarom een meisje? Wie wilde me liever hebben, de man of de vrouw? Ze konden grapjes maken of lachen om mijn rechtstreekse vragen, maar bij mij kon er geen glimlachje af.

Een dergelijk gedrag van mijn kant, samen met mijn ongewone verleden, maakte het onmogelijk dat een van hen me in hun huis zou opnemen. Zelfs nog voordat het gesprek was afgelopen, keken mijn potentiële nieuwe ouders elkaar aan met een NEE in hun ogen geschreven, en trokken zich haastig terug, ontvluchtten mij en het weeshuis.

'Kijk eens wat je gedaan hebt?' werd me vaak gezegd. 'Je hebt ze weggejaagd.'

Het was altijd mijn schuld. Een kind van mijn leeftijd hoorde zulke vragen niet te stellen, hoorde zulke dingen niet te weten. Waarom kon ik niet gewoon mijn mond houden en de mooie kleine pop zijn op wie de mensen hoopten? Per slot had ik kastanjebruin haar dat glansde in de zon, heldere blauwgroene ogen en een perfecte huid. De potentiële ouders voelden zich altijd tot me aangetrokken en werden dan helaas door me afgestoten.

In het eerste weeshuis, waar ik tot mijn tiende jaar verbleef, kreeg ik snel de reputatie dat ik helderziend was. Ik wist altijd wanneer een van de andere meisjes buikpijn zou krijgen of verkouden zou worden, of wanneer een meisje zou worden geadopteerd en zou vertrekken. Ik kon naar eventuele ouders kijken en weten of ze werkelijk iemand gingen adopteren of dat ze nog niet besloten hadden zo'n zware verantwoordelijkheid op zich te nemen. Er waren veel etalagekijkers bij, die ons het gevoel gaven dat we dieren in een dierenwinkel waren. We moesten keurig rechtop zitten en zeggen: 'Ja, mevrouw,' en 'Ja, meneer.'

'*Spreek niet voordat er tegen je gesproken wordt*' stond niet alleen boven de deuren geschreven; het stond op ons voorhoofd geschreven, maar ik liet me niet intimideren. Ik hoorde te veel innerlijke stemmen, stemmen die zich niet het zwijgen lieten opleggen.

Mijn eerste verzorgster in het weeshuis was een strenge vijftigjarige vrouw, die eiste dat we haar Madam Annjill noemden. Ik denk dat haar ouders haar bij wijze van grap Annjill hadden genoemd, zodat ze lachend konden zeggen. 'Ze is geen *angel*, ze is Annjill.' Dat hoefden ze mij niet te vertellen. Voor mij was ze nooit een engel geweest, en zou dat nooit worden ook.

Madam Annjill geloofde niet in slaan, maar ze schudde ons vaak zo hard door elkaar dat we het gevoel kregen dat onze ogen door ons hoofd rolden en onze broze botten knakten. Een lang en mager meisje, Tillie Mae genaamd, met grote, meestal paniekerige bruine ogen, had lang daarna nog zoveel pijn in haar schouder, dat de man van Madam Annjill, Homer Masterson, ten slotte met haar

17

naar de dokter moest, die een ontwrichte schouder constateerde. Tillie Mae was veel te bang om hem te vertellen hoe ze die had opgelopen. Ze had dagenlang pijn. Zien en horen hoe ze zichzelf in slaap huilde, deed alle andere kinderen sidderen van angst. Alle andere kinderen behalve ik natuurlijk.

Ik was nooit zo bang voor Madam Annjill als de anderen. Ik wist dat ze mij nooit zo hard door elkaar zou rammelen. Als ze het deed, hield ik mijn ogen strak op haar gericht, zonder te huilen, en dat maakte dat zij zich minder op haar gemak voelde dan ik. Ze liet me los alsof ze haar handen brandde. Ze zei eens tegen haar man dat ik een abnormaal hoge lichaamstemperatuur had. Ze zei het zo vol overtuiging dat hij mijn temperatuur moest opnemen om haar te bewijzen dat ik even normaal was als de anderen.

'Toch denk ik dat ze zich naar believen kan verhitten,' mompelde ze.

Misschien kon ik dat ook wel. Misschien was er een smeulend vuur in me dat kon oplaaien wanneer ik dat wilde, en kon ik als een draak vuur naar haar spuwen.

Ik moet zeggen dat ze erg haar best deed een thuis voor me te vinden, maar niet omdat ze zo'n medelijden met me had. Ze wilde me weg hebben uit haar weeshuis vanaf het moment dat ik er was aangekomen. Soms hoorde ik hoe ze me beschreef tegen potentiële pleegouders, en ik was verbaasd over de complimentjes die ze me gaf. Volgens haar was ik het intelligentste, aardigste, betrouwbaarste kind van het hele weeshuis. Ze wist er altijd bij te vermelden dat me een erfenis te wachten stond – hectaren land en een huis – die voor me werden beheerd.

'De meeste weesmeisjes hebben niets meer dan hun hoop en dromen, maar Celeste bezit iets van stoffelijke waarde. Het lijkt haast of haar universitaire studie en haar bruidsschat inherent zijn aan een adoptie,' vertelde ze, maar het was nooit voldoende om alle negatieve dingen uit te wissen die ze zagen en hoorden.

'Waar is haar familie?' was hun onvermijdelijke vraag.

'Ze heeft niet veel familieleden en ze is nooit erg intiem met ze geweest. Bovendien wil geen van hen de verantwoordelijkheid op zich nemen om voor haar te zorgen,' was de met tegenzin gegeven uitleg van Madam Annjill. Ze kende het soort heikele vragen die haar antwoord uitlokte bij de mensen die mij in overweging namen. Waarom wilden haar familieleden haar niet? Als een kind iets van waarde had, zou een of ander familielid haar toch zeker willen opnemen? Wie zou een kind willen met wie haar eigen familie niets te maken wilde hebben, erfenis of geen erfenis?

Ik vroeg me af hoe waardevol de farm in werkelijkheid was; in mijn herinnering waren huis en land enorm groot. Per slot was het ooit mijn hele universum geweest. Jarenlang had ik geloofd dat niet alleen het huis en het land op me wachtten, maar ook alle geesten die daar vertoefden. Het was alsof ik in de schoot zou terugkeren van een plaats waar ik warmte en bescherming zou vinden, en de liefde die ik had verloren. Hoe kon iemand de waarde daarvan schatten? Ik wilde van de ene dag op de andere volwassen worden zodat ik erheen kon. Als ik naar bed ging, deed ik mijn ogen dicht en wenste heel intens dat ik, als ik de volgende ochtend wakker werd, een grote meid zou zijn. Op de een of andere manier zou ik dan achttien zijn en uit het tehuis naar een limousine lopen die op me stond te wachten en me naar de farm zou brengen, waar alles nog net zo zou zijn als vroeger.

Wat zou ik daar werkelijk vinden? Ik geloofde dat mijn moeder dood en begraven was en mijn enige naaste familielid dat nog in leven was zich in een psychiatrische inrichting bevond. De advocaat zou me de sleutels overhandigen, maar zou ik me er niet net zo eenzaam en verloren voelen? Of zouden de geesten tevoorschijn komen uit het bos en uit de muren en om me heen dansen? Zouden ze er niet allemaal zijn, ook mijn moeder? Zou dat niet voldoende gezelschap zijn? Het was altijd voldoende geweest voor mij, mama en Noble.

Waarom kwam de geesten nu niet naar me toe? vroeg ik me af. Waarom verschenen ze 's nachts niet in het weeshuis om me gerust te stellen en me te zeggen dat ik me geen zorgen moest maken?

Al zouden de andere meisjes het nog zo vreemd vinden, ik verlangde ernaar het gefluister te horen, de geesten voorbij te zien zweven, een hand in de mijne te voelen, om me dan om te draaien en niemand te zien.

Uiteindelijk gebeurde het toch. Noble was bij me.

'Hé,' herinner ik me dat hij op een nacht tegen me zei. Ik deed mijn ogen open en zag hem. 'Je denkt toch zeker niet dat ik met je mee zou gaan naar dit huis, om je dan in de steek te laten en je te vergeten.'

Ik schudde mijn hoofd, al had ik dat wel degelijk geloofd. Ik was te blij hem weer te zien. Ik kon geen woord uitbrengen.

'Ik blijf in de buurt. Altijd. Kijk maar naar me uit, vooral als iets je dwarszit, oké?'

Ik knikte.

Hij kwam dichterbij, trok mijn deken recht zoals hij altijd deed, boog zich over me heen en gaf me een zoen op mijn voorhoofd. Toen liep hij de duisternis in en verdween.

Maar ik wist dat hij er was en dat was het allerbelangrijkste.

Ik zag hem daarna vaak.

'Tegen wie praat je?' vroeg Madam Annjill als ze me zag fluisteren. 'Hou daar onmiddellijk mee op.' Maar dan sloeg ze een kruis, schudde haar hoofd en mompelde tegen zichzelf over kinderen van de duivel, terwijl ze zich snel uit de voeten maakte.

Ik wist dat ze me voortdurend in de gaten hield. Noble wist het ook en waarschuwde me.

'Ze komt,' zei hij dan.

'Naar wie zit je zo te staren en waarom lach je?' vroeg Madam Annjill als ik stopte met eten en strak naar de hoek keek waar Noble stond, met over elkaar geslagen armen, leunend tegen de muur, en een glimlach om zijn mond.

Ik gaf geen antwoord. Ik draaide me heel langzaam naar haar om en keek haar aan, zonder mijn lippen te bewegen of met mijn ogen te knipperen. Ze snoof en ze pufte en schudde haar hoofd en berispte een ander arm, ontheemd meisje dat op haar strand was aangespoeld. Geen vertroosting hier, dacht ik. Niemand die met open armen staat te wachten. Niemand die je in bed stopt en je een zoen op je wang geeft en je welterusten wenst. Niemand die je kietelt en overlaadt met zoenen en omhelzingen en die je ogen doet stralen.

Nee, hier was het geluid van een lach schraal en kort, snel afgebroken alsof het verboden was. Waar elders hadden kinderen van onze leeftijd het gevoel dat ze blijdschap moesten inslikken en tranen moesten terugdringen? Waar elders baden ze zo intens om een mooie droom, een blijde gedachte, een innige liefkozing?

'O, die last, die zware last,' verzuchtte Madam Annjill tegen bezoekers of tegen haar man, doelend op ons. 'De afgedankte last, de verantwoordelijkheid van een ander, de fouten van een ander.'

Dan draaide ze zich om, terwijl het medelijden uit haar ogen droop, met krokodillentranen op haar wangen.

'Dat zijn jullie, kinderen. Weggegooid als waardeloos uitschot,' kermde ze met de rug van haar hand tegen haar voorhoofd, als een slechte soapactrice. 'Ik doe mijn best, maar jullie moeten me helpen. Maak alles schoon wat je vuil maakt. Maak geen rommel. Breek niets. Wees nooit ongehoorzaam. Vecht niet en steel niet. En zeg nooit een lelijk en kwetsend woord.'

En de lelijke, kwetsende woorden die ze tegen ons zei? Waarom wilde ze eigenlijk een weeshuis besturen? Was het alleen om het geld of vond ze het prettig de baas te spelen over hulpeloze jonge meisjes en de angst en dankbaarheid in hun ogen te zien?

's Avonds liep ze langs onze bedden om ons te inspecteren, in de hoop een overtreding te bespeuren, hoe gering ook. Iedereen behalve ik hield haar hoofd afgewend, haar ogen gesloten, en bad dat Madam Annjill niets verkeerds zou vinden en haar zou straffen of door elkaar rammelen. Alleen ik bleef met wijd open ogen liggen, wachtend tot ze kwam. Ik was niet bang. Noble stond naast me en wachtte ook.

Ze bleef staan, al voelde ik dat ze door wilde lopen en mij negeren. Maar ze moest nu eenmaal haar gezag doen gelden. Ze moest blijven staan en tegen me snauwen.

'Waarom probeer je niet te slapen?' vroeg ze.

Ik gaf geen antwoord. Ik keek even naar Noble, die hoofdschuddend naar haar keek en toen naar mij grijnsde.

Mijn zwijgen vond ze heel wat lastiger en moeilijker dan het gekerm van de anderen of hun zielige pogingen om een berisping te ontlopen. Zwijgen was altijd mijn bondgenoot geweest, mijn zwaard en mijn schild.

Madam Annjill keek naar Noble, die ze, dat wist ik, niet kon zien, en knikte toen naar mij.

'Je weet dat je uit een ei vol waanzin bent gekomen, hè? Als je niet oppast, zal het in je groeien en eindig je net als je moeder en je zus.'

Ik zei geen woord. Ik staarde haar aan, tot ze mompelend wegliep.

Toen pas draaide ik me om naar Noble en liet hem zien hoe ongelukkig ik was.

'Kunnen we niet naar huis?' fluisterde ik.

'Nee, nog niet,' zei hij. 'Je moet geduld hebben, veel geduld, maar ik beloof je, Celeste, op een goede dag zul je weer naar huis gaan.'

'Breng me nu naar huis. Alsjeblieft. Breng me naar huis,' smeekte ik. Hij streek over mijn haar en zei weer dat ik geduld moest hebben, en toen liep hij weg, de duisternis in.

Eigenlijk had ik geen idee meer waar mijn thuis was of zelfs wat het was. Het was gewoon een prachtig woord, een woord dat hoop inhield.

Thuis.

Natuurlijk heeft Noble gelijk, dacht ik. Ik zal er terugkomen en iedereen die van me gehouden heeft zal op me wachten en me met open armen ontvangen. Zij zullen mij ongetwijfeld net zo gemist hebben als ik hen.

Ik kon hun geschreeuw van pijn en verdriet nog horen toen de auto en de sociale werkers me op die afgrijselijke middag meenamen. Zelfs nu nog, bijna tien jaar later, waren de herinneringen aan het moment waarop ik werd opgepakt en weggevoerd van de farm en het enige leven dat ik gekend had, immens pijnlijk. Ik herinnerde me die rampzalige dagen in kleur. Rood was de meest opvallende kleur. Ik zat toen zo vol woede. Waarom was Noble verdwenen toen Celeste verscheen? vroeg ik me af. Mijn frons was als een masker dat ik nooit afzette. Het was allemaal Betsy's schuld, was mijn conclusie. Op de een of andere manier kwam het door haar dat hij verjaagd was. Ik was blij dat ze dood was, en ik wilde dat ze begraven was en onder de aarde lag, zodat ik haar nooit meer zou hoeven te zien.

Als ik heel erg mijn best deed me specifieke momenten van die laatste dag voor de geest te halen, voelde ik me van binnen verkrampen, alsof al mijn organen in knopen rond mijn hart werden gestrengeld.

Korte tijd nadat ik was weggehaald, werd het nog veel erger. Ik had moeite met ademhalen, wat de dokters diagnostiseerden als een emotionele attaque. Feitelijk kwam het in de eerste paar maanden na de scheiding van de enige mensen die ik had gekend en van wie ik had gehouden en die van mij hadden gehouden, heel vaak voor dat ik in zo'n lange, diepe slaap viel, dat het op catatonie leek.

Slaap was uiteindelijk een manier om mijn gezicht af te wenden van de harde werkelijkheid, maar zelfs de slaap was geen volledige ontsnapping. Een hele reeks nachtmerries stroomde door mijn hoofd: Noble die werd teruggeduwd in zijn graf, Betsy met een verwrongen glimlach, me uitlachend nadat ze was gestorven. Mama met glazige ogen en koud, haar lippen wriemelend als aardwormen. Ten slotte werd ik schreeuwend wakker, en wat iemand ook zei en hoe lief ze ook tegen me waren, ik raakte nooit het akelige gevoel kwijt, het gevoel dat ik gevolgd werd door iets afschuwelijks, soms vermomd als mijn eigen schaduw. Dat gevoel had ik nog steeds, zelfs nu ik al zeventien was. Ik had de gewoonte in hoeken te turen en nu en dan om te kijken als ik liep. Ik wist dat ik daarmee de aandacht op me vestigde, maar ik kon er niets aan doen. Er was daar iets. Er was daar altijd iets. Het kon me niet schelen als de mensen dachten dat ik nog steeds geestelijk gestoord was.

Op geen enkele manier kon worden verzwegen dat ik vrijwel onmiddellijk nadat ze me van de farm hadden gehaald naar een psychiatrische inrichting voor kinderen werd gebracht. Ik herinner me een mooie vrouw met lichtbruin haar en vriendelijke groene ogen. Ze was lang en statig, met een aura van gezag dat me vertrouwen gaf, zo vertrouwend als een baby in de armen van haar moeder.

Ze was, zoals ik later hoorde, kinderpsychiater, al wilde ze niet dat ik haar dr. Zus-of-zo noemde, maar Flora. Er zouden anderen volgen. In het begin bracht Flora uren en uren met me door en probeerde ze me aan het praten te krijgen, haar te vertellen waarom ik zo kwaad was. Ze kende toen natuurlijk al bijna het hele verhaal. Ze had gehoord hoe mijn moeder in haar slaap was gestorven en in haar bed was achtergelaten, hoe mijn zus per ongeluk Panthers moeder, Betsy, op de trap had gedood en haar toen had begraven in de kruidentuin. Kort daarna werd ook Nobles graf ontdekt, en het verhaal van ons krankzinnige bestaan stroomde door het dorp als overkokende melk.

Ik kreeg te horen dat mensen van heinde en ver kwamen om naar de farm te kijken, om met de plaatselijke bewoners over ons te praten. Krantenartikelen werden tijdschriftartikelen, en iemand schreef er een boek over, en er was zelfs sprake van een film. Zo berucht waren we.

De ironie van alles was dat de gemeenschap die ons eerst beschouwd had als paria's ons nu plotseling omarmde. Iedereen wilde niets liever dan vertellen over een ervaring die ze met ons hadden gehad, en natuurlijk werden de verhalen voortdurend aangedikt, overdreven, tot de waarheid net zo verloren ging als jeugd en onschuld.

Flora werkte heel hard met me, en uiteindelijk kreeg ze me aan de praat en vertelde ik haar de dingen die ze wilde en moest weten. Ze stelde me altijd gerust. De waarheid was dat ik ernaar smachtte met iemand te praten. Noble was niet met me meegegaan naar dat instituut. Ik was helemaal alleen, dus luchtte het me op toen ik Flora ten slotte een paar van mijn geheimen vertelde. Ik kon voelen dat er een druk van me werd afgenomen, en mijn glimlach keerde terug, eerst met een kleine trekking in mijn mondhoeken en toen in mijn ogen. Ik wilde zo graag weer leren, lezen, luisteren naar muziek en verhalen. Mijn eetlust kwam terug, en ik hoefde niet gedwongen of overgehaald te worden om te eten. Ik kwam uit het duister tevoorschijn alsof ik was vrijgelaten uit de gevangenis.

Dat was de tijd waarin ze me in contact bracht met kinderen van mijn leeftijd, en mettertijd werd het verleden steeds minder belastend. Ik vierde een verjaardag in de kliniek, en ze maakten er een leuk feest van. Flora kocht een mooie roze jurk voor me met kant aan de mouwen en de zoom. Mijn emotionele attaques werden steeds zeldzamer en verdwenen ten slotte geheel.

In zekere zin speet het me dat ik beter werd. Mijn genezing, mijn terugkeer naar een normaal leven, betekende dat ik klaar was om te worden ontslagen. Ik was gaan leven voor Flora's bezoeken en gesprekken. Nu was het vooruitzicht dat ik haar nooit meer zou zien een klap die me bijna weer catatonisch maakte. Na me aan de ene rok te hebben vastgeklampt, had ik me vastgeklampt aan een andere. Aan wie moest ik me nu vastklampen? Wie zou er voor me zijn? De buitenwereld was een kosmische ruimte voor me, waarin ik doelloos rond zou bungelen of zweven.

Flora kende mijn angst. 'Het is tijd dat je doorgaat met je leven, Celeste,' zei ze op een ochtend tegen me in haar kantoor. 'Je hebt niets meer om bang voor te zijn. Je bent een heel intelligent meisje, en ik weet zeker dat je succes zult hebben met alles wat je later zult willen ondernemen.'

'Ga ik terug naar de farm?' vroeg ik haar.

'Nee, nog niet. Nog lang niet,' antwoordde ze.

Ze stond op en keek zo lang zwijgend uit het raam, dat ik dacht dat ze overwoog me mee naar huis te nemen. Diep in mijn hart, waar ik het waagde dromen en hoop te koesteren, was dat mijn liefste wens. Hoe anders zou mijn leven zijn geweest als ze dat had gedaan, dacht ik nu vaak.

Ze draaide zich om en glimlachte naar me, maar ik zag het teleurstellende antwoord in haar ogen, in de sluier van droefheid die erover lag. Dit was het begin van een definitief afscheid. Op een dag zou haar gezicht terugvloeien in mijn zee van herinneringen en langzaam maar zeker steeds dieper wegzinken tot het nooit meer boven zou komen.

'Eerst ga je naar een huis, waar je zult wonen met meisjes die in bijna dezelfde situatie verkeren als jij,' legde ze uit. 'Het is een instituut dat geleid wordt door een aardig echtpaar, de Mastersons. Je zult eindelijk ook naar een echte school gaan, met een schoolbus.

'Maar je bent een te waardevol kind om daar lang te blijven, dat weet ik zeker,' vervolgde ze, terwijl ze naar me toe liep om mijn haar van mijn voorhoofd te strijken. 'Een lief echtpaar zal je al gauw in hun hart sluiten en je in huis nemen.'

Ik hield mijn adem in. Ik had willen gillen of mijn ogen dichtdoen en nooit meer opendoen.

'Ik zal altijd naar je informeren om zeker te weten dat het je goed gaat, Celeste,' zei ze.

Ik keek haar zo scherp aan, dat ze verstijfde.

'Nee, dat doe je niet,' zei ik.

'Dat doe ik wél. Ik beloof het je. Ze lachte naar me, maar ze lachte op dezelfde manier naar sommige andere kinderen, en enkelen van hen waren weggegaan en vergeten.

Ik wendde mijn hoofd af, en ik herinner me de kleur grijs, de kleur van staal die zich plotseling om me heen verspreidde. Hoewel ik toen te jong was om mijn gevoelens goed onder woorden te brengen, zwoer ik dat ik me nooit meer aan iemand zou hechten, behalve aan mijn dierbare geesten.

De mensen die naar de kliniek kwamen om me naar het weeshuis te brengen, een man en een vrouw met zwart haar dat doorstreept was met grijs, deden me denken aan de mensen die op die afschuwelijke dag naar de farm waren gekomen. Deze mensen keken verveeld en geërgerd dat ze met dat karwei waren opgezadeld. Nog voordat ze zich voorstelde, vroeg de vrouw kribbig: 'Ben je naar de wc geweest? We hebben een lange rit voor de boeg, en we hebben geen tijd om ergens te stoppen.'

Ik knikte, en de man nam mijn koffertje van me over. Flora was er niet. Ik dacht dat ze zelfs geen afscheid van me zou nemen en haar belofte herhalen voordat ik wegging, maar toen we bij de voordeur van de kliniek waren, hoorde ik haar roepen: 'Een ogenblik!' en toen hoorde ik het *tik, tik, tik* van haar hoge hakken op de tegelvloer. In haar doktersjas, die ze zelden droeg als ze met mij samen was, liep ze haastig door een gang naar ons toe, de jas wapperend onder haar zwaaiende armen. Een van haar assistenten, een jonge vrouw met blonde krullen en grote blauwe ogen die haar een permanent verbaasde uitdrukking gaven, moest bijna hollen om haar bij te houden.

'Hebt u alles?' vroeg ze aan de sociaal werkster, die zich snel had voorgesteld als mevrouw Stormfield. 'De medicijnen zijn erg belangrijk.'

'Ja, ja. We hebben alles,' zei de sociaal werkster en liet haar de aktekoffer zien die ze bij zich had.

'Oké. Ik wens je veel geluk, Celeste. Ik zal me op de hoogte houden. Absoluut,' zei ze nadrukkelijk.

Ik sloeg mijn ogen neer.

Ze hurkte om me in de ogen te kunnen kijken en tilde zacht mijn kin op, zodat ik haar aan moest kijken.

'Je moet sterk zijn,' zei ze, bijna fluisterend. 'Je moet er doorheen. Je zult beslist niet alleen zijn.'

Ik moest even glimlachen, maar het was geen glimlach die haar geruststelde. Dat kon ik zien. Mijn glimlach was te kil. Hij maakte mijn gezicht jaren ouder.

'Ik weet het,' zei ik. 'Ik zal nooit alleen zijn.'

Plotseling keek ze erg bezorgd. Ze keek alsof ze toch nog overwoog me te houden.

Mevrouw Stormfield schraapte haar keel en tikte ongeduldig met haar voet.

Flora keek haar aan.

'Het is een lange rit,' zei mevrouw Stormfield. 'Het is beter als we nu meteen vertrekken.'

Flora knipperde met haar ogen, dacht na en schudde toen haar hoofd.

'Ja, natuurlijk,' zei ze, en stond op. Ze haalde diep adem, keek even naar haar assistente, en overtrad toen met een snelle beweging een of andere regel die ze zichzelf had opgelegd, knielde op de grond en gaf me een zoen op mijn wang. Toen draaide ze zich om en liep weg. Haar hakken klikten als een klok die doortikt naar het uur des oordeels, en stierven weg in een dodelijke stilte. Met mijn vingers raakte ik de wang aan waar ze me had gezoend. Ik wilde dat de afdruk van haar lippen daar eeuwig kon blijven.

Mevrouw Stormfield liet haar hand zwaar op mijn schouder vallen om me de deur uit te duwen naar de auto. Haar vingers knepen zo hard, dat ik het uit had willen schreeuwen, maar ik gaf geen kik. Ik stapte in de auto en ging zo ver mogelijk van haar vandaan zitten. Ze volgde me en deed het portier dicht. Toen zuchtte ze diep, alsof het allemaal een kwelling voor haar was geweest, veel erger dan voor mij. De chauffeur legde mijn koffer in de achterbak, stapte in, startte de motor en reed weg. Ik keek zelfs niet achterom.

Toen pas dacht ik aan mijn neefje Panther. Gek, dat ik niet eerder aan hem had gedacht. Was het omdat ik niet om hem gaf of was ik zijn bestaan echt vergeten? Waar was hij naartoe gebracht? Waar zou hij terechtkomen? Was hij in een kliniek of in een weeshuis, of was hij al bij nieuwe mensen?

En toen dacht ik aan Noble. Ik had heel lang niet aan hem gedacht, maar nu kon ik er niets aan doen. In mijn herinnering bestond hij. Hij was nog steeds Noble. Hij was niet veranderd. Ik hoorde zijn lach, zijn stem als hij de klanken van de klinkers herhaalde, me de trap op droeg naar bed, de deken terugsloeg en me instopte met een zacht welterusten. Ik herinnerde me alle uren die we doorbrachten in de torenkamer en ons zo stil mogelijk hielden, zodat de mensen beneden niet zouden weten dat ik bestond.

Maar vooral herinnerde ik me de uren die ik samen met hem in de kruidentuin werkte, toen ik eindelijk overdag buiten mocht komen, en keek en leerde hoe hij zorgde voor de kruiden. Hij noemde de namen van de planten en praatte erover of ze zijn kinderen waren. Elke ochtend ging ik verlangend en enthousiast naar buiten om te zien hoe ze gegroeid waren, hoe gezond de bladeren waren en hoe ze de belofte van hun rijping en geneeskracht zouden vervullen.

In het huis was mama bezig te koken en Nobles geliefde kruiden fijn te stampen en te mengen tot geneesmiddelen die ze in flesjes en plastic zakjes goot of schepte voor mensen die hun pelgrimstocht aflegden, heen en terug over de landweg naar onze farm. Moeder beschreef de geesten die langs de oprijlaan stonden, goedkeurend knikten en glimlachten als de klanten, of cliënten zoals mama ze altijd noemde, met hoopvolle gezichten en vol vertrouwen naar ons huis kwamen.

Waar waren onze familiegeesten nu? vroeg ik me af. Stonden ze op me te wachten nu ik was ontslagen uit de kliniek, om me bij mijn terugkomst te begroeten? Plotseling bracht die gedachte me in paniek. Ja, ze wachtten op me en ze zouden teleurgesteld zijn als ik niet terugkwam.

'Ik moet naar huis,' herinner ik me dat ik zei.

Mevrouw Stormfield draaide zich langzaam om, schoof haar bril langs haar benige neus omlaag en tuurde naar me met haar staalgrijze ogen.

'Wat zei je?'

'Ik moet meteen naar huis,' zei ik. 'Ze wachten op me.'

'Wie wacht op je?'

'Mijn familie.'

'O.' Ze schoof haar bril weer omhoog, draaide zich om en keek voor zich uit.

'Ik meen het. Ze wachten echt op me.'

'Ja, nou ja, waarom wacht jij niet gewoon tot ze je komen halen?' zei ze.

De chauffeur lachte.

'Ja,' zei ik. 'Dat is een goed idee.'

Ze keek me weer aan en trok deze keer verbaasd haar rechterwenkbrauw op.

'O, vind je dat?'

'Ja, ik zal wachten. Én ze zullen komen,' voegde ik eraan toe, en leunde achterover. Ik herinner me dat ik glimlachte. Ik straalde zelfvertrouwen uit.

'Het is een raar kind,' verklaarde mevrouw Stormfield.

'Zijn ze dat niet allemaal?' zei de chauffeur.

Ik zei geen woord meer tegen een van beiden. Lang geleden had ik geleerd hoe ik de lege uren door moest komen. Ik hoefde niet beziggehouden of geamuseerd te worden. Ik kon in gedachten te-rugbladeren in een boek dat ik had gelezen en de pagina's weer omslaan. Ik was me vaag ervan bewust dat mevrouw Stormfields heen en weer gaande ogen op me gericht bleven. Ze ging nog een eindje verder van me vandaan zitten, alsof ze bang was dat ik een besmettelijke ziekte had.

Ik glimlachte.

Ze wist het niet, maar ik was erg blij dat ze zo ver weg zat.

Ze maakte plaats voor Noble. Ik had zo intens aan hem gedacht, dat hij weer bij me terug was gekomen.

Hij zat tussen ons in, pakte mijn hand in de zijne en zei: 'Maak je maar niet ongerust. Ik ben weer bij je.'

'Waarom lach je?' vroeg mevrouw Stormfield me. 'Ik heb het tegen jou, jongedame,' ging ze op strenge toon verder toen ik niet reageerde.

Ik gaf nog steeds geen antwoord en ze kon er niets tegen doen.

Ik draaide me van haar af en staarde voor me uit. Noble hield mijn hand vast. Alleen al de wetenschap dat hij er was gaf me de kracht en de moed om alle mevrouwen Stormfield te trotseren die op mijn weg zouden komen, en alle dagen die nog zouden volgen, hoe bewolkt of donker of vol statica ze ook waren.

2. Een zogenaamd normale jonge vrouw

Weeskinderen weten niet hoe ze over morgen moeten denken. Het is of we in het donker ronddrijven op zee en de lucht altijd bewolkt is, zodat we niet weten welke richting we uitgaan en of we wel ergens heengaan. We vragen ons zelfs af of we ooit Kerstmis of een verjaardag zullen vieren. Wie kan dat trouwens iets schelen? De staat? De verzorgers in het weeshuis? Zelfs al zouden al die mensen goede bedoelingen hebben, dan is het toch heel iets anders dan je in een zitkamer te bevinden op eerste kerstdag of op je verjaardag, en cadeaus uit te pakken met mensen van wie we houden en die van ons houden. We weten natuurlijk dat het bestaat. We zien het op de televisie of in films en we lezen erover in boeken, en natuurlijk zijn er ook kinderen die een tijdlang in een gezin hebben geleefd, zoals ik.

Heel diep in mijn geheugen hoor ik een piano spelen op eerste kerstdag. Ik ruik de warme appeltaart en ik zie de sneeuwvlokken tegen de ramen plakken; ze worden beschenen door het licht van onze zitkamer, zodat de randen ervan glinsteren als kleine diamantjes. Hoe koud het ook was, de wereld in ons huis was warm. Het zou ongetwijfeld voor ons allemaal hetzelfde zijn, maar om dat alles te beleven had je een gezin nodig.

Denk je eens in dat je nooit moederdag viert of vaderdag of de verjaardag van een lid van het gezin. Denk eens aan het woord *gezin* en stel je voor dat het niet in je vocabulaire voorkomt. Denk eens aan het gevoel of je tot een heel andere soort behoort. Zo was het voor ons.

De mensen zeggen altijd: 'Het hemd is nader dan de rok'. Voor ons leken er geen hemden te bestaan. Geen wonder dat ik me zo hardnekkig vastklampte aan de herinnering aan mijn spirituele familie, ondanks alle inspanning van mijn therapeuten en counselors.

Wie had ik anders? Het is iets verschrikkelijks om alleen afhankelijk te zijn van de vriendelijkheid en liefdadigheid van vreemden. Hoe ze je ook helpen en wat ze ook zeggen als ze dat doen, je hebt altijd het gevoel dat het een verplichting is. Ik haat het om me voortdurend dankbaar te moeten voelen. Niemand zegt vaker dank je dan wij. Die woorden zitten praktisch op onze tong gelijmd.

Het is zo belangrijk om een gezin, familie, te hebben, iemand te hebben die een deel is van jou, en van wie jij ook deel uitmaakt. Wat je voor elkaar doet komt uit het hart, een plek die je voor eeuwig en altijd deelt. Verplichtingen bestaan niet. Er is alleen maar liefde. Zo was het nog steeds tussen mij en Noble. Hoe zou ik dat ooit kunnen opgeven?

Maar in de tijd die ik in mijn eerste weeshuis doorbracht, naar een openbare school ging, een paar vriendinnen kreeg, begon ik steeds minder te zien en te horen van Noble. Het was niet dat ik hem niet langer nodig had. Ik zou hem altijd nodig hebben. Hij was te veel een deel van wie en wat ik was. Het was meer dat dingen die andere meisjes van mijn leeftijd interesseerden ook mijn interesse begonnen te wekken. Ik wilde meer televisiekijken, tijdschriften lezen, naar films gaan, en Noble deed nooit een van die dingen of praatte erover. Hoewel ik geen echte vriendjes had, flirtte ik met jongens en fantaseerde over ze, net als mijn vriendinnen.

Ten slotte hoorde ik meneer Masterson tegen Madam Annjill zeggen dat hij zich zorgen over me maakte, zonder goede reden.

Ik had jaren geleden ontdekt dat als ik mijn oor tegen het ventilatiegat legde tussen hun keuken en onze badkamer, ik hun gesprekken duidelijk kon horen. Op de een of andere manier voorzag ik wanneer ze over mij zouden praten. Misschien omdat ze dat vaak deden.

'Weet je,' hoorde ik Masterson zeggen, 'alle kleine jongens en meisjes hebben denkbeeldige vriendjes en vriendinnetjes, Annjill, vooral onze kleine weeskinderen. Celeste is geen uitzondering, maar nu, zoals je zelf zegt, doet ze dat steeds minder.'

'Ik geloof nog steeds dat er iets heel erg mis is met dat kind. Hoe kan ze zijn opgevoed in die wereld van waanzin, zonder dat er iets permanent beschadigd is?' hield Madam Annjill vol. 'Waarom is het zo verschrikkelijk moeilijk om een echtpaar te vinden dat bereid is haar in huis te nemen? Oppervlakkig gezien is ze aantrekkelijk genoeg, en het is zeer zeker een bijzonder intelligent kind. Dat moet ik haar nageven. Kijk maar eens naar haar cijfers op school.'

'Er komt wel iemand,' hield Masterson vol.

'Nee. Er komt niemand. Ze heeft te veel mogelijkheden gehad, te veel gemiste kansen. Wij zullen ze aan de haak moeten slaan,' zei Madam Annjill.

Ik heb altijd vermoed dat ze dat uiteindelijk ook heeft gedaan en dat ik daarom voor het eerst terechtkwam in het huis van een echtpaar, de Prescotts, die me kwamen bezoeken kort nadat ik het gesprek van Madam Annjill en haar man had afgeluisterd. Ze hadden hun eigen kinderen al grootgebracht en hadden zelfs al kleinkinderen, maar de reden waarom ze in dit late stadium nog pleegouders wilden worden was dat hun kinderen en kleinkinderen allemaal ver weg woonden. Ze wilden hun leven vullen met iets zinvols. Ik dacht dat dat meer opging voor mevrouw Prescott dan voor meneer Prescott.

Onmiddellijk nadat we elkaar hadden ontmoet vroeg mevrouw Prescott me haar Nana te noemen en haar man papa, alsof ze maar met hun vingers hoefden te knippen om me bij toverslag te veranderen in hun nieuwe kleindochter. Ze zei dat ik de oude kamer zou krijgen van hun dochter Michelle, met mijn eigen televisie en bureautje. Ze klonken heel edelmoedig, maar ik wist dat ze geld zouden krijgen van de staat voor mijn levensbehoeften en mijn kleren.

In tegenstelling tot de andere echtparen die met me hadden gesproken, voelden ze zich niet afgestoten door mijn houding. Misschien had Madam Annjill hen voorbereid en gewaarschuwd. Het gezicht van mevrouw Prescott leek geboetseerd uit plastic. De glimlach bleef op zijn plaats en bewoog geen moment. Niets van wat ik vroeg of zei leek hen te deren, zelfs niet toen ik mevrouw Prescott vroeg waarom haar dochter of haar zoon en hun kinderen de kamer die ik zou krijgen niet nodig hadden als ze op bezoek kwamen. Aan de blik die ze wisselde met haar man voelde ik dat ze niet zo vaak bezocht werden door hun kinderen en kleinkinderen, en dat zat hen allebei dwars, mevrouw Prescott misschien nog het meest.

Meneer Prescott was een lange, magere, kalende grijsharige man met een bleke huid en waterige, dofbruine ogen. Vrijwel de hele tijd dat hij er was, tikte hij met zijn lange vingers op de armleuning van de stoel alsof hij de maat sloeg van een fanfare.

'En als ze komen, vinden we altijd wel een manier om iedereen onder dak te brengen, lieverd,' zei ze tegen mij. 'Maak je geen zorgen. O, wat zal het heerlijk zijn om weer een jong meisje in ons leven te hebben! Ik heb zelfs wat kleren gevonden op zolder die je misschien passen, en ik heb hopen speelgoed in de kast, ook veel mooie poppen,' zei ze.

Ze klapte in haar handen en wreef haar palmen tegen elkaar alsof zij ze waste. Ze was gezet, met een smalle boezem en brede heupen. Ik vermoedde dat ze lang geleden haar taille was kwijtgeraakt en de vrouw die ze eens was geweest vervaagd was als een heel oude foto.

'Zullen uw kleinkinderen het niet erg vinden als u mij in huis neemt en zoveel weggeeft van wat van hen is, vooral hun poppen?' vroeg ik.

Zelfs op die jonge leeftijd kon ik iemand zo scherp aankijken als een aanklager in een rechtszaal. Madam Annjill vertelde me altijd dat het onbeleefd was, maar ik deed het toch. De meeste weeskinderen zouden zo'n vraag niet durven stellen, uit angst hun mogelijke pleegouders een reden te geven om hen af te wijzen.

Maar het was een belangrijke vraag voor me. Het laatste wat ik wilde was ergens anders heengebracht te worden waar iemand me zou verfoeien. Ik was al negen en ik wist alles af van jaloezie. Afgunst leefde bij elk weeskind en kon van het ene moment op het andere onze ogen gifgroen kleuren als een ander een cadeautje kreeg of een kans had geadopteerd te worden. Dat zou natuurlijk alleen maar erger zijn als ik me een deel toe-eigende van de wereld van de kleinkinderen van de Prescotts.

'O, nee, nee. Nee, nee,' riep ze uit.

Tijdens het hele gesprek keek meneer Prescott uit het raam met een duidelijk verlangen daarbuiten te zijn in plaats van hier binnen met mij en al dat adoptiegedoe. Later kwam ik erachter dat hij leefde voor zijn golfspel, en alles wat zijn schema verstoorde hem ergerde.

Als mevrouw Prescott dat wist, negeerde ze het of ze trok zich er niets van aan. Ze had geen haast. Ze praatte aan één stuk door, beschreef hun huis als een bescheiden Queen Anne-woning van twee verdiepingen en een veranda aan de voorkant. Ze vertelde me dat aan de achterkant een grote tuin was, zodat ik voldoende bewegingsvrijheid zou hebben voor mijn kleine beentjes.

'Papa zal ook de schommel achter in de tuin weer maken, hè, papa?' vroeg ze.

'Wat? O, absoluut,' zei hij. 'Hij heeft alleen een lik verf en wat olie nodig.'

Het feit dat ze hem hadden laten verkommeren, was voor mij een bewijs dat hun kleinkinderen maar weinig tijd bij hen doorbrachten.

'Je kunt te voet naar school, maar we laten je nooit alleen gaan, hè, papa?'

'O, nee, nooit,' zei hij vastberaden.

Ze woonden in een klein dorp even buiten Kingston, New York. Meneer Prescott was een gepensioneerde accountant. Mevrouw Prescott was altijd huisvrouw geweest en had nooit aan de universiteit gestudeerd. Ze vertelden me dat ze elkaar op high school hadden leren kennen en getrouwd waren zodra meneer Prescott was afgestudeerd en zijn eerste baan kreeg bij een groot accountantskantoor in Kingston.

'Ten slotte richtte papa zijn eigen kantoor op. We zijn niet rijk, maar we hebben altijd goed kunnen rondkomen,' legde mevrouw Prescott uit. Ik denk dat ze me zo snel mogelijk hun eigen verleden wilde vertellen, zodat ik me heel gauw bij hen thuis zou voelen.

Later hoorde ik dat Madam Annjill, die bijna stond te kwijlen bij het vooruitzicht dat iemand me haar uit handen zou nemen, tegen de Prescotts zei dat ik de netste pupil van haar weeshuis was en ik veel beloofde voor de toekomst.

'Ze is een heel onafhankelijk klein meisje. U zult heel tevreden over haar zijn, en het is zo goed van u om haar een echt thuis te geven en haar te laten zien hoe een normaal gezin leeft,' voegde ze eraan toe. 'Bovendien weet Arnold precies hoe hij haar bezit moet beheren als het zover is. Wie kan dat arme ongelukkige kind beter leidinggeven?'

Ik had geen idee hoeveel ze wisten van mijn achtergrond, maar ik had het gevoel dat Madam Annjill de schijn had gewekt dat ik te jong was geweest om in enig opzicht beschadigd te zijn door de gebeurtenissen. Ik was slechts een arm klein meisje dat heel onrechtvaardig aan zichzelf was overgelaten. Door de manier waarop ze spraken over mij en over zichzelf, wist ik dat Madam Annjill hen waarschijnlijk een tijdlang bewerkt had. Ten slotte ondertekenden ze de papieren en vertelden me dat ik bij hen zou komen wonen. Het ging allemaal zo snel in zijn werk, dat het me duizelde, maar ze hoopten dat ik gelukkig zou zijn, iets dat ik minstens zo graag wilde als zij.

Toen de andere meisjes hoorden dat ik naar iemands huis ging om deel te gaan uitmaken van een gezin, keken ze me aan of ik de loterij had gewonnen. Niemand zei iets onaangenaams. Sommigen zeiden zelfs dat ze me zouden missen, maar allemaal hadden ze die afwezige blik in hun ogen, die me zei dat ze zich meer dan ooit alleen gelaten voelden. Per slot was ik het kleine meisje dat niemand wilde. Stuk voor stuk vonden ze dat zij eerst een gezin hadden moeten vinden.

De volgende dag kwamen de Prescotts mij en mijn schaarse bezittingen halen. Het was gaan regenen voordat ze kwamen, dus was er niet veel tijd om te blijven aarzelen bij de deur van het weeshuis. Madam Annjill had mijn spullen gepakt en mijn koffer de vorige avond al klaargezet. Ze kwam meteen na het ontbijt naar me toe en liet me wachten in de hal, alsof ze zeker wilde weten dat ze niet zouden komen en mij niet zouden zien en onmiddellijk rechtsomkeert maken. Ik moest heimelijk lachen dat ze zo blij was dat ze me eindelijk kwijtraakte. Ze kletste maar door hoe ik bofte dat zo'n aardig, beminnelijk echtpaar belangstelling voor me toonde.

'Je hoort me duizendmaal te bedanken,' zei ze.

Ik draaide me langzaam naar haar om en keek haar zo doordringend aan dat ze haar wenkbrauwen optrok. Ik was er zeker van dat ik een donkere schaduw rond haar schouders zag zweven, die zich langzaam over haar heen bewoog.

'Wat is er?' vroeg ze.

Ik deed een stap achteruit, omdat ik niet wilde dat de donkere schaduw me zou aanraken. Ik kon de angst in haar gezicht zien verschijnen als bloed in een glas.

'Zorg dat je je goed gedraagt,' waarschuwde ze, en zwaaide naar me met haar rechterhand. 'Zorg ervoor. Ik neem je niet terug.'

Ik glimlachte koeltjes.

'U zult niemand terug kunnen nemen,' zei ik, en ze trok een gezicht of ze in ademnood verkeerde.

35

Toen de Prescotts arriveerden, liet Madam Annjill me haastig uit met een simpel: 'Veel succes met haar.'

Ik voelde haar hand op mijn rug. Ze duwde me letterlijk de deur uit, en liet – naar ik wist voor de laatste keer – haar palm over mijn schouderbladen glijden.

Omdat het regende, hield meneer Prescott de paraplu boven mijn hoofd en bracht me naar de auto. Ik keek één keer achterom en meende Tilly Mae naar me te zien staren door een raam, wrijvend over de schouder die Madam Annjill een keer had ontwricht. Dat deed ze altijd als ze bang of verdrietig was. In het raam leek haar gezicht van was, wegsmeltend door de hete, droeve tranen. Een paar ogenblikken later reden we over de oprijlaan en waren we op weg naar een nieuw en hoopvol leven.

Het begon harder te regenen. Algauw werd het een van die hevige lenteregens die vlak voordat ze de grond raken nog net niet veranderen in natte sneeuw. Het waren grote regendruppels die zo hard neerkletterden op het dak van Prescotts auto, dat ze op stalen balletjes leken die boven ons heen en weer rolden. Er volgde een donderslag en toen een bliksemschicht die mevrouw Prescott deed gillen en omhoog deed springen van haar stoel.

Ik zat achterin, met gevouwen handen, en staarde voor me uit. Omdat ik zo stil was, werd mevrouw Prescott onrustig en zenuwachtig en kon niet ophouden met praten. Ze stelde me de ene vraag na de andere, en als ik geen antwoord gaf, ging ze over op de volgende, alsof ze de eerste nooit gesteld had.

'Geef dat kind toch een kans,' bleef haar man maar zeggen. Ik had nog geen complete zin uitgesproken. Al mijn antwoorden bestonden uit één lettergreep. Ik dacht nog steeds erover na hoe snel ik uit het huis dat zo lang mijn thuis was geweest, naar deze nieuwe bestemming vertrok.

Al die tijd dat ik in dat eerste weeshuis had geleefd onder Madam Annjills ijzeren vuist was ik nooit echt bang geweest. Haar valsheid maakte me sterker, haar dreigementen onverzettelijker. Ik zwom in een poel met de rest van de hulpeloze vissen, alleen had ik mijn geloof, mijn geheimen, en mijn broer Noble, die naast me stond als ik hem echt nodig had. Het hield me allemaal ver boven het kolkende water van ongeluk en verdriet en buiten het bereik van gevaar.

Madam Annjill had niet helemaal ongelijk met wat ze de Prescotts verteld had. Ze overdreef niet alles. Ik was inderdaad onafhankelijker dan de meeste andere meisjes in het weeshuis en ik had geen problemen op school. Ik leerde goed, en ik was heel netjes en efficiënt.

Maar nu ik uit deze wereld van het weeshuis werd gerukt, bijna even snel en dramatisch als jaren geleden uit de schoot van mijn familie, zonk ik weer weg in de cocon die bij mijn geboorte om me heen was geweven. Opnieuw werd zwijgen een warme, beschermende deken die ik om me heen kon wikkelen. Daarom wilde ik niet veel zeggen.

Wat me de meeste angst aanjoeg was het idee dat ik niet naar huis ging. Ik werd omgeleid, misschien wel voorgoed, en ik zou de enige familie verliezen die ik ooit had gekend. Succes hier en in deze wereld zou mijn verleden steeds verder terugdrijven, tot het even diep begraven zou zijn als mijn voorouders op het kleine kerkhof waar Nobles lichaam had gerust.

Kan de ene familie de andere vervangen? vroeg ik me af. Kunnen Nana Prescott en papa Prescott werkelijk mijn grootouders worden? Zou ik al hun voorouders erven, hun verhalen, hun voorkeur en afkeer? Was het hemd nader dan de rok? Was het uiteindelijk toch een soort bloedtransfusie?

En hoe zou mijn spirituele familie over dit alles denken? Zouden ze zich niet verraden voelen? Verried ik ze niet alleen al door hier te zijn en net te doen of ik deel wilde uitmaken van de familie Prescott?

'Lieverd, alsjeblieft,' zei mevrouw Prescott steeds opnieuw, 'noem me Nana en noem meneer Prescott papa.'

Het was bijna of ze me vroegen te vloeken. Hoe moest het dan met mijn echte Nana en papa? Zouden ze mokken in de schaduw, gedwongen zijn te verdwijnen? En hoe zouden al mijn andere familieleden zich voelen? Ze zouden me natuurlijk ondankbaar vinden, omdat ik ze in de steek liet, en ze zouden me mijn visioenen en mijn kracht ontnemen. Ik zou nooit meer naar huis kunnen, erfenis of geen erfenis. Wat moest ik doen?

'We zijn thuis!' riep Nana Prescott op het moment dat we over de oprit reden, alsof ze bang was geweest dat we er nooit zouden komen.

Het huis was zo ongeveer als ze het had beschreven. Het was een bescheiden maar mooi huis met Wedgwood-blauwe luiken en een wandelpad met aan beide zijden struiken die tot het middel reikten, een bloemperk aan de voorkant, en een kleine fontein met een paar vogels in het midden. Het water droop uit hun snavels alsof ze die zojuist in de poel hadden gedoopt om te drinken.

De deur van de garage voor twee auto's ging omhoog en toonde een heel efficiënte en goed onderhouden garage met kasten en planken langs de muren. Zelfs de vloer zag eruit of hij iedere dag geboend werd. Hun tweede auto was een SUV, en ik kon de golfclubs achterin zien, waarvan de *heads* uit het raam keken, ongeduldig wachtend tot papa Prescott ze zou gebruiken. Hij droeg mijn spullen naar binnen, en toen gaf Nana Prescott me een rondleiding.

Alles zag er onaangeroerd uit. Het leek een modelwoning, met tijdschriften keurig in de rekken, gewreven en schijnbaar ongebruikte meubels, niets was van zijn plaats. Er stond een grootbeeldtelevisie in de woonkamer, zoals ze die noemden. Om de een of andere reden verwachtte ik een piano te zien. In mijn gedachten was er altijd een piano in een huis. Het kon geen thuis zijn zonder dat muziekinstrument. Ik kon mama vaak erop horen spelen; de melodieën slingerden zich door mijn geheugen, zweefden mijn visioenen in en uit als muzikale draden.

Er klopt iets niet, dacht ik. Het was niet alleen dat het zo netjes was. Wat was het dan? vroeg ik me af. En toen besefte ik dat het huis te stil was. Ik hoorde geen fluisterende stemmen, geen voetstappen, geen deuren die open- en dichtgingen. Zelfs het stof bewoog niet als het gevangen werd in een lichtstraal. Stilte lag als cellofaan over de deuren, de muren, de ramen en vloeren. Daarom spraken de Prescotts heel zacht, en als ze liepen leken ze op hun tenen te lopen over de kleden en de vloerbedekking, alsof er boven iemand lag te slapen die ze niet wakker mochten maken.

'We zullen zorgen dat je je hier gauw thuis zult voelen,' zei Nana Prescott. 'Papa gaat golfen met zijn vrienden, maar jij en ik kunnen elkaar beter leren kennen. Je kunt me helpen in de keuken. Houd je van gebraden varkensrollade? Dat leek me een goed idee voor een speciaal etentje.'

'Ik weet het niet,' zei ik. Ik wist het echt niet. Ik kon me niet herinneren dat ik het ooit gegeten had.

'Als je het niet lekker vindt, maak ik meteen wat anders voor je klaar,' beloofde Nana Prescott.

Ze gingen met me naar boven om me mijn kamer te laten zien,

in de hoop dat hij naar mijn zin zou zijn. Naar mijn zin? Hoe kon ik, die zoveel jaren een weeskind was geweest, niet blij zijn met een eigen kamer?

Nana Prescott had splinternieuw beddengoed gekocht voor het queensize bed en had papa Prescott nieuwe wit-met-roze gordijnen laten ophangen. Ze hadden twee keer in de week een huishoudelijke hulp, en het was duidelijk dat ze er veel tijd aan had besteed om alles er als nieuw te laten uitzien. De schone ramen glansden. Het mauvekleurige tapijt was gestofzuigd, zodat het leek of het pas gelegd was, en alle meubels waren gewreven tot ik mijn gezicht weerspiegeld kon zien in het hout. Het was een mooie kamer, veel mooier natuurlijk dan enige kamer waarin ik had geslapen sinds ik uit de farm was vertrokken.

'We willen dat je je zo comfortabel voelt als een jong vogeltje in haar nest,' zei Nana Prescott.

Ik mimede mijn bedankjes, maar ik was nog te nerveus en bang om te kunnen glimlachen. Ze keken beiden naar me terwijl ik de kamer inspecteerde, stonden in de deuropening, lachend als trotse nieuwe grootouders hoorden te lachen. Hoe blijder en opgewondener ze over me waren, hoe zenuwachtiger ik werd en hoe dichter ik die cocon om me heen trok. Ik weet zeker dat dát hen uiteindelijk ontmoedigde.

Zodra ik mijn spulletjes had opgeborgen, ging ik met Nana Prescott naar de keuken.

Weer was zij degene die nerveus was, babbelde over haar kindertijd, haar schooltijd, haar ouders, van het ene onderwerp overging op het andere, zoals een verveelde televisiekijker langs de kanalen zapt. Het leek wel of haar verteld was dat ze alles over haar verleden in mijn hoofd moest stampen voordat ik naar bed ging. Ik was beleefd en vertelde wat meer over mezelf, voornamelijk omdat ik nieuwsgierig was naar haar en papa Prescott en hun kinderen en kleinkinderen. Ik bekeek alle foto's en luisterde terwijl ze iedereen beschreef.

'Ze zullen allemaal van je houden,' voorspelde ze. 'Je zult het zien.'

Was dat mogelijk? Hoefde iemand maar naar me te kijken om van me te houden? Of was het gewoon weer een van die leugens die volwassenen als linten achter zich aan slepen?

Ik hielp haar met tafeldekken en ging toen naar boven naar mijn kamer en keek naar de boeken op de plank, kinderboeken en boeken voor jonge volwassenen, die hun dochter Michelle had gelezen en bewaard. Sommige had ik ook gelezen, maar andere trokken mijn aandacht. Vreemd genoeg voelde ik me schuldig zodra ik iets zag dat ik mooi vond of als ik blij was met iets dat van mij zou zijn.

Tijdens het eten schepte Nana Prescott op tegen papa Prescott dat ik haar zo goed had geholpen. Ik had heel weinig gedaan, maar ik kon zien dat ze dacht dat ik het fijn zou vinden als ze overdreef. Ik genoot van haar eten. Het was smakelijker dan het eten in het weeshuis, en het dessert bestond uit eigengemaakte bosbessentaart en ijs. Papa Prescott praatte over zijn golfspel, ook al was het duidelijk dat het Nana Prescott niet interesseerde en vond dat hij hoorde te praten over iets dat mij zou interesseren. Het was of hij haar – of mij – niet zag. Soms leek het meer of hij hardop tegen zichzelf zat te praten.

Is dat wat er gebeurt als mensen samen oud worden? vroeg ik me af. Scheiden hun wegen zich langzamerhand en komen ze op een ochtend bij het wakker worden tot de ontdekking dat ze weer alleen zijn? Zij hadden niet wat ik had, dacht ik. Zij hadden niet dat wonderbaarlijke iets dat ons bijeenhield, dat ons aan elkaar bond door gefluister en schaduwen. Ja, dat miste ik nu het meest. Alleen al het denken eraan stemde me treurig.

'Gaat het goed met je, lieverd?' vroeg Nana Prescott me. Ze zag de uitdrukking op mijn gezicht, denk ik.

Ik knikte.

'Ze is gewoon moe,' zei papa Prescott. Hij glimlachte naar me. 'Ze heeft een lange dag achter de rug.'

Waarom zei hij niet *je? Het is een lange dag voor je geweest?* Hij gaf me het gevoel dat we allemaal over iemand anders praatten, of dat ik in een glazen vitrine zat en ze me observeerden.

Eindelijk ging ik naar bed.

De eerste nacht dat ik ging slapen in mijn eigen kamer, bleef ik strijd voeren met mezelf. Een deel van me wenste dat ik terug was in het weeshuis, zelfs onder het strenge regime van Madam Annjill. Ik moest er weer aan denken dat ik verraad pleegde jegens mijn familie. Een ander deel van me verzette zich daartegen. Het was geen kostbaar ingerichte slaapkamer, maar na de afgelopen zes jaar met drie andere meisjes een kamer te hebben gedeeld, waarin we elk een kleine ruimte hadden, vond ik hem prachtig.

Het was de eerste nacht dat ik in vier jaar ergens anders sliep dan in het weeshuis. Ik kon mijn ogen niet gesloten houden, al was ik nog zo moe. Bij elk geluid in huis gingen mijn ogen open. Ik wachtte en luisterde naar het volgende getinkel, het volgende gekraak. Hoorde ik de voordeur opengaan? Een raam? Hoorde ik voetstappen op de trap? Ging de deur van mijn slaapkamer open?

Op een gegeven moment ging de deur inderdaad open. Het was Nana Prescott die kwam kijken of alles in orde was. Snel deed ik mijn ogen dicht en deed net of ik sliep. Ze bleef nog even staan en deed toen zachtjes de deur dicht.

Even later hoorde ik Noble zeggen: 'Hallo!'

Ik draaide me om en zag hem staan. Hij keek niet erg vrolijk, al was ik dolblij hem te zien.

'Ik was bang dat je niet zou weten waar ik was,' zei ik. 'Ik heb je zo lang niet gezien.'

'Dat is niet mijn schuld. Je bent opgehouden naar me uit te kijken. Je hebt zelfs niet meer aan me gedacht.'

'Dat is niet waar.'

'Het doet er niet toe. Ik weet altijd waar je bent,' zei hij. 'En ik kan je altijd zien.'

Ik keek naar hem terwijl hij rondliep in de kamer en alles bekeek.

'Mooie kamer, hè?' vroeg ik hem.

'Nee,' zei hij. 'Er wacht thuis een mooiere kamer op je. Deze kamer ruikt naar een wasserij. Degene die hem schoonmaakt gebruikt te veel zeep en boenwas. Het doet me denken aan een ziekenhuiskamer. En waar kijk je hier op uit?' ging hij verder, naar het raam lopend. 'Weer een huis en een drukke straat. Hun achtertuin heb ik al geïnspecteerd. Ze hebben geen tuin, ze hebben nooit een tuin gehad. En dan die armzalige schommel.'

'Papa Prescott gaat hem maken, zodat hij er weer als nieuw uitziet,' zei ik.

'Papa Prescott?' zei hij vol afkeer.

'Zo willen ze dat ik hem noem.'

'Dat kun je niet menen,' zei Noble. Hij draaide zich om en zette zijn handen op zijn heupen.

'Ze willen dat ik gelukkig ben,' zei ik.

Hij schudde zijn hoofd.

'Je zult hier niet gelukkig zijn, Celeste. Denk of verbeeld je nooit dat je dat zult zijn.'

Toen draaide hij zich om en liep een donkere hoek in en was verdwenen.

'Noble,' riep ik. 'Noble.'

Ik moet gegild hebben, want Nana Prescott kwam haastig naar mijn deur gelopen. Ze was in haar nachthemd, haar blauwgrijze haar viel los op haar schouders. Afgetekend in het licht van de gang, leek ze een misvormd wezen. Toen gilde ik werkelijk.

Papa Prescott kwam achter haar aan en knoopte het ceintuur van zijn ochtendjas dicht onder het lopen.

'Wat is er?'

'Ik weet het niet. Wat is er, Celeste, lieverd?'

Ze knipte het licht aan. Ik zat rechtop en staarde naar de hoek waarin Noble was verdwenen. De tranen stroomden over mijn wangen.

'Was het een nachtmerrie, kindlief?' vroeg Nana Prescott.

Ze kwam aarzelend naar me toe, hopend op een of ander teken van mijn kant dat ik door haar getroost wilde worden, maar ik kon slechts naar de hoek staren en hopen dat Noble terug zou komen.

'Wat was er?' vroeg Nana weer. Ze bleef aan het voeteneind van mijn bed staan. 'Celeste?'

Ik gaf geen antwoord.

Ze draaide zich om naar papa Prescott en haalde haar schouders op.

'Wat moet ik doen?'

'Celeste,' zei hij op krachtiger toon. 'Wat is aan de hand? Was je bang voor iets?'

Eindelijk keek ik hen aan en veegde mijn wangen af, streek de tranen weg.

'Noble was er en ik ben bang dat hij niet meer terugkomt.'

'Wie?' vroeg Nana Prescott. 'Zei je dat hier iemand geweest is? Celeste?'

Ik gaf geen antwoord. Ik liet me achterovervallen, met mijn hoofd op het kussen, en staarde naar het plafond.

'Het moet een droom zijn geweest. Ik denk dat ze nog steeds nare dromen heeft,' zei papa Prescott.

'Ja, dat moet het zijn. Je kunt je gewoon niet voorstellen wat een weeskind allemaal moet doormaken,' zei Nana. Ze liep naar mijn bed en stopte mijn deken in. 'Zo, lieverd. Papa en ik zijn vlakbij als je ons nodig hebt. Wil je dat ik de deur openlaat?' vroeg ze.

Ik keek haar aan.

'Ja. Laat maar open. Misschien komt hij terug.'

'Misschien komt wie terug?'

'Noble,' zei ik. Ik hield ervan zijn naam te zeggen, en het was zo lang, zo verschrikkelijk lang geleden, dat ik dat tegen iemand had kunnen doen.

Ze keken elkaar aan.

'Morgenochtend zal ze zich beter voelen,' was Nana's gedwongen conclusie.

'Ja, dat zullen we allemaal,' voorspelde papa Prescott. Ze liepen de kamer uit; zij bleef bij de deur nog even staan om naar me te kijken.

'Kom terug, Noble,' fluisterde ik. 'Ik zal me hier niet gelukkig voelen. Ik beloof het je.'

Maar die eerste nacht kwam hij niet meer terug. Toch wist ik dat hij ergens in de schaduw stond te mokken. Ik kon voelen dat hij er was. Later wist ik dat hij me ook overal volgde. Hij volgde me zelfs naar de nieuwe school waar ik naartoe ging, en toen ze me mijn lessenaar hadden gewezen en de lerares me had voorgesteld aan de klas, draaide ik me met een ruk om en zag hem achter in de klas staan. Hij meesmuilde en verdween achterwaarts in de muur.

De daaropvolgende weken bleef ik naar hem uitkijken. Mijn lerares klaagde tegen mij en toen tegen de Prescotts dat ik niet oplette, dat ik er niet bij was met mijn gedachten. Ze zei dat ze zich niet kon voorstellen dat ik zo'n goede leerling was geweest op school. Mijn cijfers voor haar eerste proefwerken waren altijd onvoldoende, en als ze me in de klas vroeg om een vraag te beantwoorden, staarde ik haar slechts aan.

Nana Prescott vroeg me voortdurend waarom het zo slecht ging op school. Ze bood aan samen met mij mijn huiswerk te maken, maar ik wist dat Noble dan nog kwader zou worden, want dat was vroeger altijd zijn taak geweest. Ik antwoordde haar dat het niet nodig was.

'Noble helpt me wel,' zei ik.

'Wie is Noble?' vroeg ze.

'Mijn broertje.'

'Je broertje. Maar waar... wanneer zie je hem?'

'Wanneer hij dat wil,' zei ik.

Ze schudde haar hoofd en ging verder met het huishouden. Later spraken zij en papa Prescott over me. Ik kon ze zachtjes horen praten in de zitkamer nadat ik naar boven en naar bed was gegaan. Noble zei dat ik op mijn tenen naar de trap moest lopen om daar te luisteren.

'Ik weet het niet,' zei papa. 'Het bevalt me niks. Misschien hebben we onszelf overschat, Julia, en is dit meer dan we aankunnen.'

'O, ik weet zeker dat het na een tijdje beter zal gaan. Er is tijd voor nodig om te wennen aan een nieuw thuis, Arnold. Kinderen verzinnen vaak denkbeeldige vriendjes.'

'Dit is geen denkbeeldig vriendje. Dit is haar gestorven broer. Ik moet zeggen dat het me koude rillingen bezorgt als ik haar over hem hoor praten,' zei hij. 'En zoals ze in de ruimte staart, alsof ze iemand ziet. Eerlijk gezegd vind ik het gewoon griezelig. Gek dat Annjill daar niets over gezegd heeft.'

Ze zwegen.

Ik ging terug naar mijn kamer. Noble stond in de deuropening.

'Snap je nou wat ik wil zeggen? Je hoort hier niet,' zei hij, draaide zich om en liep de kamer in.

Maar hij was er niet toen ik binnenkwam. Ik ging naar bed en wachtte op hem. Hij kwam niet terug en ik viel in slaap.

De volgende dag wilde meneer Fizer, de schoolcounselor, me spreken. Hij had blond krulhaar en heel vriendelijke en warme blauwe ogen. Ik zag de foto van zijn vrouw en twee kinderen op zijn bureau staan. Hij had een dochter die een jaar of vijftien leek op de foto, en een zoontje van acht, dat ik in de schoolgang had gezien, en dat twee klassen lager zat dan ik. Onwillekeurig vroeg ik me af waarom er zo'n leeftijdsverschil was tussen die twee kinderen. Op de familiefoto vond ik zijn vrouw er ouder uitzien dan hij.

'Het is altijd moeilijk om op een nieuwe school te beginnen,' begon hij, zodra ik in de stoel tegenover zijn bureau zat. 'Dat begrijpen we allemaal, Celeste, maar juffrouw Ritowski denkt dat je serieuzere problemen hebt. Zit iets je dwars waarmee ik je misschien kan helpen? Ik wil je echt graag helpen om succes te hebben.'

Ik had geen antwoord. Ik staarde hem aan, feitelijk dwars door hem heen.

'Je woont bij bijzonder aardig mensen. Ik ken de Prescotts al heel lang. Ik heb zelfs met hun zoon op school gezeten,' ging hij glimlachend verder.

De ramen van zijn kantoor waren achter zijn bureau, wat ik geen goed idee vond. Iedereen die in zijn kantoor geroepen werd en voor hem zat, kon hem negeren en uit het raam kijken naar de vogels en zelfs naar de leerlingen, die hun gymles kregen op het sportveld.

'Vind je juffrouw Ritowski niet aardig? Al haar leerlingen zijn erg dol op haar,' voegde hij eraan toe voor ik iets kon zeggen.

Ik haalde mijn schouders op, wat hij blijkbaar als een aanmoediging beschouwde.

'Je kunt de leerstof toch niet te moeilijk vinden, niet met jouw schoolverleden,' ging hij verder, tikkend op een geopend dossier op zijn bureau. 'Dus waarom zijn je resultaten niet beter, Celeste?' vroeg hij, zich naar me vooroverbuigend. 'Ik kan niet geloven dat je echt je best doet. Doe je dat?'

Ik stond op het punt hem antwoord te geven toen ik Noble aan zag komen over het sportveld. Ik wist zeker dat het Noble was, ook al liep hij met gebogen hoofd. Ik herinner me maar al te goed die moeizame tred van hem en de manier waarop zijn hoofd en schouders meedeinden met elke weloverwogen stap.

'Celeste? Luister je naar me?'

'Mijn broer is er niet blij mee dat ik hier ben,' zei ik met ingehouden woede.

'Wat bedoel je?' Hij leunde achterover. 'Je broer?' Hij dacht even na, boog zich toen weer naar voren en las snel een paar pagina's in mijn dossier. 'Wanneer heb je je broer gesproken?'

'Gisteravond,' zei ik.

Nu was meneer Frizer degene die mij aanstaarde.

'O,' zei hij ten slotte. 'Tja, dan zullen we erachter moeten zien te komen waarom je broer er niet blij mee is dat je hier bent,' zei hij met een geforceerde glimlach. 'Hoe krijg ik je broer te spreken?'

Noble maakte een scherpe draai naar rechts en verdween uit het gezicht.

'U kunt niet met hem spreken,' zei ik.

'Waarom niet?'

'Hij praat niet met vreemden. Hij vond het nooit prettig als er iemand bij ons thuis kwam. Dan deed hij net of ze er niet waren.'

'Oké, als hij niet met mij wil praten, misschien kun jij me dan vertellen waarom hij niet wil dat je hier bent,' zei meneer Fizer.

'Hij vindt dat ik naar huis moet. Hij is bang dat ik zal vergeten.'

'Vergeten? Wat vergeten?'

'Mijn familie.'

'O. Nou ja, ik denk niet dat je je familie ooit zult vergeten, maar dat wil niet zeggen dat je je niet door andere mensen kunt laten helpen, die voor je zorgen en uiteindelijk net zoveel van je gaan houden als je eigen familie van je hield,' zei hij.

'Niemand kan op die manier van me houden,' zei ik en hield mijn samengeknepen ogen zo strak op hem gericht, dat hij zijn wenkbrauwen optrok en me enigszins verward aankeek. 'Zeg nooit zoiets,' zei ik berispend, alsof hij het kind was en ik de volwassene.

'Goed, het is niet mijn bedoeling je van streek te maken. Ik ben er voor je als je wilt praten. Wanneer je maar wilt, Celeste, wanneer je maar wilt.'

Ik perste mijn lippen op elkaar en wendde mijn gezicht van hem af, doof voor alles wat hij verder nog zei.

Er volgden meer gesprekken, maar niet met mij. Die gesprekken gingen tussen de Prescotts en mijn lerares. Niets wat ze deden of zeiden bracht enige verandering, en de Prescotts werden steeds bezorgder. Ik hoorde papa Prescott tegen Nana zeggen dat het zelfs een slechte invloed had op zijn golf. Ze kregen steeds vaker een meningsverschil over mij.

Toen ik begon te slaapwandelen, zoals Nana het beschreef, werd papa Prescott nog bezorgder. Ze vond me beneden in de zitkamer pratend met Noble, en één keer in de keuken waar ik een glas melk dronk terwijl ik met hem praatte. Elke keer vertelde ik haar wat ik deed en elke keer stuurde ze me terug naar bed.

Ik wist dat ze eindeloze gesprekken voerden over mij, ook met hun kinderen. Niemand was me nog komen opzoeken, maar Nana sprak met iemand, misschien Madam Annjill, die haar aanraadde meer dingen in gezinsverband te doen.

Ze probeerden me mee te nemen op wat ze noemden pret-uitstapjes. Ze kochten nieuwe kleren voor me, en Nana kocht een nieuwe pop voor me, ook al lagen er tientallen oude poppen in een van de kasten. Daar kon ik trouwens toch niet mee spelen, want de vingerafdrukken van de kleinkinderen van de Prescotts zaten er nog op. Elke keer dat ik er een aanraakte of oppakte, had ik het gevoel dat mijn hand zich op een andere legde.

Ze namen me mee naar parken en pretparken, en ze probeerden andere meisjes van mijn leeftijd uit mijn klas naar hun huis te halen om met mij te spelen, maar ik had geen echte vriendinnen gemaakt op school. De meeste andere meisjes hielden zich op een afstand. Ik zag ze vaak over mij fluisteren.

Mijn werk op school ging niet vooruit. Ik begon veel te slapen en weinig te eten. Ten slotte zei papa Prescott tegen Nana dat ze 'de handdoek in de ring moesten gooien'. Ik hoorde haar huilen en had medelijden met haar.

'Ze is heel aardig,' zei ik die avond tegen Noble.

'De wereld is vol aardige vrouwen. Je hoort bij je familie,' hield hij vol. Hij wilde niets weten van een compromis.

Uiteindelijk gaven de Prescotts het op, maar ze ontdekten dat ze me niet terug konden brengen naar het weeshuis van Madam Annjill en haar man, Homer. Het weeshuis was gesloten. Madam Annjill had een zware beroerte gehad en was overleden. Alle kinderen die daar woonden waren overgeplaatst naar andere weeshuizen, en dat verontrustte Nana Prescott nog meer.

'We sturen haar naar een heel nieuwe omgeving,' klaagde ze. 'Dat is afschuwelijk voor het kind.'

'Het zal daar niet erger voor haar zijn dan het hier voor haar is,' hield papa Prescott vol. 'Misschien zijn we gewoon te oud hiervoor. Ze heeft een jonger stel ouders nodig, en misschien een gezin waar al een kind is.'

'Wat triest. Wat triest,' kermde Nana.

Ze overlegden met de kinderbescherming, en nog geen week later vertelden ze me het nieuws.

'Het spijt me,' zei Nana. 'Ik denk dat we gewoon te oud zijn om een klein meisje als jij op te voeden. Je moet energiekere, jonge mensen hebben. Het is niet eerlijk als wij je houden,' ging ze verder, in een poging zichzelf te overtuigen.

Ik zei niets.

Ik liet geen traan, en ik wist dat ze zich dat nog meer aantrok. Maar het gaf papa Prescott een tevredener gevoel. Hij voelde zich gerechtvaardigd in zijn besluit me op te geven. Ik zag het in zijn ogen. Ik was een veel te groot probleem voor ze.

Er werd een nieuw weeshuis voor me gevonden, maar toen de Prescotts me terugbrachten naar de kinderbescherming, vertelden ze hun alles over mijn gesprekken met Noble, en er werd een afspraak voor me gemaakt met een andere kinderpsychiater. die zich inzette voor de armen.

Hij heette dr. Sackett, en ik begon erg op hem gesteld te raken. Hij toonde veel begrip wat Noble betrof.

'Het is niet ongebruikelijk je zo vast te klampen aan iemand die zoveel van je gehouden heeft,' zei hij. 'Maar je moet loslaten, zoals elk kind zijn of haar denkbeeldige vriendjes loslaat. Als je sterker wordt en meer zelfvertrouwen krijgt, zal dat ook gebeuren,' verzekerde hij me. 'Per slot komt Noble alleen bij je als je je bang of onzeker voelt, of zelfs schuldig over iets, nietwaar?' drong hij vriendelijk aan.

Langzaamaan begon ik te denken dat hij gelijk had, en naarmate ik ouder en sterker werd, zag en hoorde ik Noble steeds minder in dit nieuwe weeshuis, tot hij praktisch verdwenen was.

Daar bleef ik tot de dag – bijna zes jaar later om precies te zijn – waarop ik heel onverwacht geroepen werd voor een ontmoeting met een jonge man en vrouw die blijkbaar op zoek waren naar een pleegdochter van mijn leeftijd. Feitelijk was het de vrouw die naar me op zoek was en die mij nog harder nodig had dan ik haar. De redenen daarvoor zouden een tijdlang onduidelijk zijn, maar toen ze duidelijk werden, bevond ik me in de meest vreesaanjagende situatie die ik ooit had gekend.

Ik had misschien meer aandacht moeten besteden aan de dichter wordende schaduwen om me heen, maar ik had mezelf beloofd dat ik mijn uiterste best zou doen om dat alles van me af te zetten, en zoveel mogelijk te lijken op een zogenaamd normale jonge vrouw. Dr. Sackett had me ervan overtuigd dat de stemmen en visioenen uit mijzelf kwamen, uit mijn eigen onzekerheid. Als ik ooit echt succesvol en onafhankelijk wilde worden, zou ik alle deuren daarvoor moeten sluiten.

De vraag was, of het goed of verkeerd zou zijn als ik dat deed? Het zou niet lang duren voor ik het antwoord kreeg.

3. Een gordijn valt voor mijn verleden

'Hallo. Ik ben Ami,' zei een mooie jonge vrouw, die haastig opstond om me te begroeten toen ik het kantoor binnenkwam. Ze zag er niet veel ouder uit dan ik. We waren ongeveer even lang. Ik was inmiddels een meter drieënzestig. We hadden ook hetzelfde figuur. Ik dacht dat we zelfs dezelfde schoenmaat hadden. Maar wat me het meest verbaasde was dat de kleur van ons haar praktisch identiek was.

Ze stak haar hand uit die kennelijk nooit enig hard werk had verricht: ze had lange nagels. Ik gaf haar een hand en keek tegelijk naar de slanke man in een donkergrijs streepjespak en zwarte das, die naast haar zat. Hij keek naar haar met zachte lichtbruine ogen en vertrok zijn smalle lippen bij de rechtermondhoek.

Ami hield mijn hand vast en draaide zich naar hem om.

'Is ze niet perfect, Wade?' vroeg ze, haar blik op mij gericht houdend. Toen ging ze naast hem staan om hem recht aan te kunnen kijken. Ze duwde met haar heup tegen de mijne. 'Kijk eens. Ze zou mijn zusje kunnen zijn.'

Hij trok zijn lichtbruine wenkbrauwen op en sperde zijn ogen open. Met stijf gestrekte vingers drukte hij met zijn rechterpalm op zijn dunne, kortgeknipte donkerbruine haar, alsof hij het gevoel had dat een lok van zijn plaats was gevallen, en toen bromde hij iets wat op instemming leek.

'Je bent perfect. Echt waar,' hield Ami vol. 'Ik wil alles over je weten. Elk detail. Niks is onbelangrijk. We worden geweldige vriendinnen.'

Ik keek naar Moeder Higgins, de directrice van het weeshuis. Ik zag dat ze zich amuseerde over de opgetogenheid van de jonge vrouw, maar in plaats van te lachen, hield ze haar ogen op het plafond gericht, zoals ze altijd deed als ze op het punt stond een dankgebed te zeggen aan onze eettafel. Toen keek ze mij aan met haar meest officiële directricegezicht.

'Celeste,' begon ze, 'dit zijn de heer en mevrouw Emerson.'

'O, alsjeblieft, noem ons niet meneer en mevrouw Emerson. Ik ben Ami en dit is Wade,' drong Ami aan. Ze hield nog steeds mijn hand vast. Ik wist niet of ik hem los moest rukken of gewoon mijn vingers slap laten worden om de boodschap over te brengen.

'Ga toch zitten, Ami,' opperde Wade met monotone stem.

Ze draaide zich met een ruk naar hem om.

'Dan kunnen we opschieten,' legde hij uit met iets meer gevoel. 'Er valt nog veel te doen.'

'O, ja. Ja, natuurlijk,' zei Ami, en liet me los. Ze ging zitten en vouwde haar handen, keurig, en glimlachend als een ongeduldig klein meisje wier vader haar zojuist gezegd heeft dat ze zich netjes moet gedragen, want dat ze anders geen ijsje krijgt.

'Neem alsjeblieft plaats, Celeste,' zei Moeder Higgins, met een knikje naar de stoel tegenover de kleine bank, waar nu zowel meneer als mevrouw Emerson zat, die beiden naar me staarden. Er was iets mis met hen, dacht ik. Er klopte iets niet. Maar ik liet me niet bang maken door dat gevoel. Integendeel, het maakte me alleen maar nieuwsgieriger naar hen.

Wade Emerson zat met over elkaar geslagen benen, maar zijn rug was zo kaarsrecht, dat het leek of een ijzeren staaf langs zijn rug omlaag was geschoven tot aan zijn middel. Hij perste zijn lippen op elkaar, wat de huid rond zijn smalle, bijna vierkante kaak nog meer verstrakte. De wenkbrauwen die hij optrok waren lang en dik, maar zijn handen waren niet veel langer of groter dan die van Ami en zagen er even zacht uit.

Ik droeg nog steeds het schooluniform dat alle meisjes in het weeshuis kregen, een marineblauwe top en rok en donkerblauwe veterschoenen met brede hakken. De marineblauwe top had een groot, mannelijk uitziend boord, grote zwarte knopen en strakke manchetten, was wijd en leek beslist een maat of zo te groot. Maar ik had al lang geleden alle verlegenheid over mijn kleren of mijn uiterlijk van me afgezet. Zoals Moeder Higgins ons vaak vertelde: 'Het is niet belangrijk hoe je er van buiten uitziet; het gaat erom hoe je van binnen bent.' Ik geloof niet dat een van de andere meisjes dat echt geloofde, vooral niet als ze zich vergeleken met andere meisjes die geen weeskinderen waren, maar soms hielp het ons de dag door te komen en de droefheid te beletten bezit te nemen van onze ogen en lippen.

Op het eerste gezicht wist ik al dat ik geen helderziende hoefde te zijn om tot de conclusie te komen dat Ami Emerson niet iemand was die ooit in Moeder Higgins' adagium zou geloven wat wel en niet belangrijk was. Alles aan haar uiterlijk was te perfect, te goed gepland.

'De Emersons,' begon Moeder Higgins, 'zijn er erg in geïnteresseerd een gezonde huiselijke omgeving te verschaffen aan een jonge vrouw van jouw leeftijd. Mevrouw Emerson –'

Ami draaide zich snel naar haar om en keek haar pijnlijk getroffen aan.

'Ik bedoel, Ami,' verbeterde Moeder Higgins. Ami glimlachte.

'– en haar man Wade zijn nog niet zo lang getrouwd, pas vier jaar.'

'Vier jaar en vijf maanden,' voegde Wade er vriendelijk aan toe. Hij keek naar zijn vrouw. 'Niet dat ik de dagen tel of zo.'

'Ik hoop van niet. Alleen mensen in de gevangenis tellen de dagen,' zei Ami lachend. Moeder Higgins knikte en glimlachte ook.

'Welnu, Celeste,' ging ze verder, 'zoals Ami me heeft uitgelegd, hebben Wade en zij besloten over twee jaar een eigen gezin te stichten, maar intussen willen ze hun huis, hun gezinsleven, aanbieden aan een jongedame zoals jij.'

Alsof ze het niet langer voor zich kon houden, barstte Ami Emerson los met haar eigen versie van de verklaring. 'Ik weet dat emotioneel gezien de moeilijkste jaren van mijn leven mijn puberteit was. Je bent een vrouw, maar iedereen wil je behandelen alsof je nog een kind bent. Je weet niet zeker wat goed en wat verkeerd is. Het is een gevaarlijke tijd!' verklaarde ze, instemmend knikkend met haar eigen woorden. 'Je bent in staat een paar serieuze vergissingen te begaan als je geen goede leiding en adviezen krijgt.

'Ik weet zeker dat dit een prima omgeving is,' zei ze met een glimlachje naar Moeder Higgins, 'maar je kunt onmogelijk alle persoonlijke aandacht krijgen die je nodig hebt in deze kritieke periode in je leven. En er zijn ervaringen die... eh, niet de ervaringen zijn van je voogdessen,' ging ze verder. 'Ik wil niet zeggen dat daar iets mis mee is,' voegde ze er snel aan toe. 'Het is alleen niet hun manier van leven.'

Wade sperde zijn ogen open en Ami ving zijn blik op.

'Dit is niet bedoeld als kritiek op u of iemand anders hier, Moeder Higgins.'

'Natuurlijk niet, m'n beste,' zei Moeder Higgins edelmoedig, met een nauwelijks merkbaar glimlachje om haar mondhoeken, dat alleen ik kon ontwaren.

'Hoe dan ook,' ging Ami verder, zich weer tot mij richtend, 'het kwam onlangs bij me op dat een meisje in jouw omstandigheden op dit moment de perfecte pleegdochter voor ons zou zijn, nietwaar, Wade?'

Hij knikte en keek haar aan of hij zich verbaasde over haar.

'Ik zei tegen Wade: Wade, laten we eens iets moois en edelmoedigs doen met ons geld en onze tijd. Laten we een jonge vrouw in huis nemen en haar onze pleegzorg geven.

'Je zult wel begrijpen waarom ik niet met een jonger meisje wil beginnen. Het is veel moeilijker om voor een klein meisje te zorgen, en als mijn eigen baby geboren wordt, nou ja, dan krijgt hij of zij alle aandacht. Ik zou het vreselijk vinden om het zo te laten eindigen voor het kleine meisje dat we in huis hadden genomen, of haar te laten denken dat ze minder geliefd was dan mijn eigen kind.' Haar gezicht vertrok alsof ze op het punt stond in huilen uit te barsten voor dat denkbeeldige kleine meisje.

Wade bromde weer iets.

'Daarom ben jij zo perfect,' vervolgde Ami. 'Op het moment dat ik een kind krijg, sta jij op eigen benen of studeer je aan de universiteit. En we weten dat jij zelf ook een huis en land hebt. Natuurlijk zul je altijd een plaats blijven houden in ons huis en in ons hart, maar het is toch heel iets anders dan het hele jaar door voor de rest van je leven hier te wonen of tot je gaat trouwen of zoiets.

'Wat vind je ervan?' vroeg ze. Maar voor ik kon antwoorden, ging ze verder. 'We hebben een heel groot huis. Een landhuis feitelijk.'

'Het is geen landhuis, Ami. Overdrijf niet zo, alsjeblieft,' zei Wade berispend.

'Nou, hoe groot is het, Wade? Toe dan, beschrijf het eens,' beval ze. Ze sloeg haar armen over elkaar en knikte alsof ze hem uitdaagde.

Hij draaide zich om en zei met een diepe zucht: 'Het is zevenhonderdzesendertig vierkante meter.'

'Zevenhonderdzesendertig vierkante meter. Nou hoor je het. Hoe groot is het weeshuis, Moeder Higgins? Nou, hoe groot?'

'Ik weet het niet precies, maar ik denk ongeveer net zo groot, misschien zelfs iets kleiner.'

'Precies.' Ze draaide zich weer naar mij om. 'Je woont in een huis dat net zo groot is als ons huis, met een stuk of twaalf andere meisjes. Ik weet zeker dat het hier erg vol is. En hoeveel grond hebt u hier, Moeder Higgins?'

'Alsjeblieft,' smeekte Wade.

'Hoeveel?' hield Ami vol.

'Twee hectare, geloof ik.'

'Twee. Dat wilde ik nu maar zeggen. Wij hebben er twintig.'

Ze knikte vastberaden naar mij.

'Zie je? Ik overdreef niet. Ons huis zal beslist een landhuis lijken in jouw ogen. Ik durf zelfs te wedden dat jouw kamer in ons huis net zo groot is als de zitkamer hier.'

'Ami, je doet net of we snobs zijn,' klaagde Wade zachtmoedig.

'Dat doe ik niet. Ik ben nooit een snob geweest. Ik haat snobs. Mijn moeder maakte een debutante van me, maar ik haatte het. Dat weet je.'

'Goed, Ami, goed. Laten we doorgaan. Dat is het enige wat ik wilde zeggen.'

Ze draaide zich weer naar mij om.

'Wade geneert zich altijd voor onze rijkdom. Zo denk ik er niet over. Als je die hebt, als je ermee gezegend bent, wees er dan trots op, maar,' ging ze met een stralend gezicht verder, 'wees vooral vrijgevig en liefdadig.' Ze keek naar Moeder Higgins. 'Het was of er een golf van goedheid in me bovenkwam. Het was als een elektrische schok. Ik dacht, waarom zou ik niet iemand gaan helpen die in nood verkeert? Ik weet zeker dat u begrijpt dat het een soort heilig moment was.'

'Ja, ja, dat doe ik.' Moeder Higgins behield haar strakke, geamuseerde glimlachje. Ze trok haar donkere wenkbrauwen op. 'Gods wegen zijn ondoorgrondelijk.'

Als ze had gekund, zou ze naar me hebben geknipoogd.

'Amen,' zei Wade droog. Hij hield zijn blik op de grond gericht. Ami keek fronsend naar hem en toen naar mij.

'Ik laat je onmiddellijk inschrijven op de dichtstbijzijnde particuliere school, Celeste,' ging ze in één adem verder. Ze wapperde met haar handen terwijl ze sprak. De grote diamanten ring aan haar linkerhand ving het zonlicht op dat door het raam naar binnen viel en wierp gereflecteerde lichtstralen op de muren, het gezicht van Moeder Higgins en op mij. 'De timing kon niet beter. Je bent net aan je laatste schooljaar begonnen, dus zal een overplaatsing niet erg schadelijk zijn. Ik weet zeker dat je de anderen gemakkelijk zult inhalen, Celeste.

'Trouwens,' zei ze op zachtere toon, 'ik vind het een prachtige naam, Celeste. Je moeder was erg fantasierijk. Mijn naam is net een bijnaam,' ging ze met een grimas verder. 'Ami. Mon Ami, placht mijn vader te zeggen. Dat betekent "mijn vriend" in het Frans. Wie wil nou mijn vriend genoemd worden door haar vader? Mijn vriend?'

'Kunnen we alsjeblieft verdergaan, Ami?' pleitte Wade met vermoeide stem.

'Ja. Om op ons onderwerp terug te komen, Celeste, Wade en ik hebben er al over gesproken en we hebben besloten dat de particuliere school het meest geschikt voor je is. De docenten zullen je de persoonlijke aandacht geven die je nodig kunt hebben om de overgang van je huidige school soepel te laten verlopen. En wees maar niet bang,' voegde ze er snel aan toe, 'op die particuliere school verplichten ze je niet die stomme, lelijke uniformen te dragen. De meisjes en hun moeders zouden dat niet dulden,' voegde ze er lachend aan toe.

Er kon geen lachje af bij Wade. Hij staarde voor zich uit als iemand die de seconden aftelt. Moeder Higgins leek een beetje beledigd, maar bleef zo stoïcijns mogelijk kijken. Mijn glimlach verdween. Het stoorde me dat Moeder Higgins zich ergerde. Ze was altijd erg aardig voor me geweest. Ik wilde het niet hardop zeggen, maar het was niet de school die ons verplichtte dat uniform te dragen, het was het weeshuis. Het was Moeder Higgins' manier om ons alle verlegenheid over onze garderobe te besparen. We konden onmogelijk met de andere kinderen concurreren, en het dragen van het uniform maakte dat onbelangrijk. Tenminste, dat hoopte Moeder Higgins. In werkelijkheid loste dat uniform wel ons directe probleem op, maar het identificeerde ons allemaal als weeskinderen. Ik kon het aantal keren niet tellen dat andere leerlingen, vooral de meisjes, ons vroegen waarom we altijd 'die stomme outfits' moesten dragen. De herinnering aan wat ik op zo'n moment voelde, en hoe de andere meisjes zich in dat geval voelden, kwam in alle hevigheid bij me boven.

'O,' zei Ami, 'ik zie dat je het je aantrekt wat ik zei. Je maakt je natuurlijk ongerust over je eigen schamele garderobe,' ging ze verder, voordat ik daarover zelfs maar had kunnen nadenken.

Ik geloof trouwens niet dat ik ook maar één woord kon inbrengen te midden van die waterval van woorden.

'Nou, maak je maar geen zorgen. Het eerste wat ik met je ga doen is winkelen in mijn vaste boetieks. Daar zijn Wade en ik het ook al over eens, hè, Wade?'

'Ja, Ami,' zei hij met een nog vermoeidere stem.

'Geld is, ondanks Wades bescheidenheid, geen factor voor ons. Wade is een belangrijk zakenman. Hij beheert het enorme bedrijf in sanitairbenodigdheden van zijn familie, al heeft hij totaal geen verstand van loodgieterswerk, hè, Wade?'

'Dat heb ik wél,' protesteerde hij. Er kwam eindelijk wat kleur in zijn gezicht. 'Ik heb al die tijd met mijn vader samengewerkt –'

'O, Wade.' Ze wuifde even naar hem. 'Ziet hij eruit als iemand die zijn leven lang buizen en moersleutels heeft gehanteerd? Zijn moeder zou hem nooit zo hard hebben laten werken.'

Ze lachte.

Wades blos zakte omlaag tot aan zijn hals. Hij schudde meesmuilend zijn hoofd. Toen keek hij met een geforceerde glimlach naar Moeder Higgins.

'Mijn moeder zei altijd dat je meer kon optillen met je hersens dan met je spieren,' zei hij bij wijze van zelfverdediging.

Moeder Higgins knikte.

'Ik ben het volkomen met uw moeder eens.'

Hij keek voldaan naar Ami.

'Nou ja, hoe dan ook,' zei Ami, die al genoeg had van het onderwerp. 'Hoe gauw kan ze bij ons komen wonen?'

'Tja,' zei Moeder Higgins, met een blik op mij. 'Voor we daarop in kunnen gaan, vind ik dat Celeste ons dient te zeggen wat zij ervan denkt. We leren onze meisjes zelfstandig te denken, vooral op Celestes leeftijd. Over een jaar staat ze op haar eigen benen – al zouden we haar natuurlijk nooit in de steek laten,' voegde ze eraan toe, met een glimlach naar mij.

'O, ja, natuurlijk. Het spijt me. Ik dacht alleen...' Ami zweeg, keek even naar Wade, die zijn hoofd schudde, en leunde toen met over elkaar geslagen armen naar achteren. 'Toe dan. Vertel ons maar hoe jij erover denkt.'

Ze keken nu allemaal naar mij. Zelfs Wades gezicht was nu belangstellend. Er kolkte iets om hen heen, iets wat ik niet eerder had waargenomen. Wat had die mensen bij me gebracht? Ik had altijd geloofd dat er niets met me gebeurde zonder reden, dat mijn bestemming duidelijk en zonder omhaal was vastgelegd in een plan, dat uitsluitend voor mij ontworpen was. Deze mensen hadden me niet zomaar gevonden. Het was voorbestemd dat het zou gebeuren. Maar waarom?

Ami keek naar me of ze doodsbang was dat ik haar aanbod zou weigeren.

'Ik weet het niet. Het is een feit dat het niet erg bezwaarlijk zou zijn om van school te veranderen, want het schooljaar is net begonnen. Ik denk dat ik het prima vind,' zei ik. 'Zodra gedaan is wat er gedaan moet worden,' voegde ik eraan toe met een blik op Moeder Higgins.

Ze glimlachte naar me.

'O, geweldig!' riep Ami uit. Ze sprong bijna van haar stoel. 'Hoe lang zal dat duren? Hebben we een advocaat nodig? We hebben tientallen juristen, hè, Wade? Wat hebben we nodig?' Ze maakte een grimas of ze een waslijst van noodzakelijke voorbereidingen verwachtte.

'Je hebt geen advocaat nodig,' zei Wade langzaam. 'Ga jij met Celeste een eindje wandelen om elkaar te leren kennen, dan nemen Moeder Higgins en ik het papierwerk voor onze rekening,' stelde hij voor.

Ami begon weer te stralen, en op de huid van haar hoge jukbeenderen, die er zo zacht en glad uitzag dat het leek of hij met een botermesje op haar lichaam was gestreken, verscheen een roze blos.

'Een uitstekend idee. Dank je, Wade. Celeste, zullen we gaan?' Ze stond al op.

Ik keek even naar Moeder Higgins. Ze glimlachte niet meer. Haar ogen keken strak in de mijne, zoals ze vaak hadden gedaan. Ze had een manier om diep in me door te dringen, om erachter te komen wat ik in werkelijkheid dacht en voelde. Ik mocht haar erg graag, maar het vooruitzicht van een leven buiten dit weeshuis, weg van al die jongere meisjes, en naar een school te gaan die zo heel verschillend was van de trieste school die ik nu bezocht, was wel erg aanlokkelijk.

'Ik zal je onze tuinen laten zien,' zei ik tegen Ami.

Ze huppelde bijna het kantoor door om me een arm te geven.

'Fijn. Ik heb een hekel aan zakelijke gesprekken,' fluisterde ze.

Ze was mijn potentiële pleegmoeder, maar ik voelde me of ik arm in arm liep met een van de jongere pupillen van het weeshuis. We liepen naar buiten, de warmte tegemoet van een middag vroeg in september. De zomer was nog niet voorbij, en het zag ernaar uit dat hij nog lang zou doorgaan. Een straaljager had een melkwit spoor getrokken door de donker wordende lucht, maar verder was er geen wolkje te bekennen.

Ami had gelijk. Het weeshuis was niet erg groot, en de grond eromheen versmalde naar de voorkant; de grenzen vormden een soort parabool. Rechts was een oude veldstenen muur met schimmel op de stenen en onkruid in de spleten en openingen. Tussen het gebouw en de muur waren een paar bescheiden pogingen gedaan om tuinen aan te leggen. De mensen die eraan werkten waren vrijwilligers; de bloemen en planten waren armzalig vergeleken met die ik me herinnerde van onze farm. Soms, bijna als een manier om die tijd opnieuw te beleven, werkte ik in de tuinen hier, en als ik dat deed, had ik het gevoel dat Noble achter me stond, al was het al een hele tijd geleden dat hij zich had laten zien. Het is maar een herinnering, hield ik me voor, niet meer dan een herinnering, en die heb ik niet nodig. Ik ben sterker. Het waren woorden die ik, zoals mijn therapeut had gezegd, steeds weer moest herhalen als ik in de verleiding kwam Noble te roepen.

'Ik moet een bekentenis doen,' begon Ami. 'Ik heb je al eerder gezien.'

'O?'

Zinspeelde ze op iets in mijn verleden? Een foto in een krant? Een tijdschrift? Wat wist ze van me?

'Ik heb wat onderzoek gedaan naar de weeshuizen in onze streek, en toen ik over jou hoorde, heb ik op een middag mijn auto aan de overkant van de straat geparkeerd en gewacht tot jij uit school kwam.'

Ik wist niet zeker of ik het wel prettig vond om bespioneerd te worden, dus hield ik mijn mond.

'Natuurlijk wist ik onmiddellijk dat jij degene was die ik zocht. Ik kan veel opmaken uit de manier waarop iemand loopt, uit de houding van haar hoofd. Je zag eruit of je hier niet thuishoorde, en ik zei tegen mezelf: Ami, dat is een meisje dat zal waarderen wat je haar kunt geven.'

'Dank je,' zei ik, ook al klonk het meer of ze zichzelf een schouderklopje gaf in plaats van mij.

'In ieder geval kan ons huis wel wat jeugd en enthousiasme gebruiken. Zoals je gehoord hebt, zijn we al meer dan vier jaar getrouwd. Wade werkt samen met zijn vader, maar ze zijn als water en vuur. Je weet wat betekent?'

'Ja,' zei ik lachend.

'Ik wed dat je erg intelligent bent. Ik bedoel, ik heb gehoord over je cijfers op school, maar goede cijfers halen wil nog niet zeggen dat je ook echt slim bent, ik bedoel wereldwijs,' zei ze. 'Ik was een doorsnee leerling, maar ik wist van wanten. Vooral,' ze leunde zo dicht naar me toe dat ik dacht dat ze mijn oor zou zoenen, 'als het op mannen aankomt. Heb je een vriendje?'

'Nee.'

Ze keek tevreden.

'Heb je er een gehad, heb je het uitgemaakt of zo?'

Ik schudde mijn hoofd.

'Mooi. Ben je nog maagd? Het is goed, hoor. Je kunt me alles vertellen,' ging ze snel verder, voor ik kon reageren. 'Ik wil dat we ons gedragen alsof we levenslange vriendinnen zijn, van begin af aan. Ik weet zeker dat je hier niemand hebt gehad aan wie je je diepste geheimen kon toevertrouwen, heb ik gelijk of niet? Natuurlijk heb ik gelijk,' voegde ze eraan toe, nog voordat ik zelfs maar een antwoord kon bedenken.

Ik moest even lachen.

'Ja,' zei ik. 'Ik ben nog maagd.'

'Prachtig. Ik was ook nog maagd op jouw leeftijd. Ik hoor tegenwoordig alleen maar dat jonge meisjes op steeds jeugdigere leeftijd hun maagdelijkheid verliezen. Daarmee wil ik niet zeggen dat ik ouderwets ben en geloof in de gouden schat of zoiets. Ik vind alleen dat seks iets is dat je heel, heel serieus moet nemen. Als je slim bent, gebruik je seks als een wapen, een werktuig. Dat heb ik gedaan, en je ziet wat ik bereikt heb. Daar zullen we het later wel over hebben. We hebben tijd genoeg.

'Dus,' zei ze voordat ik commentaar kon geven of vragen wat ze daarmee bedoelde, 'gaan we allereerst nieuwe kleren voor je kopen. Aanstaande maandag zal ik je inschrijven op school. Verwacht niet dat Wade veel doet. Ik wil niet zeggen dat hij het niet eens was met dit alles,' voegde ze er snel aan toe. 'Dat was hij zeer zeker. Hij is alleen... een beetje bekrompen. Niet dat ik niet van hem hou. Dat doe ik wel degelijk. Ik vind het alleen belangrijk om de kracht en zwakheden van je man te herkennen en niet te worden zoals sommige vrouwen die hun hoofd verstoppen in modderbaden in kuuroorden. Ze zouden hun man kunnen zien met een mooie vrouw aan de arm en net doen of ze een zakelijke relatie is. Zie geen kwaad, hoor geen kwaad, zolang je me maar mijn toelage geeft. Sommige vrouwen zijn net kinderen in plaats van echtgenotes, maar ondergetekende niet: ik zal je leren hoe je jezelf moet blijven bij elke man die je ontmoet.

'O, we zullen een heerlijke tijd hebben,' verklaarde ze.

We stonden stil. Ze keek naar de weg, en toen haalde ze diep adem.

'Zo, en vertel me nu eens over al die nonsens dat je uit een krankzinnige familie komt.'

Ik hield mijn hoofd enigszins schuin en staarde haar aan. Ze lachte.

'Je bent opgevoed door een jongen die een meisje bleek te zijn?'

'Ik ben niet door hem opgevoed,' zei ik fel.

'Maak je niet druk. Ik geloof er geen woord van,' zei ze. Ze maakte een wegwerpgebaar. 'Wat er ook is gebeurd, het heeft je kennelijk niet veel kwaad gedaan. Ik heb met je docenten gesproken, en ik heb al die mooie rapporten gelezen die mensen over je hebben geschreven. Wade heeft geen idee hoeveel tijd ik al aan je besteed heb.'

'Je hebt met mijn docenten gesproken?' vroeg ik verbaasd.

'Ja, ja,' zei ze achteloos. 'Bovendien, om je de waarheid te zeggen,' ging ze fluisterend verder, '*onze* familie is juist de krankzinnige familie. Wades moeder is op achtenveertigjarige leeftijd gestorven. Hartstilstand, maar ik kan je nu wel vertellen dat het niet echt een hartstilstand was. Het was meer een gebroken hart. Wades vader is een echte rokkenjager, en zijn moeder werd geconfronteerd met de ene buitenechtelijke relatie na de andere. Ze geneerde zich een ongeluk. Ten slotte durfde ze niet meer onder de mensen te komen, omdat ze dacht dat iedereen haar uitlachte. Sommige dagen kleedde ze zich niet eens meer aan, kwam zelfs haar bed niet meer uit. Wade heeft me er alles over verteld, maar hij praat er nooit over als zijn vader erbij is.

'Wades vader is nog steeds een flierefluiter. Ik geef toe dat hij een charismatisch man is en er een stuk jonger uitziet dan zijn leeftijd, maar je zou toch denken dat hij eindelijk eens tot rust zou komen, vooral na de dood van zijn vrouw.

'Wades zuster Bethany heeft sinds het overlijden van hun moeder geweigerd nog iets met hem te maken te hebben. Ze is getrouwd en woont in Washington, D.C. Haar man werkt voor een senator. Als íémand een snob is in onze familie, dan is het Bethany, maar Wade wilde nooit iets negatiefs over haar zeggen. Hij zegt niets over wie dan ook, en hij haat geroddel. Ik mag zelfs niets over een filmster zeggen! Als ik daarover begin, slaat hij zijn handen voor zijn oren en roept: "Zet af!" alsof ik vreselijke muziek laat horen.'

We liepen verder.

'Maar aan dat alles gaat een eind komen,' zei ze. 'Want dan heb ik jou. Wade natuurlijk ook, maar ik waarschuw je nu al dat Wade een workaholic is. Zelfs zijn vader, die de zaak toch heeft opgebouwd, heeft kritiek op hem. Eerlijk gezegd,' ze zweeg weer even, 'voel ik me vaak eenzaam. O, ik had natuurlijk in de zaak kunnen werken, maar wie wil dat nou? En ik was niet van plan een van die carrièrevrouwen te worden. Ik heb het geld of het prestige niet nodig. Ik kom zelf uit een rijke familie. Ik was enig kind, en dus zegt Wade natuurlijk dat ik verwend ben.

'Nou, en? Ik bén verwend. We zijn geschapen om verwend te worden, en het is hun taak ons te verwennen. O,' zei ze plotseling, terwijl ze zich naar me omdraaide en me omhelsde. 'We zijn net twee zussen. Dat meen ik.' Ze liet me los en keek me vastberaden aan. 'Beschouw me nooit als een moeder, ook al beweer ik dat ik dat zal zijn. Ik zou dat idee niet kunnen verdragen. Ik bedoel... een moeder voor iemand die zo oud is als jij? Ik zou me toch zeker belachelijk maken als ik dat tegen iemand zei?'

Ik staarde haar aan. Ik had nog nooit iemand gezien of gesproken zoals zij, iemand zo vol energie en enthousiasme. Het leek of ze jarenlang achter slot en grendel was gehouden en nu eindelijk naar buiten mocht om mensen te ontmoeten. Ik weet zeker dat mijn blik van nieuwsgierigheid en verbazing haar in de war bracht.

'Ik praat te veel, hè? Wade beschuldigt me daar altijd van en dan slaat hij zijn handen voor zijn oren. Praat ik echt te veel? Zeg het alsjeblieft als het zo is, dan houd ik mijn mond. Sla alleen niet je handen voor je oren zoals Wade doet. Hij heeft geen idee hoe vreselijk ik dat vind. Of misschien heeft hij dat wél, en doet hij het toch. Mannen.'

'Nee,' zei ik lachend. 'Ik vind het helemaal niet erg als je praat.' Ze straalde.

'Ik wist dat je het niet erg zou vinden. Ik wist het! Wade, zei ik, zo'n meisje snakt waarschijnlijk naar iemand als ik om mee te praten. Ze is als een bloem die groeit in een te kleine pot. O, kom mee,' ging ze verder. Ze pakte mijn hand en draaide zich weer om naar het weeshuis. 'Laten we ze vertellen dat we genoeg hebben van het wachten en op willen schieten. Waarom moet het trouwens zo lang duren?'

Ze deed een paar stappen en bleef toen staan, keek naar mij.

'Dit is toch wat je wilt, hè? Je wilt toch graag dat we de knoop doorhakken?'

Ik keek naar haar, naar het weeshuis en de armzalige tuinen en knikte toen glimlachend.

'Ja,' zei ik. 'Heel graag.'

Ze gaf een gilletje van verrukking en sleurde me praktisch mee naar de deur.

Het was of ik werd meegezogen door een wervelwind, maar het kon me niet schelen. Ik pakte mijn koffers en nam in minder dan een uur afscheid. Moeder Higgins nam me terzijde voor ik naar Ami en Wade ging, die in de hal stonden te wachten.

'Je bent heel lang bij ons geweest, Celeste,' begon ze. 'Ik heb altijd geweten dat je een bijzonder meisje bent. Je hebt geleerd om te koesteren en te beschermen wat je in je binnenste hoort, en wat je ziet. Daar is wijsheid voor nodig. Ik heb je gadegeslagen tijdens het gebed, en ik weet dat je een innerlijke rijpheid en doelbewustheid bezit. Deze mensen zijn daar misschien niet zo geschikt voor, maar je moet mild zijn. Begrijp je wat ik wil zeggen?'

'Ja, Moeder Higgins.'

Ze knikte.

'Ik geloof je, kindlief. Ik denk dat je over een wijsheid beschikt die boven je jaren uitgaat. Meestal is dat een zegen, maar soms kan het een last zijn. Het is een last als je intolerant bent jegens anderen die niet over jouw inzicht en rijpheid beschikken.'

'Ik begrijp het, Moeder Higgins.'

Ze glimlachte.

'Ik weet het. Ik ben er erg trots op dat je zo volwassen bent geworden en je problemen hebt overwonnen. Ik kan alleen maar bidden dat dit de kans is die je verdient. Veel geluk, lieverd.' Ze omhelsde me. 'Bel me wanneer je maar wilt.'

Wade hielp me mijn koffers naar buiten te dragen. Ik bezat nu twee grote koffers. Ik herinner me nog de tijd dat ik alleen maar een reistas had. Ami stond te wachten naast hun grote zwarte Mercedes. Hij leek op de limousine waarvan ik vroeger droomde dat hij me zou komen halen om me terug te brengen naar de geuren die in mijn geheugen waren blijven hangen, de smaak die ik nog proefde op mijn tong en het gefluister dat nog klonk in mijn oren.

'Ik ga achterin zitten met Celeste, Wade,' zei ze met een glimlach naar mij. 'Dan voelen we ons net of we een chauffeur hebben, Celeste. Je vindt het toch niet erg om voor chauffeur te spelen, hè, Wade?'

'Of dat iets nieuws is,' zei hij spottend, en ze lachte.

'O, je zult ons echt aardig vinden,' zei Ami tegen me, terwijl ze me bijna de auto in duwde. Snel deed ze het portier dicht en ging zitten om op adem te komen. Ze zag hoe ik naar het oude weeshuis keek en ik wist dat het haar niet beviel.

Maar ik kon het niet helpen. De koude stenen façade was me zo vertrouwd geworden, dat ik het gevoel had dat ik afscheid nam van een oude vriend. Het grootse deel van het afgelopen jaar was ik daar het oudste meisje geweest, en vaak betrapte ik me erop dat ik me meer gedroeg als een huismoeder. Ik had dat nooit erg gevonden. Ik vroeg me zelfs af hoe bedroefd de andere meisjes zich zouden voelen als ze hoorden dat ik vertrokken was.

'Je betreurt het toch zelfs niet een heel klein beetje dat je hier weggaat, hè?' vroeg ze, met meer angst in haar stem dan afkeer.

'Het is lange tijd mijn thuis geweest.' Het was ook de laatste plek waar ik Noble had gezien, dacht ik, al was dat visioen nu wazig geworden.

'O, maar het was geen thuis. Het was een... een verblijfplaats. Je staat nu op het punt naar huis te gaan,' zei ze, bijna snauwend. Toen glimlachte ze snel. 'Tenminste, ik hoop van ganser harte dat je dat zult geloven, Celeste,' voegde ze er op zachtere toon aan toe.

Ik ook, dacht ik.

Maar op de een of andere manier bleef het begrip *thuis* erg vaag, al was ik nog zo volwassen geworden en had ik nog zoveel geleerd. Het leek meer op een droom die gedeeltelijk vorm had aangenomen, een reeks van beelden die nog verband met elkaar moesten krijgen, gevoelens die nog beleefd, beloftes die nog nagekomen moesten worden.

Tijdens de rit naar huis vertelde Ami me over haar eigen jeugd, de plaatsen waar ze geweest was met haar ouders, de scholen die ze had bezocht. Ze beschreef met veel details haar sociale leven, vooral de grote feesten. Toen somde ze haar vriendjes op. Ze was begonnen toen ze pas tien was. Het verbaasde me dat ze hun namen zo goed onthouden had en de volgorde waarin ze hun opwachting hadden gemaakt. Ze was bij twintig toen ze even zweeg.

'Ik zat nooit lang zonder vriendje,' pochte ze. 'Mijn vader zei altijd dat hij me Honey had moeten noemen, omdat er zoveel jongens rond de honing in ons huis zoemden.'

'Bijen voelen zich niet aangetrokken tot honing. Ze maken honing,' zei Wade.

'Hoe dan ook. Doe niet zo schoolmeesterachtig,' zei ze bestraffend. Toen draaide ze zich om naar mij. 'Wade en ik hebben elkaar leren kennen op mijn debutantenparty, maar ik viel niet onmiddellijk voor zijn charmes. Hij moest zijn best doen, maar hij was volhardend, al maakte ik het hem nog zo moeilijk,' zei ze. 'En ik héb het hem moeilijk gemaakt,' zei ze met stemverheffing.

'Moeilijk is haar tweede voornaam,' merkte Wade op.

'Leuk, hoor. Hij heeft er heel wat voor moeten doen om mijn ja-woord te krijgen, en nog meer om de rest van me te krijgen,' voegde ze er giechelend aan toe.

Ik zag dat de achterkant van Wades nek vuurrood werd.

'Hou op, Ami,' waarschuwde hij.

'Ik hou niet op. Ik ga er onmiddellijk mee beginnen haar te laten profiteren van mijn ervaring.' Ze draaide zich met een ernstig gezicht naar me om. 'Laat een man nooit denken dat je gemakkelijk te veroveren bent, al wil je hem nog zo graag hebben. Als een man je als vanzelfsprekend gaat beschouwen, vergeet hij al zijn beloftes.'

'Lieve hemel,' kermde Wade. 'Celeste, ik weet niet wat je wel en niet over mannen weet, maar ik zou maar een second opinion inwinnen over alles wat ze je vertelt. Zie het maar als een medisch probleem. Je moet een second opinion hebben.'

Ami lachte. Toen boog ze zich naar me toe en fluisterde: 'Hij zal het nooit toegeven, maar ik was zijn enige echte vriendin.'

Ze leunde glimlachend achterover.

'Waar gaan we naartoe?' vroeg ik. Het drong tot me door dat ik niet wist hoe het dorp of de stad heette. Ik lette zelfs niet op de richting die we namen. 'Ik bedoel, waar ligt jullie huis?'

'*Ons* huis, Celeste. Van nu af aan moet je het *ons* huis noemen. Peekskill. We wonen buiten Peekskill omdat Wades bedrijf daar gevestigd is,' zei Ami. 'De school waar je naartoe gaat ligt ongeveer – hoeveel, Wade? – vijf kilometer ten zuiden van ons?'

'Zo ongeveer, ja,' antwoordde hij.

'Hoe kom ik daar iedere dag?' vroeg ik. Vanuit het weeshuis kon ik lopend naar school. 'Rijdt er een schoolbus?'

'Ja, maar ik zal je iedere dag brengen,' zei Wade. 'Ik zet je af op weg naar mijn werk. Ami komt je halen of regelt dat je wordt afgehaald.'

'Misschien kunnen we je onze eigen kleine auto laten gebruiken. Dat kan toch, Wade?'

'We zullen zien,' zei hij.

Ze gaf me een klopje op mijn arm en knipoogde.

Was dit alles een droom? Hoe konden ze na al die jaren uit het niets tevoorschijn komen en me al die opwindende nieuwe kansen bieden en al die luxe? Het kon niet anders of ze waren gestuurd, en stond mijn toekomst nu op het punt te beginnen.

Ik moest mezelf in de arm knijpen toen ik hun huis zag. Ami overdreef niet, dacht ik. Dit was met recht een landhuis. De oprijlaan leek wel anderhalve kilometer lang. Eerst kwamen we bij het sierlijk bewerkte hek met aan beide kanten een pilaster van zeker 1,25 meter hoog, waarop een groot vierkant lichtornament was bevestigd. Wade drukte op een knop boven zijn zonneklep en de twee delen van het hek weken heel langzaam uiteen.

'Het is of je in de hemel komt,' zei Ami. 'Ik krijg altijd koude rillingen als ik hier naar binnen rijd, zelfs na vier jaar nog.'

'Nauwelijks een hemel,' mompelde Wade.

'Voor mij wél,' protesteerde Ami. 'Het huis is eigenlijk van Wades vader, al woont hij hier niet meer. Hij wil niet dat we van zijn doen en laten op de hoogte zijn. Hij heeft het jaren geleden gekocht en laten renoveren,' ging ze verder toen het huis en de grond eromheen beter in het zicht kwamen. De tuin was met zorg aangelegd. Overal waar ik keek zag ik bloemen en struiken en bomen, fonteinen en banken, alles perfect gepland en gespreid.

Links van me zag ik een groot zwembad, een tuinhuisje, een groot prieel. Rechts was een tennisbaan. Ik voelde me als een kind in een speelgoedwinkel. Mijn ogen gingen alle kanten op, tot ze eindelijk bleven rusten op het huis, dat letterlijk voor me leek op te rijzen, boven ons uittorende. Het was groter dan enig huis dat ik ooit had gezien.

'De stijl staat bekend als Second Empire Victorian,' ging Ami verder. Ze sprak op de toon van een gids toen ze erop doorging. 'Het heeft twee verdiepingen en een zolder. Het is het enige huis in de omtrek dat een koepel heeft.'

Aan de linkerkant van het huis was een veranda van één verdieping, en aan de rechterkant zag ik erkerramen. Ami wees ernaar.

'Dat is onze eetkamer, daar kijken we uit op de tuin als we eten. Jouw slaapkamer is op de eerste verdieping, tegenover onze kamer, boven de erkerramen. Die twee ramen rechts zijn van jou. Het huis heeft boven vier slaapkamers en beneden twee aan de achterkant. We reserveren één kamer voor Wades vader, als hij wil blijven slapen, dat wil zeggen als hij hier is en te veel gedronken heeft,' voegde ze eraan toe.

'Dus bijna altijd als hij hier is,' vulde Wade aan.

De entree van het huis was al even indrukwekkend als het hek bij de oprijlaan. Er was een dubbele voordeur met glas in de bovenste helft; een marmeren trap van vijf treden leidde erheen.

'Het is het soort huis dat tegenwoordig niet meer gebouwd wordt,' ging Ami verder. 'Met al die decoratieve stenen, de hoekstenen, de kroonlijst langs de dakrand. Niemand kan zich veroorloven zo'n huis te laten bouwen. Ik vind dat we het een naam moeten geven, vind je ook niet? Beroemde huizen hebben allemaal een naam, zoals Tara in *Gejaagd door de wind*. Misschien kun jij een naam verzinnen. Wade probeert het niet eens,' voegde ze er kritisch aan toe.

'Wat zou je ervan zeggen als we het Ons Huis noemden?' zei hij, en keek lachend in de achteruitkijkspiegel.

'Ha, ha,' reageerde Ami. Ze schudde haar hoofd naar me. 'Wade heeft ongeveer net zoveel creativiteit als een van zijn kniebuizen of hoe die dingen mogen heten.'

'Elleboogpijpen, Ami, elleboogpijpen. Je zou toch op zijn minst enig benul moeten hebben van het bedrijf dat dit alles mogelijk maakt.'

'Oké,' zei ze. 'Ik zal een cursus gaan volgen.'

We reden om het huis heen naar wat eruitzag als een aangebouwde garage aan de achterkant.

'Ik zet jullie af en ga dan terug naar de zaak,' zei Wade.

'Kun je niet een keer vrij nemen vandaag?'

'Ik ben vroeg terug. Ik beloof het.'

'Je belooft het? Een belofte van Wade is net als het weerbericht. Twintig procent kans op regen,' zei Ami.

'Grappig. Ik kom vroeg thuis,' zei hij nadrukkelijk.

'Het is je geraden. Het is een bijzondere avond,' waarschuwde Ami hem.

De achterdeur van het huis ging open en een gezette vrouw kwam naar buiten. Ze droeg een lichtblauw, met witte kant afgezet uniform. Ze leek een jaar of zestig, vijfenzestig. Haar haar was donkerbruin, met grijze strepen en heel kort geknipt. Ze had geen make-up, zelfs geen lippenstift, die ze goed had kunnen gebruiken, want haar lippen waren bijna even bleek als haar huid. Ik zag dat ze dikke onderarmen had, en heel grote handen voor een vrouw. Ze liep snel naar de kofferruimte van de auto. Wade had op de knop gedrukt om de achterbak te openen.

We stapten uit.

'Dit is onze huishoudster, mevrouw Cukor,' zei Ami. 'Ze werkt al voor de Emersons sinds ze uit Hongarije kwam, en dat is heel lang geleden.'

Mevrouw Cukor bleef staan en draaide zich naar ons om.

'Dit is Celeste, mevrouw Cukor. Ze komt bij ons wonen, zoals u weet.'

'Hallo,' zei ze snel, me nauwelijks aankijkend; daarna richtte ze haar aandacht weer op mijn koffers.

66

'Wade noemde haar altijd mevrouw Cookie, hè, Wade?' zei Ami.

'Toen ik vier was.'

'Wades vader noemt haar nog steeds mevrouw Cookie,' vertelde Ami.

'Mijn vader gedraagt zich vaak alsof hij nog vier is,' mompelde Wade.

'Dat heb ik je nooit tegen hem horen zeggen,' plaagde Ami.

Wades gezicht vertrok even.

'Dat hoef ik hem niet te vertellen. Hij weet het.'

'Die kan ik wel dragen,' zei ik toen mevrouw Cukor mijn tweede koffer oppakte.

Ze hield ze allebei stevig vast en staarde me even aan. Haar donkere ogen versmalden alsof ze dacht dat ik van plan was haar baan van haar af te pakken en ze me wilde waarschuwen. Toen draaide ze zich zonder iets te zeggen om en liep naar de deur. Als ze de koffers zwaar vond, was dat niet aan haar te merken. Haar schouders waren niet gespannen.

'Mevrouw Cukor wil nooit de indruk wekken dat ze niet in staat is iets te doen,' zei Ami. 'Het heeft de nodige invloed gehad op de Emersons, omdat ze zo lang voor ze gewerkt heeft. De Emersons zijn in alle opzichten perfect, geestelijk en lichamelijk, nietwaar, Wade?'

'Waar. Tot straks, Ami,' zei Wade opgewekt. Hij boog zich voorover om haar een zoen op haar wang te geven, die ze onmiddellijk wegwuifde alsof er een vlieg op haar wang was neergestreken. Hij keek naar mij. 'Welkom in ons naamloze huis, Celeste. Ik hoop dat dit een goede ervaring voor je zal zijn.'

'Dank u,' zei ik, en hij liep terug naar de auto.

'Kom,' zei Ami, en pakte mijn hand. 'Ik moet je ons grote huis laten zien, en jouw kamer, en dan zullen we het hebben over je nieuwe garderobe en over alles waarover je maar wilt praten.'

We liepen in de richting van de deur.

Wade reed achteruit, zwaaide en reed toen weg. De garagedeur ging langzaam omlaag.

Het was of er een gordijn voor mijn verleden viel. Heel even, niet meer dan een onderdeel van een seconde, meende ik Noble te horen roepen, maar hij werd overstemd door het dichtvallen van de garagedeur. Scherp luisterend bleef ik ernaar staren.

'Kom mee, malle. We hebben een hoop te doen,' drong Ami aan. Ze trok aan mijn hand, en ik volgde haar naar wat me een sprookjeswereld leek. Ik keek één keer om, maar ongerust, alsof ik vreesde in een zoutpilaar te veranderen.

4. Een zekere mate van verleiding

Hoewel ik nog nooit in een landhuis was geweest, dacht ik weer dat Ami niet had overdreven toen ze het zo noemde in het kantoor van Moeder Higgins. Ik vond het eerder te zwak uitgedrukt. Het enige vergelijkbare gebouw waar ik ooit was geweest, was een museum dat ik bezocht had tijdens een schoolreisje. Ik had nog nooit in iemands huis zulke hoge deuren en plafonds gezien. Er zouden twee mensen in zo'n huis kunnen wonen en elkaar de hele dag niet zien, dacht ik.

Vanuit de garage kwamen we in de hal en langs een provisiekamer die zo groot was als de keuken in het weeshuis. Ik vroeg me af hoe twee mensen zoveel nodig konden hebben. Alle planken waren keurig volgestouwd met blikjes en verpakte levensmiddelen. De planken reikten zo hoog, dat de bovenste planken slechts met een verrijdbare ladder te bereiken waren. Achterin was een inloopvrieskast van een formaat dat volgens mij alleen in een groot restaurant te vinden was.

'Er lijkt voldoende eten te zijn voor een hotel,' merkte ik op. 'Zoveel hebben we niet eens in het weeshuis voor alle meisjes en nonnen.'

Ami lachte en schudde grijnzend haar hoofd.

'Wade koopt graag in grote hoeveelheden, omdat het goedkoper is. We hebben een kokkin die alle ingrediënten bestelt, mevrouw McAlister, en ze is daar erg goed in. Ze kan fantastisch koken, maar mevrouw Cukor zit haar zo op de hielen dat ze dreigt ontslag te nemen. Natuurlijk dreigt ze om de maand daarmee, zo lang ik hier woon,' zei Ami lachend. 'Die twee klagen altijd over elkaar, maar niemand let erop.'

Alsof ze gewacht had op het horen van haar naam, kwam mevrouw McAlister de keuken uit en liep de hal in. Ze droeg een lang, tot op de enkels vallend wit schort en veegde haar handen af aan een keukendoek. Ik keek langs haar heen en zag een keuken die erg modern leek voor zo'n oud huis. Alle instrumenten waren van roestvrij staal, en de vloer leek kortgeleden betegeld met lichtgele kalksteen.

Toen ik mevrouw McAlister zag, kon ik alleen maar denken dat ze óf te mager was voor een kokkin, óf dat ze haar eigen kookkunst niet apprecieerde. Onze kokkin in het weeshuis, mevrouw Putnam, woog ongeveer tweehonderd pond en was niet langer dan een meter vijftig.

Mevrouw McAlister was bijna acht centimeter langer dan Ami en ik, mager, met lange, spichtige armen en een lange, smalle hals; haar hoofd rustte erop als een weerhaan en maakte korte, rukkerige bewegingen naar links of naar rechts, als ze van Ami naar mij keek en weer terug naar Ami.

Ze droeg een netje over haar donkergrijze haar, dat zo stevig rond haar hoofd was vastgestoken dat het op een helm leek. Onder een breed voorhoofd dat bedekt was met bruine ouderdomsvlekken, had ze zware, niet geëpileerde donkerbruine wenkbrauwen, die bijna samengroeiden boven haar neus. Omdat ze zo mager was waren haar gelaatstrekken hard en onvrouwelijk. Haar neus eindigde in zo'n scherpe punt dat je er bijna gaten mee zou kunnen slaan in een blikje, en de donkere lijn tussen haar smalle lippen wekte de indruk dat haar mond was opengesneden met een scheermes. Ik vond dat ze een lelijke houding had; ze draaide haar schouders naar binnen, zodat haar borst en smalle boezem hol leken.

'O, mevrouw McAlister, dit is Celeste, onze –' Ami zweeg even en keek naar mij. 'Hoe moet ik je noemen? Ik noem je geen dochter, en je betitelen als weeskind is vreselijk. Wat voor woord zoek ik?' vroeg ze aan mij.

'Gast?' opperde ik schouderophalend. Ik maakte eigenlijk gekheid, maar ze ging erop in.

'Ja, dat is prima. Gast. We zorgen voor haar tot ze achttien is. Wade zal het ongetwijfeld al hebben uitgelegd.'

'Ja. Ik heb voor vanavond al voor vier personen gedekt. Meneer Emerson zelf komt eten, aangezien u een permanente gast hebt meegebracht om hier in huis te wonen,' zei ze op droge toon. 'Hij heeft mij rechtstreeks gebeld,' eindigde ze, om zich nog belangrijker te maken. 'Welkom,' ging ze verder, met een knikje naar mij, en gaf een rukje met haar hoofd in Ami's richting. 'Voor vanavond maak ik runderfilet, met mijn krielaardappeltjes, waar meneer Emerson zelf zoveel van houdt,' voegde ze eraan toe.

'En iets lekkers voor het dessert, hoop ik.'

Mevrouw McAlisters mondhoeken verstrakten enigszins en ze keek van mij naar Ami.

'Ik dacht aan mijn aardbeientaart.'

'Dat klinkt geweldig, vind je niet, Celeste?'

'Ja,' zei ik.

'Mevrouw Cukor zei dat je liever appel-met-kaneeltaart zou hebben, maar ik denk dat ze die zelf graag wil,' ging mevrouw Mc-Alister verder. Haar rechtermondhoek ging zo scherp omhoog, dat ik haar roze tandvlees kon zien.

Ami haalde haar schouders op, keek me met een blik van verstandhouding aan en trok me toen mee.

'Heb je gehoord hoe idioot ze over Wades vader praat? Meneer Emerson zelf. Alsof Wade niet ook meneer Emerson is. En stel je voor, zij en mevrouw Cukor die kibbelen over het dessert. Soms zou ik willen dat we het konden stellen met één hulp die ook kon koken.'

Als er maar één hulp was, zou ze zo hard moeten werken dat ze binnen een week erbij zou neervallen, dacht ik. Niet alleen waren de kamers erg groot, maar de gang was twee keer zo breed als die in het weeshuis. Overal waar het maar enigszins mogelijk was waren ramen om het daglicht binnen te laten, allemaal kleine panelen, waar je een eeuwigheid mee bezig was om ze schoon te maken. Ik wist er alles van. We moesten ze schoonmaken in het weeshuis van Madam Annjill, en als we één vlekje oversloegen, moesten we ze allemaal overdoen om ons een lesje te leren.

'Maar ze kan mooi tafeldekken,' gaf Ami met tegenzin toe toen we bij de eetkamer bleven staan, een kamer die voor een vorst leek te zijn gemaakt. De ovale tafel was weliswaar niet langer dan die in het weeshuis, maar veel breder, en hij had dikke, vergulde poten. Er stonden een enorm buffet en een grote kast, ook gedecoreerd met verguldsel. De hooggerugde stoelen waren bekleed met crèmekleurige zijde. Er hing een prachtige kristallen kroonluchter en op tafel stonden twee stellen koperen kandelaars. Eronder lag

71

een ovaal vloerkleed met kleuren die pasten bij de meubels, de gordijnen en de muren.

'In bijna elke kamer liggen kleden,' zei Ami. 'Basil, Wades vader, houdt van parketvloeren en heeft een hekel aan vast tapijt. Hij heeft toestemming gegeven voor steen in de keuken, maar nergens anders. Wade had vast tapijt laten leggen in onze slaapkamer, en hij en zijn vader hebben er wekenlang over geruzied. Stel je voor, eindeloos debatteren over het voor en tegen van vaste vloerbedekking! Het kon mij niets schelen wat er op de grond lag. Ik stofzuig niet.

'Maar ik hou ervan om in deze eetkamer te tafelen. Dan voel ik me... heel bijzonder, alsof ik in het Witte Huis eet of in een kasteel. Dat gevoel zul jij ook krijgen. Dat zul je zien,' zei ze. 'Ik wil dat je van het goede leven geniet, Celeste, net als ik doe.'

Er stonden twee couverts aan één kant, één ertegenover, en één aan het hoofd van de tafel. De erkerramen boden uitzicht op de tuin en fontein, precies zoals Ami had beschreven toen we naar het huis liepen. Degene die tegenover de twee couverts zat, zou met de rug naar de ramen zitten. Ik veronderstelde dat ík dat zou zijn.

'De vloeren lijken splinternieuw,' merkte ik op, toen ik zag hoe ze glommen. 'Zijn ze pas gelegd?'

'O, nee. Eens per maand komt er een ploeg schoonmakers met machines om onze parketvloeren te behandelen,' vervolgde Ami. 'Het zou te veel zijn voor mevrouw Cukor, zeker op haar leeftijd.'

'Hoe oud is ze?'

'We weten het niet zeker, maar we schatten dat ze midden of eind zeventig is, ook al ziet ze er niet naar uit. Het is niet te geloven wat ze allemaal aan documenten en papieren bezit, maar we weten dat ze op z'n minst zo oud moet zijn.'

'Waarom gaat ze niet met pensioen?' vroeg ik terwijl we door de gang liepen.

'Waar moet ze naartoe? Ze heeft geen familie in Amerika, en ze wil niet terug naar Hongarije. Ze haat het idee van een rusthuis. Rusthuizen noemt ze Gods Wachtkamers, en nee, daar bedankt ze voor. Ze zegt altijd dat ze met pensioen gaat als ze in haar graf ligt. En dan zegt ze erbij, misschien. Ik denk zelf dat ze het eeuwige leven heeft. Eerlijk gezegd, ben ik soms een beetje bang voor haar. Ik denk dat ze is opgevoed door zigeuners, en dat ze daarom geen familie heeft. Ze is erg bijgelovig, loopt altijd in zichzelf te mompelen of te neuriën, gooit zout over haar schouder, slaat een kruis. Een van de gekste dingen die ze doet is tijdens het lopen plotseling blijven staan, achteruitgaan en dan opnieuw beginnen met een andere voet. Negeer haar maar zoveel je kunt,' adviseerde Ami. Toen boog ze zich naar me toe en fluisterde: 'Ik geloof dat Wade en zijn vader zelf ook een beetje bang voor haar zijn.'

Ik trok een sceptisch gezicht. Hoe konden volwassen mannen, zo rijk en invloedrijk als Ami hen had beschreven, bang zijn voor een oude huishoudster?

'Onze zitkamer, of grote kamer, zoals ik hem eigenlijk zou moeten noemen,' kondigde Ami aan. Ze liet me een reusachtige, indrukwekkend ingerichte kamer zien met roodsatijnen, goudomzoomde gordijnen, tegenover elkaar staande banken en een ovale ivoren tafel in het midden. Overal waren lampen, rechts een vleugel van donker hout, en planken langs de muren met in leer gebonden boeken. Ik zag een vitrinekast met porseleinen beeldjes, die kennelijk heel kostbaar waren. Ami zag waar ik naar keek.

'Dat zijn Lladros,' zei ze. 'Ze komen uit Spanje. Ze zijn ongeveer twintigduizend dollar waard. Wades moeder spaarde ze. Het is ongeveer het enige waar hij veel geld voor over heeft. Het is een manier om haar nagedachtenis levend te houden of zoiets. Ik ben er niet zo dol op. Ik geef liever geld uit aan kleren. Hij koopt zo'n beeldje en doet dan net of hij het voor mij doet, en ter wille van hem speel ik het spelletje mee. Zo is het huwelijk, weet je, kleine compromissen, opofferingen. De truc is ervoor te zorgen dat het meeste van zijn kant komt.' Ze lachte. 'Maar goed, dat is dus de zitkamer.'

Zoals ze had beschreven, lagen overal kleden op de vloer, allemaal heel dure Perzische tapijten, zei ze.

'Je speelt toch niet toevallig piano?'

'Nee, maar ik heb het altijd gewild,' zei ik. De herinnering aan de pianomuziek in de farm was nog altijd heel sterk.

'Hm, ik zal zorgen dat je les krijgt,' zei ze.

'Echt waar?'

'Ja, natuurlijk. Het zou prettig zijn om echt gebruik te maken van deze kamer in plaats van hem als een soort schrijn te behandelen. Wade brengt hier zelden tijd door, maar hij controleert hem regelmatig, en God beware je als er ook maar een beetje stof te vinden is, of iets van zijn plaats is. Alles is nog precies hetzelfde als tijdens het leven van zijn moeder. Zelfs die oude tijdschriften in het tijdschriftenrek zijn de bladen die ze vlak voor haar dood las. Misschien denkt hij dat ze terugkomt als hij alles in stand houdt.'

'Misschien doet ze dat wel. Of *is* ze al terug,' zei ik zacht. Contact met de doden was niet iets waar ik lichtvaardig over kon praten.

Ami lachte.

'Als je zo praat raak je in de gratie bij mevrouw Cukor. Ze vat haar taak om deze kamer in perfecte conditie te houden heel serieus op.'

'Het is een prachtige kamer,' zei ik.

Een tweede stel kleinere banken stond tegenover een enorme veldstenen haard, waarboven een landschap hing met een kabbelende beek. De kleuren waren zo levendig en het water zag eruit alsof het elk moment over de lijst kon stromen. Het bracht de herinnering bij me terug aan de beek bij de farm.

'Ja. Het hele huis is mooi. Kijk eens naar dat fraaie lijstwerk,' ging ze verder. 'Ik maak geen gekheid. Zo'n huis als dit wordt niet meer gebouwd. Niemand gaat meer zo zorgvuldig met de constructie ervan om. Het stamt uit de tijd toen huizen nog met vakmanschap gebouwd werden. Dat zegt Basil tenminste. Stel hem één vraag over het huis en hij gaat er urenlang over door. Ik waarschuw je maar,' voegde ze er met een knipoog aan toe.

Ik dacht aan het lijstwerk in het huis op de farm. Dat huis was even fraai en zorgvuldig gebouwd als dit, dacht ik, alleen niet zo groot en niet zo duur ingericht.

'Elk meubelstuk dat hier staat is een kunstwerk, geïmporteerd uit Spanje of Italië of Frankrijk, zelfs dat backgammonspel waar niemand mee speelt. Speel jij het?'

Ik schudde mijn hoofd.

'Ik weet er niets van.'

'Niemand hier. Wades moeder natuurlijk wél. Het bord is nog precies zoals zij het heeft achtergelaten. Wades vader heeft alle schilderijen gekocht die hier hangen. Met uitzondering van de Lladros is Wade geen kunstverzamelaar. Dat is Basil wél, dat moet ik hem nageven, maar hij koopt geen dingen omdat hij ze mooi vindt, maar omdat ze waarde hebben. Alles is altijd in de eerste plaats een investering voor hem. Hij komt er ook eerlijk voor uit. Hij schaamt zich niet voor zijn jacht op rijkdom. Ik denk dat hij zelfs zijn kinderen als een investering beschouwde. Wade is de moeite waard gebleken, maar Bethany – waardeloos, wat Basil betreft. Hij heeft haar natuurlijk een heel dure bruiloft gegeven, maar het enige wat hij ervoor terug heeft gekregen is minachting van zowel Bethany als haar man. Hij geeft niets om zijn kleinkinderen. Hij weet niet eens wanneer ze jarig zijn. Mevrouw Cukor herinnert hem eraan, anders zou hij nooit een cadeau voor ze kopen. Wanneer ben jij jarig?' vroeg ze. 'Ik ben het vergeten.'

Ik vertelde het haar en ze knikte.

'Ik zal het mevrouw Cukor laten weten, dan geven we een groot feest. Die vrouw vergeet nooit iets al is het nog zo'n kleinigheid. En dit is Wades kantoor.' Ze bleef staan bij een volgende deuropening. 'Al maakt Basil er gebruik van wanneer hij maar wil. Wade klaagt altijd dat de stank van zijn sigaren erin blijft hangen. Soms heeft Wade een bespreking hier met de manager van de zaak. Ze roken geen van beiden. Wade heeft geen ondeugden, behalve één.'

'Welke dan?' vroeg ik voor ik me kon bedwingen.

'Mij,' antwoordde ze lachend. 'Geintje natuurlijk. Hij heeft zijn slechte kanten, en ik ook, maar die vertellen we elkaar niet.' Ze lachte weer, maar het was een droger, bedachtzamer lachje.

Vreemd, om dat tegen mij te zeggen, dacht ik.

Ze opende de deur van het kantoor en we liepen naar binnen. Grote ramen met luiken in plaats van gordijnen keken uit op de noordkant, waar ik het zwembad, het tuinhuisje, het prieel en de tennisbanen kon zien. Een paar tuinlieden snoeiden de struiken en maaiden het gras.

'De privébezittingen van zijn vader liggen nog allemaal in die safe – juwelen en wapens en geld en Joost mag het weten wat nog meer. Wade kent zelfs de combinatie niet. Ze knikte naar een grote kluis die eruitzag of hij uit een bank kwam.

De meubels in het kantoor waren niet minder indrukwekkend dan die in de zitkamer. De blikvanger was het bureau van donker kersenhout, met de leren bureaustoel. Het bureau was keurig opgeruimd. Er waren ook boekenkasten, computers op aparte tafels, en aan de rechterkant een tweede bureau en een faxapparaat.

Rechts achter het bureau stonden houten archiefkasten. De vloer was van leisteen met twee losse kleden. Aan de muur recht achter het bureau hing het portret van een aantrekkelijke, elegant geklede vrouw. Ze droeg een zwarte strapless jurk en een parelketting. Blijkbaar stond ze bij de voordeur van het huis. Op haar gezicht lag een glimlach als die van Mona Lisa, een glimlach die vragen bij je wekt.

De eerste vraag lag voor de hand.

'Wie is dat?'

'Wades moeder toen ze in de twintig was. De stress en de zorgen staan nog niet in haar gezicht gegroefd.'

'Ze was heel mooi.'

'Ja, maar als een man ogen heeft die ronddwalen, maakt een mooie vrouw weinig verschil.' Ze lachte. 'Sommige mannen zijn gewoon niet voorbestemd voor monogame relaties. Natuurlijk zegt Basil altijd dat hij een vrouw zoveel te bieden heeft, dat hij niet zou weten waarom hij dat aan één vrouw zou verspillen. Een typische opmerking van een ingebeelde macho. Soms denk ik wel eens dat mannen onzeker geboren worden, vanaf het moment dat de navelstreng wordt doorgesneden, en dan de rest van hun leven bezig zijn te bewijzen dat ze groter, slimmer, beter zijn.'

Ze keek strak naar het bureau en de stoel, alsof ze daar iemand zag zitten, en klapte toen in haar handen en draaide zich naar mij om.

'Waarom verprutsen we onze tijd hiermee? Laten we meteen naar jouw kamer gaan. Ik ben zó benieuwd hoe je die zult vinden!'

We liepen het kantoor uit en sloegen linksaf naar de ronde trap, die treden had van donker hout en een prachtige mahoniehouten balustrade met smalle spijlen. Toen we op de onderste tree stonden, verscheen mevrouw Cukor aan de bovenkant van de trap. Ze bleef staan, boven ons uittorenend. Het leek of ze plotseling uit de lucht was komen vallen, en Ami bleef met een schok staan.

'O. Is alles in orde, mevrouw Cukor?'

'Al haar spullen zijn opgeborgen en haar bed is opengeslagen,' antwoordde ze.

'Heeft ze mijn koffers uitgepakt?' vroeg ik.

'Natuurlijk,' zei Ami. 'Ik zei je toch dat je hier verwend zult worden.'

Ze liep de trap op.

'Wacht,' riep mevrouw Cukor en stak als een verkeersagent haar hand op.

'Wat is er?' vroeg Ami.

'Eerst het meisje,' zei ze. 'Het is de eerste keer dat ze boven komt.'

'O, mevrouw Cukor.' Ami zuchtte en keek naar mij. 'Dat verdomde bijgeloof van haar. Toe maar. Geef haar maar haar zin, anders strooit ze een of ander poeder op de grond en krijgen we het eeuwig te horen.'

Verward glimlachend liep ik de trap op. Al die tijd hield mevrouw Cukor haar ogen doordringend op me gericht. Ik had het gevoel dat ze wilde dat ik als eerste de trap op zou komen om zich goed op mij te kunnen concentreren. Ik wendde mijn blik niet af, maar bleef haar strak in de ogen kijken. Dichterbij zag ik dat ze plotseling haar ogen opensperde en haar wenkbrauwen optrok toen ik dichterbij kwam. Toen ik vlak bij haar was, deed ze snel een stap achteruit, om een aanraking te vermijden. Ik hoorde haar iets fluisteren in haar moedertaal.

'Tevreden?' vroeg Ami, die me gevolgd was.

Mevrouw Cukor zei niets. Ze sloeg een kruis en liep toen haastig de trap af.

'Ik moet eens met Wade over haar praten,' zei Ami, haar nakijkend. 'Ze gaat heel bizar doen met het ouder worden. Heel bizar. Ze loopt altijd in zichzelf te praten.'

Misschien is ze minder bizar dan jij denkt, dacht ik. Misschien had ze door mijn ogen heen de spirituele herinneringen gezien die ik in mezelf opgesloten hield.

'Naar je kamer!' riep Ami en stormde naar voren alsof ze ten aanval ging.

Ik haastte me achter haar aan in de gang, die verlicht werd door een rij op gelijke afstand van elkaar hangende lichtkronen, omdat er geen ramen waren.

'Jouw kamer ligt recht tegenover die van Wade en mij,' zei ze, terwijl ze bleef staan.

Alle slaapkamers hadden ivoorwitte dubbele deuren met verguld lijstwerk en koperen knoppen. Ze waren even hoog als de deuren beneden, minstens twee meter tachtig of drie meter.

'Klaar?' vroeg Ami, die zich naar me omdraaide met haar handen achter haar op de deurknop.

'Ja,' zei ik glimlachend.

'Ta-da!' riep ze en deed de deur open.

Zou een prinses van welk land ook in een mooiere, indrukwekkendere kamer kunnen slapen? vroeg ik me af. Mijn kamer in het huis van de Prescotts leek hierbij vergeleken een kamer in een bungalow. Ik had nog nooit in zo'n enorm kingsize hemelbed geslapen. Het beddengoed was wit en roze, de deken was in een perfect gevouwen hoek opengeslagen. Voor het gebogen hoofdeinde met een paar in reliëf gebeeldhouwde engelen, lagen meer kussens dan ik ooit op een enkel bed had gezien. Langs de zijkanten van het bed, dat op een groot, donzig mauvekleurig kleed stond, hing witte tule, en er stonden ook een paar met bont gevoerde mauve pantoffels.

Voor het raam dat ze me had gewezen toen we naar het huis reden, hingen doorschijnende witte gordijnen en zonwerende rolgordijnen. Rechts stond een mooie antieke toilettafel met een ovale spiegel in een vergulde lijst, waarop ook engelen in reliëf waren uitgesneden. Erop lagen nieuwe kammen en borstels en een haardroger.

Ik bleef met open mond staan. Ik durfde geen stap te verzetten, uit angst dat het allemaal zou verdwijnen.

'Nou?'

'Hij is... schitterend, de mooiste slaapkamer die ik ooit heb gezien.'

Ze lachte.

'Ik geloof dat ik de uitdrukking op jouw gezicht het mooist van alles vind.' Ze streek met haar hand over de toilettafel. 'Ik heb nog geen make-up voor je gekocht. Dat doen we samen, en ook parfum en bodylotion, al die dingen die je waarschijnlijk nooit gehad hebt,' zei Ami.

Ik kon geen woord uitbrengen, was gevangen in een storm van beloftes en luxe.

'Ik wil dat je net zoveel tot je beschikking hebt als ik,' vervolgde ze. 'Dan lijken we meer op zussen.'

Zussen? Zoiets had ze ook in het kantoor van Moeder Higgins gezegd, maar iets in de manier waarop ze het deze keer zei trok mijn aandacht. Ik keek naar haar, naar de manier waarop ze naar me glimlachte. Was dat wat ze echt wilde? vroeg ik me af. Was dat de reden waarom ze dit alles deed? Waar waren haar intieme vriendinnen, haar eigen surrogaatzussen? Ze had geen enkele vriendin genoemd, nooit iets verteld over wat ze met andere jonge vrouwen deed.

'Je kleren zien er maar zielig uit in die inloopkast,' zei ze toen ze de kastdeur opendeed. Dat was waar, want er was zoveel lege ruimte, er hingen zoveel lege hangertjes. 'We zullen er meteen wat aan doen. Ik ben van plan je mee te nemen naar de beste restaurants, en misschien kunnen we naar een paar van die liefdadigheidsevenementen, waarvoor ik altijd uitgenodigd word. Meestal zijn ze stomvervelend en lopen er hopen snobs rond, maar jij en ik kunnen er samen wel wat van maken, denk je ook niet?'

'Ja,' zei ik, al klonk de manier waarop ze zei: 'jij en ik kunnen er samen wel wat van maken' alsof het veel meer was dan alleen het bijwonen van een liefdadigheidsevenement. Ik probeerde enthousiast en blij te kijken bij alles wat ze voorstelde. Op dit moment wilde ik het haar op alle mogelijke manieren naar de zin maken.

'Dit is je privélijn,' zei ze, en pakte de roze telefoon op die op het nachtkastje stond. 'Er staat nog een telefoon op je toilettafel. Ik heb ze gisteren laten aansluiten. Het geheime nummer is vijf vijf vijf, vier twee vier twee. Wees voorzichtig met het weggeven van je nummer, vooral aan jongens die je op school leert kennen. Er zijn veel slangen in de tuin,' waarschuwde ze.

Ik trok mijn wenkbrauwen op.

'O, je vraagt je af hoe ik dit allemaal voor je in orde heb kunnen maken, hoe ik wist dat je zou willen komen, of hoe ik wist dat het allemaal zou lukken? Dat was niet belangrijk,' zei ze, haar eigen vraag beantwoordend. 'Ik was vastbesloten, en als ik vastbesloten ben, krijg ik meestal mijn zin. Alweer, Wade denkt dat het komt omdat ik verwend ben, en alweer, hij heeft gelijk.' Ze lachte en maakte een kast open die tegenover het voeteneinde van het bed stond. 'Uw televisie en geluidsinstallatie, majesteit,' zei ze. 'Ik vind het heerlijk om in bed televisie te kijken, jij niet?'

Ik haalde mijn schouders op. Ik had het nog nooit gedaan. Zelfs bij de Prescotts had ik geen tv in mijn kamer. Wat moest ik zeggen?

'O, laat maar. Waarschijnlijk heb je nooit een televisietoestel gehad in de kamer waar je sliep. Nou, je krijgt hier een hoop dingen die je nog nooit gehad hebt,' zei ze, op bijna dreigende toon.

Ze liep naar de deur van de badkamer en maakte die open. Toen deed ze een stap achteruit, met een brede, bijna clowneske lach op haar gezicht. Ik kwam langzaam dichterbij en keek. Behalve het marmeren bad zag ik een aparte betegelde douchecel, overal spiegels, een bidet en een toilet, en nog een toilettafel. De vloer bestond uit marmeren tegels. Aan de muur ernaast hing een badjas, waaronder een paar slippers stonden.

'Ik heb deze badkamer een maand geleden laten opknappen,' zei ze. 'En? Vind je hem mooi?'

Of ik hem mooi vond? Wat kon ik daarop antwoorden? Jarenlang had ik een badkamer gedeeld met zes andere meisjes. We moesten zelfs een schema opstellen voor het gebruik van een douche of bad.

'Het is –'

'Fantastisch?'

'Ja.'

'Mooi. Maak er maar een hoop ophef van aan tafel. Wade is zo'n krent. Niets is ooit noodzakelijk volgens hem. Hij marchandeert met iemand over een dollar, en hij vertelt me voortdurend dat het feit dat we rijk zijn niet betekent dat we het geld over de balk kunnen gooien, dat we niet roekeloos mogen zijn. Nou, ik ben graag roekeloos als het om geld uitgeven gaat. Ik droom er soms van het als kippenvoer om me heen te strooien in winkelcentra. Ik heb geld nooit belangrijk gevonden, en ik heb me nooit aan een budget hoeven houden. Je zou eens moeten zien hoe Wade onze boeken bijhoudt. Ik denk dat hij precies weet hoeveel elk apparaat, elke lamp verbruikt. Hij loopt altijd in huis rond om overal het licht uit te draaien. Maar hij moet niet denken dat hij hier kan komen en inbreuk maken op je privacy,' zei ze waarschuwend.

'En denk niet dat je vanavond of wanneer dan ook je bord leeg moet eten. Ik weet dat ze in het weeshuis alles verspilling vonden, maar dit is geen weeshuis. Die tijd heb je voorgoed achter de rug. Wade komt natuurlijk met maffe ouderwetse uitdrukkingen als "Verteer vandaag niet wat u morgen kan ontbreken". En laat je niet intimideren door de kwaaie blikken van mevrouw McAlister. Als iets je niet smaakt, spuug je het gewoon uit op je bord. Doe ik ook. Soms,' bekende ze, 'doe ik het zelfs als het me wél goed smaakt, alleen om haar op haar plaats te zetten of om Wade te ergeren.

'Begrijp me goed, ik hou van hem, maar ik hou er ook van hem te plagen. Hij is zo... plaagbaar. Bestaat dat woord?'

'Ik geloof het niet,' zei ik.

'Geeft niet. We maken hier onze eigen woorden als we willen. Feitelijk is er niets onmogelijk als we ergens zin in hebben. Wees niet verlegen. Vraag om alles wat je wilt of nodig hebt. Dat doe ik ook. En zoals ik heb beloofd, zullen we net twee zussen zijn,' ging ze nadrukkelijk verder. 'Moet je naar het toilet of zo?'

'Ik geloof het wel, ja,' zei ik.

'Goed, doe wat je doen moet en kom dan meteen naar mijn kamer. We hebben geen tijd om nog iets te kopen voor ons speciale etentje, maar ik heb een paar dingen die je vast wel passen. Ik zoek wel wat voor je uit,' zei ze. 'Welkom in je nieuwe huis,' voegde ze eraan toe en omhelsde me snel voordat ze haastig wegliep. Ik stond haar na te kijken, staarde even ongelovig om me heen en ging toen naar de badkamer.

Later volgde ik haar naar de slaapkamer van Wade en haar, die ongeveer twee keer zo groot was als die van mij, met een aparte zitruimte en een grootbeeldtelevisie. Het bed leek nog groter dan kingsize, had een gouden hemel en roodzijden beddengoed. Ervoor hing een grote, heel decoratieve kroonluchter. De muren waren behandeld met wat ze noemde *faux paint*, wat eruitzag als roze leer. Haar toilettafel nam bijna de hele rechtermuur in beslag, met spiegels boven de hele oppervlakte. Er waren twee grote badkamers, een HIJ en een ZIJ. Ze vertelde me lachend dat Wades badkamer veel schoner en netter was dan die van haar.

'Hij is pietluttig met zijn spulletjes,' legde ze uit. Ze maakte zijn inloopkast open om me te laten zien hoe hij zijn kleren had gerangschikt naar kleur en stijl. 'Zie je dat al zijn schoenen glimmen?' merkte ze op. 'Hij laat liever nieuwe zolen en hakken eronder zetten dan nieuwe te kopen. Ik moet zorgen dat hij zich schaamt, voor ik hem een winkel in krijg om iets voor zichzelf te kopen. Ik maak zijn stijl belachelijk en zeg dat hij zich zo ouderwets kleedt, dat hij een slechte indruk zal maken op zijn zakenrelaties. Meestal helpt dat wel. Hij zal wel tegen je klagen over me en je vertellen dat hij zuinig moet zijn omdat ik het niet ben. Geloof er maar geen woord van. We zijn heel erg rijk,' verklaarde ze, en deed het meer klinken als een levensomstandigheid dan als een prestatie.

'Kijk eens naar ons bed,' ging ze verder. 'Dat heb ik speciaal laten maken. Er bestaat geen tweede van en het kost vijfmaal zoveel als iets wat erop lijkt in de winkel zou kosten. Wade heeft zelfs uitgerekend wat het ons per keer slapen kost. Ik geloof zoiets van vijf dollar per nacht, vijftig jaar lang. Hij kan zo belachelijk doen als het over geld gaat, maar ik hou van hem,' voegde ze eraan toe, bijna alsof ze had beloofd nooit iets negatiefs over hem te zeggen zonder daarmee te eindigen.

'Ik heb alles uitgezocht,' zei ze en nam me mee naar haar inloopkast, die groter en langer was dan die van Wade, maar de indruk wekte dat hij uit elkaar zou barsten als er nog één jurk of rok bijkwam.

Ze hield twee jurken op, een zwarte en een lichtgroene.

'Pas ze eens,' zei ze en deed een stap naar achteren. 'Je bent toch niet verlegen, hè? Anders ga ik wel even weg.'

'Nee,' zei ik. 'Waar ik vandaan kom ben je daar snel overheen, als je het al ooit geweest bent.'

'O, natuurlijk. Arm, arm kind. Ik ben zo blij dat we dit voor je kunnen doen. Niemand hoort door te maken wat jij hebt doorgemaakt.'

Ze kwam naar voren en speelde even met mijn haar.

'Morgen gaan we meteen naar mijn kapper. Het moet met conditioner behandeld worden en gestyled. Je voorhoofd is een beetje laag en smal, en je gezicht wordt breder bij de kaak, net als dat van mij. Je moet je voorhoofd en ogen groter laten lijken. Meer volume in je pony, of misschien wat langer haar, tot op je schouders. Wat vind je van mijn kapsel?' vroeg ze, ronddraaiend om het me van achteren en opzij te laten zien.

'Mooi.'

'Ja, het staat me goed. We zullen jouw haar door mijn eigen kapster, Dawn, laten doen. Ik krijg altijd de beste mensen, en die zul jij ook krijgen. Toe dan. Pas die jurken eens.'

Ze deed weer een stap naar achteren. Ik begon me uit te kleden. Ik jokte niet toen ik zei dat ik niet preuts was, omdat ik het grootste deel van mijn leven in weeshuizen had doorgebracht. Privacy was uiterst zeldzaam. Zodra een meisje voor het eerst ongesteld werd, was het bij iedereen bekend die kon begrijpen wat dat inhield. We douchten en gingen zelfs naar de wc waar anderen bij waren.

En toch was er iets in de manier waarop Ami naar me keek toen ik mijn kleren uittrok dat me een beetje nerveus maakte. Ik voelde hoe haar ogen mijn lichaam inspecteerden.

'O, je draagt geen beha bij deze kleren,' zei ze. 'Het is oké,' ging ze verder toen ik aarzelde. 'Ik draag al jaren geen beha meer.'

Ik bracht mijn handen naar achteren om mijn beha los te maken, en ze kwam onmiddellijk naar voren om te helpen. Toch nog enigszins aarzelend, trok ik langzaam mijn beha uit.

'Je hebt mooie, parmantige borstjes,' zei ze. 'Net als ik. Die zwarte jurk zal je heel sexy staan. Elke man die naar je kijkt zal zijn ogen uit zijn hoofd voelen rollen. Ik hou van dat gevoel, die macht over het zogenaamde sterke geslacht. De waarheid is dat we ze als jonge hondjes aan de lijn kunnen meevoeren.'

Ik hield de jurk op om hem te bekijken. Het smalle halterjurkje was van voren dichtgeregen en de rok had aan beide zijden een split. Ik had nog nooit iets gedragen dat er in de verste verte maar op leek.

'Toe dan, trek hem dan aan,' zei ze. 'Ik heb er bijpassende schoenen bij.'

De jurk paste perfect, maar ongeveer mijn halve boezem was bloot. Was dat wel fatsoenlijk? Hoe wilde ze dat ik eruitzag voor mijn eerste diner met haar man en schoonvader?

'O, hij staat je geweldig.'

'Maar is dit wel geschikt voor een familiedinertje?' vroeg ik.

'Natuurlijk.' Ze lachte. 'Wades vader, Basil, ziet vrouwen graag in sexy kleding. Maar als je je niet op je gemak voelt, probeer deze dan eens.' Ze hield het met rijnstenen versierde, rechte groene jurkje op.

Het leek wel een zakdoekje. Hoe kon dit enig verschil maken?

'Ik heb hier ook bijpassende schoenen bij. Toe dan, probeer hem eens,' drong ze aan.

Ik trok het zwarte jurkje uit en het groene aan. Het was nog nauwer. Zonder beha om ze te bedekken leken mijn tepels bijna uit de stof tevoorschijn te springen. Het maakte me erg verlegen. Ze voelde het onmiddellijk.

'Je hebt een prachtig figuur, Celeste. Wees niet bang om het te

83

laten zien. Zoals ze zeggen als je het hebt, pronk er dan mee. Doe ik ook.

'Dus welke wil je vanavond dragen?' vroeg ze. Ze deed een stap naar achteren en bleef staan wachten, alsof mijn antwoord bepalend zou zijn voor de rest van mijn leven.

Ik keek naar de eerste jurk en toen naar de kleren op de hangertjes. Was er niets anders, niets dat minder onthullend was? 'Die twee zijn mijn lievelingsjurken,' zei ze, mijn blik volgend. Ik wilde haar niet kwetsen of teleurstellen en besloot tot de eerste.

'Mooi. Die zou ik ook gekozen hebben,' zei ze. 'Nu kun je wat gaan rusten en een douche nemen en proberen wat aan je haar te doen. We eten om zeven uur. Ik ga ook rusten en neem een schoonheidsmasker. Ik zal je dat later allemaal laten zien, maar je moet leren lopen voor je kan rennen,' zei ze, terwijl ze met me meeliep naar de deur van mijn slaapkamer. 'Bel maar naar beneden als je iets nodig hebt. Als je tien draait, gaat de telefoon van mevrouw Cukor over.'

Bellen voor wat ik nodig had? Me laten bedienen door personeel? Dit was meer een duur hotel dan een thuis, en gedachtig aan waar ik vandaan kwam, was alles nog een droom.

'Dank je,' zei ik.

Ze glimlachte, omhelsde me, liep toen weer haar kamer in en deed de deur achter zich dicht.

Lange tijd bleef ik onbeweeglijk in de gang staan, starend naar de lichtkronen, de schilderijen aan de muren, de glimmende houten vloeren. Het was onmogelijk om niet verbijsterd te zijn door de weelde waarmee ik zo plotseling omringd werd. Ik was opgewonden, enthousiast en blij, maar herinneringen aan mijn eerste pleeghuis kwamen bij me terug. Ik was toen zo bang, bang dat ik mezelf, mijn identiteit, mijn familie, zou verliezen. Ik voelde me zo schuldig over elke kleine luxe die ik genoot. Elk pleziertje was een klein verraad in mijn kinderlijke gedachten. En de Prescotts waren bedelaars vergeleken met de Emersons.

Ik wist wat Noble zou zeggen. Hij zou zeggen: 'Celeste, de duivel heeft besloten het niveau van de verleiding te verhogen tot hij je heeft waar hij je wil hebben.'

Ik kon datzelfde schuldbesef op me voelen neerdalen, elke druppel een nieuwe kleine steek van gewetenswroeging, in een poging me afkerig te maken van dit alles, het van de hand te wijzen.

Het kan me niet schelen, dacht ik uitdagend. Ik verdien dit. Ik heb genoeg geleden, en ik wil dit alles hebben. Waarom zou ik niet? Bovendien moet dit mijn bestemming zijn. Het moet iets zijn dat voorbestemd is.

Ik wist dat wat ik ook zei of geloofde, het niet door Noble, als hij hier was, zou worden goedgekeurd. Hij was bang voor alles wat me mijn verleden en de farm, alles wat daar op me wachtte, kon doen vergeten. Maar ik wist zeker dat als hij probeerde te komen om me te bestraffen, hij dat moeilijker zou vinden dan ooit. De lichten brandden te helder in dit huis. Er waren geen schaduwen om iets te verbergen.

Tenminste, dat hoopte ik.

5. Leugentjes om bestwil

Naast de televisie stond een kast met een la vol cd's. In een andere la lag een verzameling video's. Ik had niet één ervan gezien, zelfs niet op de televisie. Aan de titels en de foto's en de teksten op de covers was duidelijk te zien dat het allemaal romantische komedies waren.

Ik koos een cd en zette die op terwijl ik de kamer en het uitzicht uit mijn ramen verkende. Al die ruimte voor mij alleen te hebben was zo luxueus als een warm schuimbad. Ik bleef maar rondlopen, naar de badkamer, terug naar de kast om de omvang ervan te bewonderen, en dan weer naar mijn bed, waar ik me achterover op de donzige kussens liet vallen, alsof ik uit een vliegtuig sprong en rondzweefde.

Ik lag naar het plafond te staren en van de muziek te genieten toen er geklopt werd. Voor ik bij de deur was om open te doen, stormde Ami naar binnen. Ze droeg een roze zijden ochtendjas en had een handdoek om haar haar gebonden. Ze had een rode gloed op haar gezicht van de schoonheidsbehandeling en ze droeg een roodleren zakje onder haar arm, zoals een voetballer een voetbal.

'Ik vond dat je er voor je eerste officiële diner hier op je best hoorde uit te zien. Voorlopig heb ik wat van mijn lievelingscosmetica voor je,' zei ze.

Ze legde het zakje op de toilettafel en maakte het open. Ik kwam naast haar staan.

'We hebben dezelfde teint, en dit staat me allemaal erg goed,' zei ze. Ik wist niet zeker of ik het wel met haar eens was, maar was niet van plan haar tegen te spreken. 'Wat weet je van make-up? Ik heb al gezien dat je je niet opmaakt.'

'Nee,' antwoordde ik lachend. 'We mochten zelfs geen lippenstift gebruiken op school. Dat vond Moeder Higgins niet goed.'

'Zelfs geen lippenstift? Belachelijk. Wat dacht ze dat er zou gebeuren als je dat deed? Dat de zonde erop zou volgen? Denk er maar niet meer aan.' Ze schudde heftig haar hoofd alsof ze een nare, pijnlijke gedachte van zich af wilde zetten. 'Vergeet dat alles,' zei ze snel. 'Stel je maar voor dat je verleden op een van die toverleien geschreven staat, waar je alles met één ruk van kunt wissen zodat je opnieuw kunt beginnen.

'Doe maar net of je hier altijd gewoond hebt, we altijd samen zijn geweest. Er was geen gisteren. Alleen morgen bestaat, en morgen is altijd belangrijker dan vandaag.'

Ze keek op haar horloge.

'Oké, we hebben nog tijd voor een korte les. Vanavond doen we je ogen. Ga zitten.' Ze schoof de stoel bij de toilettafel naar achteren.

Ik gehoorzaamde, en ze kwam achter me staan en bekeek me in de spiegel. Ze hield haar hoofd schuin terwijl ze nadacht en knikte toen alsof ze een besluit had genomen.

'We moeten je ogen groter laten lijken, net als bij mij. Hou één oog open terwijl ik het andere opmaak, zodat je kunt zien hoe het in zijn werk gaat. Dan kun je het later zelf, oké?'

'Ja,' zei ik, al vond ik niet dat onze ogen even groot waren en dezelfde vorm hadden, evenmin als ik vond dat we dezelfde teint hadden. Maar ik vond het idee om te worden opgemaakt erg spannend. Niet alleen was lippenstift verboden op school, maar ik had er zelfs nooit een gehad en had er ook nooit een geleend van een ander meisje om na schooltijd te gebruiken.

Ze zocht in het zakje en haalde een doosje oogschaduw tevoorschijn. Met een kwastje bracht ze de kleur aan op mijn oog.

'Vanaf de wimpers naar de wenkbrauw,' zei ze, de daad bij het woord voegend.

Ze maakte nog een doosje open en pakte een ander kwastje.

'We zullen een zachtere kleur gebruiken voor de plooi onder de wenkbrauw,' zei ze, en combineerde de twee kleuren. Toen pakte ze een eyeliner. 'Je gaat van de buitenste hoek naar de binnenste hoek en blijft vlak bij de wimpers. Daarna niet meer dan een derde van het onderste ooglid, van buiten naar binnen. Zie je?' vroeg ze al demonstrerend.

'Ja.'

'Oké.' Ze pakte het kwastje met de oogschaduw weer. 'We brengen nog een laagje lichte oogschaduw aan van de wimpers naar de wenkbrauw. Kijk, zo.' Vervolgens pakte ze een watje. 'Zorg ervoor dat je alle overtollige make-up verwijdert en borstel de losse poeder weg. Ik vind het vreselijk als ik die oude dametjes zie bij wie de make-up over de wangen druipt. Ze zien eruit of hun gezicht voor onze ogen uiteenvalt, als een slang die zijn huid afstroopt.

'En nu,' zei ze, terwijl ze haar aandacht weer richtte op het zakje, 'brengen we de mascara aan. Trek het staafje recht omhoog. Zie je? Niet eruit halen. Doe dan voorzichtig de onderste wimpers. Voilà!' riep ze en deed een stap naar achteren toen ze klaar was. 'Kijk eens naar het verschil tussen je opgemaakte oog en het andere.'

Ik knikte geïmponeerd.

Ze kwam weer dichterbij, sloeg haar armen om mijn schouders en legde haar wang tegen de mijne, terwijl ze kijkend in de spiegel tegen me praatte.

'Ik zal je een hoop kleine trucjes leren, Celeste. Het zal net zijn of ik het zelf weer voor het eerst doe. Jouw gezicht zal mijn gezicht zijn, en vice versa.' Ze liep weer naar achteren. 'Toe dan, doe zelf je andere oog. Ik zal kijken hoe je het doet.' Ze sloeg haar armen over elkaar.

Ik deed het precies zoals zij het had gedaan, en toen ik klaar was, klapte ze in haar handen.

'Perfect. En dat voor de eerste keer! Je leert snel.'

Het is geen hersenchirurgie, dacht ik, maar zei niets.

'De volgende keer zullen we je lippen doen en die voller laten lijken. We zullen met diverse kleuren experimenteren. En we geven je andere ogen. We zullen alles uitproberen! Ik zal je laten zien hoe je met make-up je hele gezicht meer sexy kan maken. Brave meisjes kunnen ook kleine duvels zijn.'

Ze draaide zich weer om naar het leren zakje.

'Probeer voorlopig deze lippenstift eens. Het is een subtiele kleur,' zei ze en schroefde de dop eraf. Hij leek mij niet erg subtiel. 'O, wacht.' Ze zocht weer in het zakje. 'Doe eerst deze lipgloss op. Dat voorkomt dat je lippen er droog uitzien. Toe maar,' zei ze, toen ik aarzelde. Ik deed het en bracht daarna de lippenstift aan. 'Je schijnt het echt voor het eerst te doen.'

Ze pakte de lippenstift uit mijn hand. 'Je moet niet zo hard drukken.' Met een tissue veegde ze mijn mondhoek af. Toen keek ze naar me en knikte.

'Je bent een uitstekende kandidate voor verbetering,' zei ze. Ik trok mijn wenkbrauwen op. 'Iedereen kan wel wat verbetering gebruiken, Celeste. Zelfs ik,' voegde ze er lachend aan toe. 'Nog één ding.' Ze zocht in het zakje. 'Doe dit luchtje op. Basil vindt het heerlijk als ik het gebruik. Oké, kleed je aan. We gaan samen naar de eetkamer, maar minstens tien minuten te laat. Kom nooit op tijd als er mannen bij betrokken zijn,' adviseerde ze. 'Het ergste wat je kunt doen is een man toestaan je als vanzelfsprekend te beschouwen. En dit is een geheim dat ik van mijn moeder heb geleerd.'

Ze boog zich naar me toe om te fluisteren, alsof de kamer werd afgeluisterd en het echt een groot geheim was. Ik hield verwachtingsvol mijn adem in.

'Maak altijd een hoop ophef van de kleinste kleinigheden. Als je vriendje vergeet de deur voor je open te houden of je stoel naar achteren te schuiven als je aan tafel gaat, ga dan tegen hem tekeer alsof hij een moord heeft gepleegd.'

Ze trok zich weer terug en glimlachte.

'Hij zal bij zichzelf denken: als ze nu al zo reageert, wat zal ze dan doen als het iets belangrijks is? Het is altijd goed om ze in het onzekere te laten.'

'Dat klinkt meer als oorlog dan als romantiek,' zei ik voor ik me kon bedwingen.

Haar glimlach verdween toen ze even nadacht, en keerde toen terug in een vlaag van vrolijkheid, vanaf haar slapen via haar ogen naar haar lippen.

'Maar dat is precies wat het is, Celeste, een oorlog. Heb je nooit die uitdrukking gehoord, In oorlog en liefde is alles geoorloofd?'

'Ja,' zei ik, maar ik dacht bij mezelf: wat stelde dat gezin dan voor als er als er zoveel onenigheid bestond tussen man en vrouw? Wat maakte het tot een warm en gelukkig thuis? Bezat het een tuin waarin de liefde kon groeien en bloeien? Ik associeerde plaatsen en mensen vaak met een tuin. In de wereld die Ami beschreef, zouden de kinderen in onrust en verwarring opgroeien.

'Kijk niet zo peinzend en ernstig, Celeste. Daar hebben mannen een hekel aan. Weet je waarom?' Ik schudde ontkennend mijn hoofd.

'Omdat ze bang zijn dat je slimmer bent dan zij en ze doorziet. Zoals ik al zei, ze zijn erg onzeker. Je zult gauw genoeg ontdekken dat ik gelijk heb. Je zult er zelf wel achter komen dat Wades vader niet echt zo zelfverzekerd is als hij zich voordoet. Egoïstisch, ja, maar zelfverzekerd, nee. Zoals ik zei,' herhaalde ze, alsof het de belangrijkste levensles was die ze me kon geven, 'daarom is hij zo'n vrouwenjager. Hij moet zichzelf voortdurend bewijzen. Mannen!' Ze schudde haar hoofd. 'Ze worden nooit volwassen.

'Niet dat ik wil dat we ons alleen maar als twee volwassen en verantwoordelijke vrouwen gedragen. Alsjeblieft niet.' Ze keek op haar horloge. 'Ik ga me verkleden. Haast je niet, maar als je ongedurig wordt, kom dan naar mijn kamer. Wade heeft zich al verkleed en is beneden in het kantoor met zijn vader om over saaie zaken te praten. Niet dat je veel verschil zult zien in zijn kleding.

'Heerlijk,' ging ze verder, om zich heen kijkend in de kamer en toen naar mij. 'Ik heb iemand in mijn eigen huis wie ik geheimen kan toevertrouwen. Er is niets triesters dan een geheim dat verdort aan de wingerd, onuitgesproken afsterft. Dat heb ik eens gelezen in een roman, en ik ben het nooit vergeten.'

Ze zweeg even, legde haar hand op haar hart en sloeg haar ogen op alsof ze op een toneel stond.

'Ze was vervuld van onuitgesproken geheimen, dood, verdwenen, rondwervelend als stofjes in de kamers van haar hart,' reciteerde ze lachend en liep snel de kamer uit.

Het was of ik een raam had gesloten en de wind belette alles door de kamer te jagen.

Maar nog geen minuut later was ze weer terug.

'Ik bedacht dat je nog wat sieraden moet hebben,' zei ze. 'Doe deze ketting om, en een van mijn mooie horloges.' Voor ik iets kon zeggen, maakte ze een parelsnoer vast om mijn hals. Ze hield even haar hand erop en zuchtte.

'We zullen het succes van de avond zijn,' verklaarde ze en ging weer weg.

Ik bleef naar de deur staren en hield mijn adem in, me afvragend of ze misschien nog iets meer was vergeten, maar deze keer kwam ze niet terug. Nadat ik de jurk die ze voor me had uitgezocht, en de bijpassende schoenen had aangetrokken, mijn haar had geborsteld en het prachtige horloge had omgedaan, bleef ik voor de passpiegel staan om mezelf te bekijken. Met de make-up, de sieraden en de kleren, leek het echt of ik naar een ander keek. En toen meende ik plotseling Noble achter me te zien staan. Hij leek zo overstuur, dat het leek of hij elk moment in huilen kon uitbarsten. Hij was niet veranderd, leek niet ouder, maar blijkbaar zag ik er in zijn ogen heel anders uit.

'Noble?'

Ik draaide me met een ruk om, maar hij was al verdwenen. Was hij er echt geweest of had ik het me maar verbeeld? Ik wist wat dr. Sackett zou zeggen: 'Je bent onzeker en een beetje zenuwachtig en bang. Je moet sterker worden. Doe je ogen dicht en verzamel je kracht.'

'Ja,' fluisterde ik, 'dat zal ik doen.'

Voor ik er langer over kon nadenken, ging de deur open en stormde Ami weer naar binnen. Ze droeg een maïsgele jurk met een paar transparante schoenen. Ze draaide zich om en liet me de laag uitgesneden rug zien.

'Die heb ik net gekocht,' zei ze. 'Het is een jurk van geborduurde charmeuse, met van achteren een plooi van doorzichtig chiffon. Maakt hem meer sexy, vind je niet? Kijk,' ging ze verder, en hief haar rechtervoet op, 'ik draag het glazen muiltje van Assepoester. Alleen verander ik om twaalf uur niet in een arme jonge vrouw,' voegde ze eraan toe. 'Nou?' Ze draaide rond en keek me aan. 'Wat vind je ervan?'

'Hij is mooi, Ami. Wat is charmeuse?'

'Een doorzichtige glanzende stof. O, ik moet je nog zoveel leren, maar ik zal het enig vinden om het te doen. Jij ziet er ook mooi uit. Kom mee. We zijn keurig laat,' zei ze, en gaf me een arm.

We liepen naar de trap, waar ze bleef staan, haar houding corrigeerde en toen samen met mij omlaag liep. Ik hoorde de lach van een man in de gang beneden.

'Basil heeft Wade waarschijnlijk een van zijn twijfelachtige grapjes verteld. Wade kan er nooit om lachen, dus lacht Basil zelf altijd heel hard om het te compenseren,' legde Ami uit.

Toen we onder aan de trap waren, kwamen Wade en zijn vader uit de werkkamer de gang in. Basil leek ruim vijf centimeter langer. Hij had kennelijk zijn haar geverfd. Er was geen grijze haar in het donkere bruin te bekennen, en het leek voor een veel jongere man gestyled. Hij was knap, hij had een krachtige mond, lichtbruine ogen en een bijna perfecte neus. Maar hij had niets van een mooie jongen. De lijnen in zijn gezicht waren wat men noemde karaktervol. Ik vond dat hij eruitzag als een oudere filmster. Zijn schouders waren twee keer zo breed als die van Wade, en hij had een dikkere nek. Zijn donkerblauwe sportjasje en broek zaten als gegoten om zijn atletische lijf. Hij droeg een bijpassende blauwe das en zwarte schoenen. Ik zag de diamanten glinsteren op zijn gouden horloge. Hij staarde ons met een enigszins ironisch glimlachje aan.

'Wel, wel, wie is die ontluikende schoonheid naast onze eigen prinses?' vroeg hij.

'Dit is Celeste,' zei Ami. 'Celeste, mijn schoonvader, Basil Emerson.'

'Hallo,' zei ik.

Zijn glimlach werd breder en hij kwam naar voren, stak zijn hand uit om me de laatste traptreden af te helpen. Toen draaide hij zich om naar Wade.

'Je praatte over haar als een arm, zielig weesmeisje.'

Wades gezicht werd zo snel vuurrood, dat het leek of het bovenste deel van zijn hoofd eraf zou vliegen. 'Dat is niet waar,' protesteerde hij.

'Ami, je ziet er als altijd schitterend uit,' zei Basil, zijn zoon negerend. 'Wat een stel schoonheden! Veel te veel voor Wade om in zijn eentje aan te kunnen. Als ík met je getrouwd was, Ami, zouden er nu een paar kinderen in huis rondkruipen.'

Hij keek even naar Wade en toen weer naar ons.

'Ik zou in staat zijn mijn intrek weer hier in huis te nemen, om ervoor te zorgen dat deze twee vrouwen worden behandeld zoals ze behoren te worden behandeld,' voegde hij er lachend aan toe. Wade sloeg zijn ogen neer om zijn gêne te verbergen.

'O, Basil,' riep Ami uit, 'wat ben je toch een flirt.'

'Ik hoop dat ik meer ben dan dat. Tieners flirten. Echte mannen verleiden.' Hij lachte weer.

Wade wendde zich af.

'Dames,' zei Basil en strekte zijn armen uit. 'Mag ik jullie naar de tafel begeleiden?'

Ami nam zijn linkerarm en ik zijn rechter. Toen keek hij weer naar Wade en sprak over zijn schouder.

'Volg ons en kijk goed hoe het hoort,' zei hij, terwijl we naar de eetkamer liepen.

Ami straalde.

'Hm, jullie ruiken allebei verrukkelijk,' zei Basil, en bracht zijn neus vlak bij mijn wang. 'Ik voel me of ik verdrink in een prachtig meer dat naar vrouwelijke aroma's geurt. Wie komt me redden?'

'Wij niet,' antwoordde Ami. Hij lachte, en we liepen de eetkamer in.

Het bleek dat Wade met zijn rug naar de ramen zat. Ami en ik zaten tegenover hem, en Basil Emerson zat aan het hoofd van de tafel. Mevrouw Cukor diende het eten op, en mevrouw McAlister kwam van tijd tot tijd even kijken. Ik meende te begrijpen dat ze dat alleen deed als Basil Emerson kwam eten. Het viel me op dat mevrouw Cukor, telkens als ze iets binnenbracht, zoveel mogelijk vermeed me aan te kijken.

'Zo,' zei Basil Emerson, 'vertel ons nu eens alles over jezelf, Celeste. Hoe lang ben je in een weeshuis geweest?'

'Ongeveer elf jaar, met een korte onderbreking toen ik bij twee oudere mensen ging wonen.'

'Elf jaar! Ik wil wedden dat je, als ze je net zo hadden aangekleed als Ami heeft gedaan, heel snel geadopteerd zou zijn.' Hij lachte weer. 'Verdraaid, ik zou je zeker hebben geadopteerd.' Hij keek naar Wade. 'Arm, zielig weesmeisje?'

'Dat heb ik niet gezegd, pa,' antwoordde Wade. 'Hou eens op met te beweren dat ik dat gezegd heb.'

'Nou, wat heb je dán gezegd?' snauwde Basil terug. Hij sloeg de wijn snel naar binnen en had blijkbaar met Wade al een paar glazen gedronken in zijn kantoor.

'Ik heb alleen gezegd dat ze geen geluk had.'

'Geen geluk.' Hij keek naar Ami die glimlachend knikte.

'Dat is zo, Basil. Ze had geen geluk,' zei ze. 'Maar nu wel.'

'Daar drink ik op,' zei Basil, en hief zijn glas.

'Jij drinkt op alles,' mompelde Wade.

Basil grijnsde en keek toen naar mij.

'Hé,' zei hij, 'geef dat kind wat wijn. Ze lijkt me oud genoeg.'

'We worden verondersteld haar een goed voorbeeld te geven,' zei Wade.

.

'Nou, dat doen we toch,' merkte Basil lachend op. 'We leren haar hoe ze behoorlijk moet eten, ja toch, Ami?'

'Dat doen we, ja,' kirde ze.

'Mevrouw Cookie, nog een wijnglas, alstublieft,' beval Basil. Ze kwam de kamer binnen, pakte nog een wijnglas uit de kast en zette het zo hard voor me neer, dat ik dacht dat het zou breken.

'U dronk toch ook wijn toen u zo oud was als zij, mevrouw Cookie?'

'Ik dronk toen heel wat meer dan wijn,' antwoordde ze.

Basil en Ami bulderden van het lachen. Ik keek naar mevrouw Cukor. Ze staarde me even aan en liep toen naar de keuken.

Wade schudde zijn hoofd en richtte zijn blik op de tafel en at zwijgend zijn salade. Er werd oorlog gevoerd in dit huis, dacht ik. De kogels bestonden misschien slechts uit woorden, en het enige wat gewond werd was hun trots, maar niettemin heersten er spanningen om me heen, spanning tussen mevrouw McAlister en mevrouw Cukor, spanning tussen Wade en zijn vader, zelfs enige spanning tussen Wade en Ami, en nu iets onuitgesprokens tussen mevrouw Cukor en mij, iets waarvan misschien alleen ik me bewust was. Te midden van dat alles dartelde Ami rond alsof niets anders erop aankwam dan haar eigen geluk, en niets dat kon verstoren of verhinderen. Moest je haar bewonderen of medelijden met haar hebben? vroeg ik me af.

Basil bleef het gesprek aan tafel beheersen. Misschien omdat ik erbij was, vertelde hij het ene verhaal na het andere over zijn eigen tienertijd.

'Ik was nooit een erg goede leerling. Eerlijk gezegd heb ik nooit mijn high-schooldiploma gehaald,' zei hij. Hij deed het voorkomen of het een verdienste was. 'De echte leerschool vind je in de buitenwereld,' bulderde hij, gebarend naar het raam. Hij had in zijn eentje een hele fles rode wijn gedronken en was nu bezig aan de tweede fles. Ami had een rood gezicht na twee glazen wijn. Ik had nauwelijks de helft van mijn glas gedronken, en Wade was na één glas gestopt met drinken.

'Pa, alsjeblieft,' zei Wade zacht.

'Wát, alsjeblieft? Zeg ik soms iets dat niet waar is? Ik heb je aan de universiteit laten studeren en kocht al je mooie kleren en je auto. Niet zo slecht voor iemand die high school niet heeft afgemaakt.

Vergeet dat nooit,' waarschuwde hij, met zijn dikke rechterduim omhoog en zijn dikke rechterwijsvinger als een pistool op Wade gericht.

'Niemand heeft kritiek op je. De tijden zijn veranderd. Het is moeilijker voor jonge mensen om die kansen te krijgen zonder een goede opleiding.'

'O, natuurlijk. De jonge mensen van tegenwoordig. Die arme ongelukkige jonge mensen.'

Hij mompelde iets binnensmonds en wijdde zich weer aan zijn eten.

Wade keek met een verontschuldigende blik naar mij. Ik glimlachte, maar hij wendde snel zijn ogen af, bang dat zijn vader onze zwijgende uitwisseling zou zien.

Mevrouw Cukor bracht de aardbeientaart binnen alsof ze vergif opdiende. Ze zette hem even hard neer als eerder mijn wijnglas, en kwam daarna met de koffie. Ik vond de taart verrukkelijk, en Wade en zijn vader blijkbaar ook. Ami at er geen hap van, zag ik. Ze at überhaupt heel weinig, liet altijd wat op haar bord liggen. Ik vroeg me af of het opzet van haar was; ze had me verteld dat ze dat soms deed. Ik at alles op wat er voor me werd neergezet. Het eten was verrukkelijk, en ten slotte dronk ik ook mijn wijn op en accepteerde nog een tweede glas. Was ik zo'n schrokop?

'Je moet nooit alles opeten wat op je bord ligt,' fluisterde ze me later toe. 'Zelfs niet als je wordt uitgenodigd in een duur restaurant. Alleen mannen eten hun bord leeg. Sommigen omdat ze de rekening moeten betalen en daarom desnoods zaagsel zouden eten.'

We gingen gezamenlijk naar de zitkamer, waar Basil een afterdinnerdrankje nam, en toen nog een. Hij hield redevoeringen over de zakenwereld van vandaag, over politiek, over de harde leerschool die hij had doorlopen, en hoe gemakkelijk we het allemaal hadden vergeleken met wat hij had moeten doormaken. Wade zat kalm te luisteren, terwijl Ami onrustig op haar stoel heen en weer schoof. Het was duidelijk dat Basil zat te praten zonder er zelfs maar op te letten of iemand luisterde of niet. Ten slotte vroeg Ami haar en mij te excuseren; ik had zo'n veelbewogen dag achter de rug, dat ik beslist uitgeput moest zijn.

Ik zei tegen Basil dat ik het prettig vond hem te hebben leren kennen. Hij keek even verward op, glimlachte toen en gaf me een zoen op mijn wang, iets te dicht bij mijn mond, vond ik. Hij gaf ook Ami een nachtzoen en richtte zich toen weer tot Wade om zijn toespraak te vervolgen. Ik keek even naar Wade toen we de kamer uitliepen; ik had medelijden met hem, een toehoorder die in de val zat.

'Ik vind het vreselijk als Basil zo bezig is,' zei Ami. 'Ik kon gewoon niet wachten tot we weg konden.'

Ik liep in de richting van de trap, maar ze pakte mijn arm vast.

'Nee, malle. We gaan niet echt zo vroeg naar bed. Dat was maar een excuus. Kom mee. We mogen niet al dat werk dat we hebben gedaan verspillen aan een diner met de Emerson-mannen.'

'Hè?'

Ik begreep het niet, maar ik liet me meetrekken, door de gang, langs de keuken, naar de deur van de garage. Ze deed de deur open en zei dat ik in haar rode Jaguar sportwagen moest stappen.

'Waar gaan we naartoe?'

'Een beetje ondoordacht plezier maken,' antwoordde ze lachend.

Ik stapte in de auto en ze reed achteruit naar buiten, snel weg van het huis.

'En Wade dan?' vroeg ik.

'Wade? Die zal zoals altijd Basil naar bed moeten brengen, en dan gaat hij naar zijn kantoor om tot diep in de nacht aan zijn administratie te werken,' verklaarde ze.

'Zal hij zich niet ergeren dat we zijn weggegaan?' vroeg ik.

Ze keek me zonder iets te zeggen aan en tuurde toen weer naar de weg.

'Nee,' zei ze. 'Wade zal zich hoegenaamd niet ergeren.'

Ik wilde niet vragen: Waarom niet. In hoeverre ging hun privéleven mij iets aan op de eerste dag van mijn verblijf hier?

'Waar gaan we naartoe?'

'Er is een heel leuk hotel nog geen acht kilometer hiervandaan. Een goeie lounge en een uitstekende pianist. Maak je geen zorgen. Je ziet er oud genoeg uit, en bovendien ken ik de directeur. We zullen geen enkel probleem hebben. Hoe vaak heb je een vals identiteitsbewijs gebruikt?' vroeg ze, met een verwachtingsvolle glinstering in haar ogen.

'Nooit.'

'Nooit? Kom nou, Celeste. We zullen als zusjes van elkaar zijn. Je hoeft niet bang te zijn om me alles te vertellen, weet je nog?'

'Ik vertel je de waarheid. Ik ben eens naar een party geweest waar ze whisky en bier hadden, maar ik dronk niets.'

Ze trok haar wenkbrauwen op.

'Ik dacht dat meisjes die in een weeshuis woonden een stuk vlotter waren.'

'Ze moeten zich aan een hoop regels houden, en ik wilde Moeder Higgins niet teleurstellen. Ze is altijd erg aardig voor me geweest.'

Ze keek me weer van terzijde aan en glimlachte.

'Je hebt gewoon nog niet de kans gehad om plezier te maken. Die krijg je nu,' beloofde ze me.

Op de een of andere manier klonk het meer als een dreigement. We reden verder. Lachend zette ze de radio aan.

'Jawel, Celeste, een kans om plezier te maken.'

Het hotel waar we naartoe gingen heette het Stone House. Het was niet erg groot, en feitelijk leek het me meer een motel, omdat de kamers naast elkaar lagen aan beide kanten van het hoofdgebouw. Het hoofdgebouw had een veldstenen gevel, een overhangend gedeelte waaronder we naar de een parkeergarage reden, en twee glazen deuren die toegang gaven tot een betegelde hal. De muren in de hal waren ook bekleed met veldsteen of misschien met imitatiesteen, dat wist ik niet zeker. Er was veel donker hout, balken en panelen. De receptie was aan de rechterkant en daarachter stond een groot aquarium met prachtig gekleurde vissen. De vrouw achter de receptie herkende Ami onmiddellijk en glimlachte.

'Goedenavond, mevrouw Emerson,' zei ze.

Ze leek een jaar of vijftig, en had slecht geverfd haar, waardoor het oranje leek in plaats van blond.

'Goedenavond, mevrouw Stone,' zei Ami.

Mevrouw Stone staarde haar even aan en begon toen te lachen.

'O, mevrouw Emerson. U hebt iets met uw haar gedaan, de kleur.'

'Een klein beetje maar,' zei Ami, en ik keek haar aandachtig aan. Hoe had ze het veranderd? Het meer kastanjebruin gemaakt? Meer zoals dat van mij? 'Dit is Celeste. Ze komt een tijdje bij ons wonen.'

'Hallo,' zei mevrouw Stone. 'Komt u uit het buitenland? Een studente die deelneemt aan een uitwisselingsprogramma?'

'Ze komt niet uit een ander land, maar te oordelen naar de manier waarop ze heeft geleefd, was dat heel goed mogelijk geweest,' zei Ami plagend. Mevrouw Stone keek verward.

Ik zei goedendag en toen duwde Ami me naar de ingang van de bar en het restaurant. We hoorden de muziek. De pianist zong iets wat ik herkende als een song van Elton John.

'Zij en haar man zijn de eigenaars van het hotel. Daarom heet het Stone House, maar de mensen steken er de draak mee en zeggen dat het zo heet omdat iedereen die hier komt stoned raakt,' vertelde Ami.

Ook de gerant herkende Ami meteen, en maakte eveneens een opmerking over haar haar.

'Ik hoop dat het flatteert,' zei Ami, wat hij haastig bevestigde.

'We gaan alleen naar de bar vanavond, Ray,' zei ze. Hij keek met een achterdochtige blik naar mij. 'Wees maar niet bang, alles is prima in orde,' verzekerde ze hem.

Hij knikte, maar aan zijn glimlach was te zien dat hij haar niet geloofde.

'Ik geef hier te veel geld uit, om van iemand moeilijkheden te verwachten,' fluisterde ze.

Aan de bar bestelde ze voor zichzelf een Cosmopolitan, keek toen even naar mij en zei tegen de barkeeper dat hij er twee van moest maken.

'Je zult het lekker vinden. Het dringt langzaam in je door. Ik heb een hekel aan die sterke, overweldigende drankjes. Kijk niet zo zenuwachtig,' vermaande ze me.

'Ik kan er niks aan doen. Ik ben nog nooit in een bar geweest.'

'Je bent echt nog zo maagdelijk,' merkte ze op, alsof ze niet had geloofd wat ik haar over mijzelf verteld had. 'Ik geloof dat ik veertien was toen ik voor het eerst aan een bar zat. Het was een goedkope tent natuurlijk, maar we waren dol enthousiast en dronken goedkope gin, waar we allemaal misselijk van werden. Maar we hadden enorme lol.'

Hoe kon je daar nou lol aan beleven? vroeg ik me af.

Er waren niet veel mensen, maar twee mannen die aan het verste eind van de bar zaten hadden ons gadegeslagen vanaf het moment dat we binnenkwamen. Ami zag het ook, en tot mijn verbazing glimlachte ze naar hen. Het was of ze een bord met Welkom omhooghield. Op hetzelfde moment lieten ze zich van hun kruk glijden en kwamen naar ons toe. Ze waren geen van beiden knap om te zien, dacht ik. Een van hen zag eruit of hij zelf zijn vuilblonde haar knipte. Het hing in ongelijke pieken om zijn hoofd. Ze droegen allebei een sportjasje dat eruitzag of ze erop geslapen hadden.

'Hallo, jongens,' zei de langste van de twee met donkerbruin haar. 'Net gearriveerd?'

'Zien we eruit als jongens?' was Ami's plagende reactie. De ander liet een nasale lach horen en gaf zijn vriend een por.

'Niet bepaald, nee,' zei hij.

De barkeeper zette onze drankjes voor ons neer.

'Chique drankje,' zei de kleinste van de twee.

'Ja, maar we zijn gewend aan chique dingen,' zei Ami. Ze nam een slokje en bleef hem strak aankijken. Ik kon zien dat het hem opwond. 'We zijn inderdaad net gearriveerd,' ging Ami verder. 'We zijn op weg naar grootmoeders huisje. Ik hoop dat jullie geen wolven zijn. Herinner je je Roodkapje nog?'

Ze lachten.

'Ik ben Laurie, en dit is mijn zusje Virginia. Ik neem aan dat jullie hier in de buurt wonen.'

'O, nee. We zijn zelf ook op doortocht.'

'En waar gaan jullie naartoe?' vroeg Ami.

Ik hield mijn ogen neergeslagen en speelde met het glas Cosmopolitan.

'Paterson, New Jersey. We hebben een nieuwe baan in een auto-onderdelenfabriek daar.'

'O, wat spannend,' zei Ami. Ze keek naar mij en knipoogde. 'Ik vind het dolletjes om over auto-onderdelen te horen. Jij niet, Virginia?'

Ik zei niets.

'Wil je dansen?' vroeg de langste aan Ami.

Ze keek naar de pianist, die ons gadesloeg terwijl hij speelde zonder erbij te zingen.

'Een beetje te langzaam voor mij,' zei Ami.

'O, jij bent meer het snelle type, hè?'

'Ik ben geen type,' zei Ami. 'Ik ben niet te beschrijven.'

Beide mannen lachten.

'Kunnen we je nog een drankje aanbieden?' vroeg de kleinste.

'We hebben dit nog niet op.'

'Daarna,' zei hij met een knikje.

'We drinken maar één glas per avond,' zei Ami. 'We willen bij de tijd blijven.'

'Wat een verspilling,' zei de langste.

'Nee, je draait het om. Wij worden niet verspild.' Ze lachten weer.

Waarom plaagde ze hen, flirtte ze met hen? 'Mogen we naast jullie komen zitten? Ik ben Steve Toomer, en dit is mijn vriend, Gerry Bracken.'

Ami keek van mij naar hen en zei: 'We hebben er geen bezwaar tegen.' Hij wilde op de kruk gaan zitten, maar verstarde toen Ami eraan toevoegde: 'Maar onze echtgenoten misschien wél. Ze komen straks, en je weet hoe jaloers mannen kunnen worden.'

'O, jullie zijn getrouwd,' zei Steve diep teleurgesteld. Ami liet haar trouw- en verlovingsringen glinsteren. Ik snapte niet hoe het mogelijk was dat ze die niet gezien hadden, maar besefte toen dat zij ze misschien verborgen had gehouden om ze te kunnen plagen.

'Gelukkig getrouwd,' zei ze.

'En jij, Virginia?' vroeg Gerry aan mij. 'Waar is jouw ring?'

'Ze is allergisch voor goud. Daar zwellen haar vingers van op,' zei Ami.

Ze keken naar ons en toen naar elkaar. Steves gezicht verzuurde, zijn ogen waren als donkere pijlen.

'Vandaag of morgen kom je in moeilijkheden als je je zo gedraagt,' waarschuwde Steve. 'Echtgenoot of geen echtgenoot.'

'Het leven is opwindender als je in de gevarenzone leeft,' zei Ami.

Hij bromde wat, keek naar zijn vriend en knikte toen naar hun hoek van de bar.

We keken hen na toen ze wegliepen, Steve met opgetrokken schouders alsof hij zijn rug tegen een koude wind wilde beschermen.

'Waarom deed je dat? Ze waren heel kwaad.'

'Ik wil graag de stemming peilen. Kijken of ik het nog in me heb. Bovendien wilde ik je laten zien hoe je dat soort mannen moet aanpakken. Zoals ik je al beloofd heb, zal ik je veel leren, Celeste. En ik zal het leuk vinden ook.'

Tien minuten later verlieten Steve en Gerry de bar, maar ze bleven een ogenblik bij ons staan.

'Jullie echtgenoten moeten wel ongelooflijk stom zijn om je zo lang hier alleen te laten,' zei Steve.

'O, maar ze hebben erg veel vertrouwen in ons,' antwoordde ze. 'Wij zijn het soort vrouw dat je nodig hebt.'

'Ik heb geen vrouw nodig,' bromde hij en liep weg.

Ami lachte. 'Zie je nou? Mannen zijn net kleine jongens. Ze zijn lichtgeloviger dan vrouwen, en veel kwetsbaarder. Zolang de vrouw weet wat ze doet.'

We bleven bijna twee uur zitten voordat Ami besloot naar huis te gaan. Zij dronk nog een Cosmopolitan, maar ik kon mijn eerste glas amper op. Ik was al duizelig van wat ik had gedronken, en ik voelde me doodmoe.

'Je hebt een veelbewogen dag achter de rug, maar je hebt van elk moment genoten, toch?'

'Ja,' zei ik, al had ik die flirtpartij aan de bar met liefde kunnen missen. Onwillekeurig vroeg ik me af hoe Wade zich zou voelen als hij het gezien had.

'Je bent toch niet geschokt door wat ik daar deed, hè?' vroeg ze.

Ik schudde mijn hoofd, maar minder overtuigd dan ze gehoopt had.

'Dit is allemaal zo nieuw voor je.' Ze keek plotseling echt ongerust. 'Al die religie in dat weeshuis heeft toch geen vat op je gekregen, hè?'

'Ik heb mijn eigen geloof,' zei ik.

'Mooi. Ik bedoel, ik hoop dat je in je hart niet zo preuts bent.' Ik zei niets. Wat was ik? Ik vroeg het me zelf af. Ze lachte een beetje nerveus.

'O, het komt best in orde,' zei ze toen. 'We zullen een hoop pret hebben. Je krijgt de mooiste tijd van je leven,' beloofde ze me. 'Maandag breng ik je zelf naar school. Daarna kun je met Wade meerijden, en dan zal ik hem overhalen een autootje voor je te kopen. Ik zal hem duidelijk maken dat het kostenbesparend zal zijn, zoals hij het noemt, en hij zal het met me eens zijn.'

Ze lachte.

'Ik kan hem om mijn vinger winden. Je zult het zien.'

'Wanneer wil je die baby krijgen?' vroeg ik. Ik vroeg me onwillekeurig af hoe ze zou veranderen als ze moeder werd.

Ze keek me aan alsof ik een belachelijke vraag had gesteld.

'Ik bedoel, het is toch de bedoeling dat je zwanger bent voordat ik wegga?'

Ze glimlachte naar me zonder iets te zeggen.

'Wat is er?' vroeg ik.

'Werkelijk, Celeste, ik had toch gehoopt dat je het nu wel door zou hebben. Ik ben absoluut niet van plan om zwanger te worden.'

'Maar... ik dacht dat je zei... Moeder Higgins zei...'

'Een klein leugentje om bestwil. Als stof op een raam. Je veegt het weg, en niemand herinnert zich dat het er ooit geweest is.

'Of,' ging ze na een ogenblik zwijgen verder, 'trekt zich er iets van aan.'

Ze zette de radio harder en lachte weer.

'Steve en Gerry,' zei ze. 'Ze waren als was in mijn handen. Binnenkort zul je hetzelfde kunnen doen met elke man die je maar wilt. Wacht maar af.'

We reden door.

'Je zult er spijt van hebben dat je hieraan toegegeven hebt,' hoorde ik, wat klonk als Nobles stem die in mijn oor fluisterde.

Ik draaide me om.

Er was niemand.

Nog niet.

6. Een dode vogel

Ami leek zich absoluut niet ongerust te maken over de mogelijkheid dat we betrapt zouden worden op onze late thuiskomst. Ze liep niet op haar tenen en fluisterde niet toen we door de gang liepen. Misschien hadden de drankjes haar achteloos gemaakt. Ik vond zelfs dat ze heel luid praatte.

'Wil je nog iets voor je naar bed gaat?' vroeg ze bij de keukendeur. 'Niet dat ik hier iets weet te vinden,' voegde ze er lachend aan toe. 'Feitelijk weet ik helemaal niets te vinden in dit huis, behalve mijn eigen spulletjes.'

Het licht was gedimd en er was niemand in de keuken of ergens beneden. Ik wist zelfs niet waar mevrouw Cukor en mevrouw McAlister sliepen, maar ik dacht dat de deur voorbij het kantoor naar de slaapkamers beneden leidde, aan de achterkant van het huis. Ik vroeg me af hoe die twee in aangrenzende kamers sliepen en wat ze met elkaar moesten delen. Waarschijnlijk een badkamer, dacht ik. Omdat ik het grootste deel van mijn leven in een weeshuis had gewoond, wist ik wat het betekende om niet te kunnen opschieten met iemand die voortdurend zo dicht in je buurt was. Te oordelen naar wat Ami me had verteld en mevrouw McAlister had gezegd, hadden zij en mevrouw Cukor een intense hekel aan elkaar.

'Mevrouw McAlister ligt natuurlijk allang in bed,' zei Ami, 'maar als je een glas melk of iets kouds wilt drinken, zullen we dat wel in de ijskast kunnen vinden.'

'Nee, ik heb niks nodig, dank je.' Ik was te moe om zelfs maar een glas water te drinken.

'Je zult ook niets merken van mevrouw Cukor. Als ze eenmaal in haar kamer is en de deur achter zich heeft dichtgetrokken, is ze niet meer te benaderen, zelfs al staat het huis in brand. Ik weet niet wat ze daar doet. Ze heeft geen televisie, en ik heb daar nooit een radio gehoord. Eerlijk gezegd, ben ik nooit in een van die twee kamers geweest. Niet dat ik dat ooit zou willen,' voegde ze eraan toe terwijl we naar de trap liepen. Net toen we daar waren sloeg de staande gangklok één uur. Ik kon licht zien schijnen onder de deur van het kantoor.

'Is Wade nog aan het werk?'

'Ik weet niet wat hij doet, maar ik neem aan van wel,' antwoordde ze zonder veel belangstelling. Ze geeuwde. 'Dit is voor mij ook een lange dag geweest. Ik slaap tot een uur of twaalf, dus in de ochtend ben je op jezelf aangewezen. Zondag is trouwens toch een saaie dag hier. Basil heeft een kater en hangt wat rond in huis tot hij weggaat, als hij er morgen tenminste nog is, en Wade bivakkeert in zijn kantoor en kijkt na zijn ontbijt de hele ochtend naar het nieuws en naar financiële programma's. Hij is ook lid van een of andere investeringsclub en gaat daar lunchen.

'Als ik ben opgestaan, gaan we shoppen,' zei ze. De winkels waar ik naartoe wil, zijn trouwens toch niet vroeg open.'

'En Wade? Gaat hij weleens naar de kerk? In het weeshuis moesten we op zondag altijd naar de kerk.'

'Naar de kerk? Wade niet, en ik kom er alleen voor huwelijken en begrafenissen. Ik hou niet van trieste dingen. Waarom, wil jij naar de kerk? Ik dacht dat je zei dat je je eigen geloof hebt, maar als je erheen wilt, zal ik je door iemand laten brengen.' Haar mondhoeken gingen omlaag.

'Dat hoeft niet. Ik was alleen benieuwd naar Wade.'

'Dat zijn we allemaal,' mompelde ze, en liep door. In de gang bleven we voor haar en mijn deur staan. Ik zag dat ze naar de deur van een van de twee andere slaapkamers keek.

'Basil is waarschijnlijk buiten westen,' mompelde ze. 'Nou, ik hoop dat je je eerste nacht in je nieuwe thuis goed zult slapen, Celeste.'

'Dank je.'

'Welkom thuis.' Ze omhelsde me. 'We zullen zoveel plezier hebben samen.' Ze gaf me een zoen op mijn wang, ging toen naar de slaapkamer en deed de deur zachtjes achter zich dicht.

Ik liep mijn eigen kamer in en kleedde me langzaam uit. Mijn armen en benen voelden heel zwaar. Het was inderdaad een lange dag geweest, vol emoties. Ik haalde de make-up van mijn gezicht, stapte toen in het luxueuze bed en liet me verrukt wegzakken in de zachte matras en de donzige kussens. Ik meende een deur open en dicht te horen gaan en toen voetstappen in de gang. Even bleef ik liggen luisteren. Ik verwachtte dat Ami naar mijn kamer zou komen om me iets te vertellen dat ze vergeten was me te zeggen. Nog meer voetstappen en toen weer een deur; het klonk of die werd dichtgesmeten. Ik bleef luisteren. Mijn nieuwsgierigheid won het van mijn vermoeidheid. Ik stond op en liep naar de deur van mijn kamer, deed hem voorzichtig open en tuurde de vaag verlichte gang in. Ik zag niemand en stond op het punt de deur weer dicht te doen toen ik rechts van me iets op de grond zag liggen. Het leek een kledingstuk. Langzaam liep ik ernaartoe. Wat was het?

Ik hurkte ernaast en tilde het op om het te bekijken. Het was de pyjamabroek van een man. Waarom lag die hier op de grond? Ik wist niet wat ik ermee aan moest, liet de broek weer vallen op de plaats waar ik hem gevonden had en wilde teruggaan naar mijn kamer. Ik hoorde gedempte stemmen achter Ami's deur, en toen meende ik haar zachtjes te horen kreunen. Verstijfd bleef ik staan. Ik luisterde nog intenser. Het wás gekreun.

Het geluid van iemand die de trap opliep deed me haastig terugkeren naar mijn kamer. Met bonzend hart deed ik de deur dicht en bleef staan luisteren. Als iemand de trap was opgekomen, moest hij of zij door de gang hebben gezweefd. Er was niets te horen. Na een tijdje ging ik terug naar bed.

Het was nu doodstil, en mijn oogleden waren zo zwaar dat ik ze niet open kon houden, zelfs niet toen ik dacht dat Noble aan het voeteneind van mijn bed stond.

Ik riep hem, maar ik kon hem niet horen spreken zoals ik vroeger deed. Ik meende het geluid van een piano te horen, maar zelfs dat leek vaag en ver weg. Ik ben zo moe, dat ik nu al lig te dromen, dacht ik, en fluisterde nog een keer zijn naam. Zijn naam bleef op mijn lippen hangen tot het licht van de ochtend langzaam mijn ogen open deed gaan en er een nieuwe dag aanbrak. Mijn eerste gedachte ging naar hem uit. Zag ik hem weer? Zou ik hem nu weer kunnen zien? Ik keek om me heen, maar hij was er niet.

Toen dacht ik aan de pyjamabroek. Wat had dat te betekenen?

Van wie was die broek? Waarom lag hij in de gang?

Met moeite ging ik overeind zitten en wreef met mijn droge palmen over mijn wangen. Mijn keel voelde al even droog. Ik was er gewoon niet aan gewend zoveel alcohol te drinken, dacht ik. Hoe kon Ami dat, en er toch altijd zo energiek en fris uitzien? Of was dat de magie van make-up? Volgens het kleine hartvormige klokje op het nachtkastje was het 9.00 uur. Was dat mogelijk? In het weeshuis was tot zeven uur slapen al een luxe.

Ik stond op en liep naar de deur van mijn kamer. Langzaam maakte ik hem open, tuurde naar buiten en zag dat de pyjamabroek was verdwenen. Vreemd, dacht ik, en ik vroeg me af of ik er iets over moest zeggen. Misschien had mevrouw Cukor hem laten vallen toen ze de schone was bovenbracht. Maar ik had hem niet gezien toen Ami en ik gisteravond thuiskwamen. Waarom zou mevrouw Cukor nog zo laat de was doen? Ik haalde mijn schouders op. Ze was gek genoeg om de raarste dingen te doen, dacht ik. Misschien was het allemaal een droom. Zo leek het me nu in ieder geval. Ik had maar een vage herinnering aan de gebeurtenissen van de vorige avond.

Ik ging naar de badkamer om te douchen. Daarna trok ik mijn beste jurk aan. De enige schoenen die ik had waren wat ik mijn turftrappers noemde, die met de dikke brede hakken. Ze waren lelijk en niet erg comfortabel. Misschien waren ze ontworpen door puriteinen om de zondaren te straffen.

Ami's slaapkamer was hermetisch gesloten. Ik dacht aan het kreunen dat ik had gehoord, en vroeg me af of dat niet ook in een vreemde droom thuishoorde. Per slot had ik meer alcohol gedronken dan ooit in mijn leven.

Het was heel stil in huis. Stilletjes liep ik de trap af naar de eetkamer. Wade, gekleed in pak en das, zat aan tafel de *Wall Street Journal* te lezen. Hij hoorde me niet binnenkomen en liet zijn krant pas zakken toen mevrouw McAlister in de eetkamer verscheen en uitriep: 'Ik vroeg me al af wanneer je wakker zou worden en komen ontbijten! Ik hoop dat je dit niet als een hotel beschouwt en roomservice verwacht.'

'Het spijt me dat ik zo laat ben opgestaan,' zei ik.

Wade staarde me met een licht geamuseerde blik aan. Moest hij zich zelfs op zondag zo formeel kleden? vroeg ik me af.

'Meestal sta ik niet zo laat op. Ik kan me eigenlijk niet herinneren dat ik ooit zo lang geslapen heb. In het weeshuis –'

'Dat geloof ik graag,' zei mevrouw McAlister bits. 'Nou, wat wil je? Eieren, havermout, wat?'

'Ik heb niet zo'n honger,' zei ik. 'Ik kan zelf wel wat klaarmaken.'

'Niet in mijn keuken.' Met haar handen op haar heupen stond ze voor de ingang van de keuken alsof ze bereid was tot een strijd op leven en dood om me te beletten er binnen te gaan.

'Goedemorgen,' zei Wade ten slotte. 'Mevrouw McAlister heeft haar vaste gewoontes,' voegde hij eraan toe. 'Zeg haar maar wat je voor je ontbijt wilt hebben.'

'Sinaasappelsap. Hebt u iets van cereals?'

'Alleen havermout,' mompelde ze.

'Oké,' zei ik. 'En koffie alstublieft.'

'Koffie staat op tafel,' snauwde ze, met een knikje naar de koffiepot. Toen ging ze naar de keuken.

Ik ging achter een bord zitten en stak mijn hand uit naar de koffiepot.

'Let maar niet op haar,' zei Wade. 'Ze voelt zich al jaren ongelukkig.'

'Waarom?'

'Toen haar man stierf liet hij haar berooid achter. Hij had de premies van zijn levensverzekering niet betaald, en hij was zo ver achter met zijn hypotheekbetalingen dat de bank beslag legde op het huis. Hij werkte voor mijn vader, en toen hij erachter kwam, gaf hij haar hier een baan. Sinds die tijd heeft ze hier gewerkt.'

'Heeft ze geen kinderen?'

'Nee. En hoe was je eerste nacht hier?'

Even wilde ik hem vertellen wat ik had gezien en gehoord, maar het leek me beter om erover te zwijgen.

'Heel goed, dank je,' zei ik, en schonk koffie in met wat melk. Ik was benieuwd of hij zou vragen waar Ami en ik gisteravond waren geweest. Hij moest geweten hebben dat we uit waren gegaan. Ik wilde er niet over uitgehoord worden, maar voor hij iets kon vragen, kwam mevrouw McAlister binnen met mijn sinaasappelsap.

'De havermout komt eraan,' zei ze.

'Dank u.' Ik nam een slokje van mijn sap.

Plotseling hoorde ik een stofzuiger in de gang.

'Neemt niemand hier op zondag vrij?' vroeg ik.

Wade glimlachte.

'Alleen Ami,' zei hij. 'Feitelijk zouden ze elke willekeurige dag vrij kunnen nemen. Soms gaat mevrouw Cukor op zondag naar een oude vriendin in Peekskill, maar ik geloof dat ze de laatste tijd ziek was. Misschien ligt ze zelfs in het ziekenhuis. En wat zijn Ami's plannen voor vandaag? Wanneer onze prinses is opgestaan tenminste.'

'Ze wilde wat gaan winkelen,' zei ik, bang dat ik niet degene hoorde te zijn die hem dat vertelde.

Hij sloeg zijn krant dicht.

'Wat een verrassing. Weer een dag shoppen. Jammer dat ze geen prijs uitreiken voor professionele shoppers. Ami zou het met glans winnen.' Hij dacht even na en glimlachte toen, alsof hij geen slechte indruk wilde achterlaten. 'Maar ze is er goed in, dat moet ik zeggen. Ze koopt altijd iets bijzonders. Als zij niet zo achter me aanzat, zou ik er waarschijnlijk bijlopen als een vluchteling uit een derdewereldland. Ik denk dat ik gewoon te verstrooid ben om eraan te denken of er iets om te geven.

'Mijn moeder zei altijd dat ik wekenlang dag in dag uit dezelfde kleren zou dragen als zij ze niet zo nu en dan bij elkaar raapte om te wassen. En jij? Ben jij ook zo'n klerenfreak?'

Ik haalde mijn schouders op.

'Ik heb nooit de kans gehad om daarachter te komen.'

Hij knikte glimlachend, keek even naar zijn krant, legde hem toen neer en keek me met wat meer belangstelling aan. 'Hoeveel herinner je je van je vroegere leven op de farm?'

'Een beetje.' Ik vroeg me af wat hij wilde weten. Zou hij me vragen wat er gebeurd was en wat de mensen van ons dachten? Zou het hem tegen me innemen? 'Ik was pas zes toen ik daar wegging.'

'Hm.' Hij dacht even na en knikte toen. 'Ik zal je bezittingen door mijn financiële mensen laten controleren als je dat wilt. Alleen om er zeker van te zijn dat alles goed beheerd wordt. Je moet niet iets erven waar een belastingschuld op rust.'

'Dank je. Ik weet alleen dat het verhuurd wordt om het onderhoud en de belastingen te kunnen betalen. Ik heb de eerste papieren pas dit jaar gezien.'

Aha. Goed, ik zal mijn advocaat vragen het uit te zoeken. Ik weet zeker dat alles in orde zal zijn. Ami zei dat ze je morgen wil inschrijven op school, maar als ze niet op tijd opstaat, zal ik tijd vrijmaken om het zelf te doen. Maak je geen zorgen.'

'Dank je.'

Mevrouw McAlister kwam met mijn havermout en een schaal met toast.

'Er staat honing of ahornsiroop op tafel,' merkte ze op, met een knikje naar de potten.

'Dank u,' zei ik. Ik proefde de havermout. Ze stond naast me en keek toe. 'Er hoeft helemaal niets in, hij is perfect,' merkte ik op. Alleen in haar ogen waren voldoening en goedkeuring te zien. De rest van haar bleef stijf en stram als altijd, vooral haar dunne lippen. Ze draaide haar hoofd om naar Wade en knikte, alsof ze wilde zeggen: 'Zo,' en ging toen terug naar de keuken.

'Veel blijer kan ze niet worden,' zei hij, en we moesten allebei lachen. Hij wendde zijn ogen van me af en keek naar de deur van de gang. Zijn lach verdween, en toen ik me omdraaide zag ik dat mevrouw Cukor naar ons stond te staren, in het bijzonder naar mij. Er ging een lang moment voorbij zonder dat ze iets zei.

'Is er iets, mevrouw Cukor?' vroeg Wade.

'Een vogel,' antwoordde ze.

'Pardon?'

'Er is vanmorgen een vogel doodgegaan op de stoep voor het huis.'

'Heus? Wat is ermee gebeurd?'

'Te oordelen naar de uitdrukking van het dier lijkt het zich te zijn doodgeschrokken,' zei ze. 'Ik ging net naar buiten om hem te begraven met wat knoflook,' voegde ze eraan toe. Ze keek met samengeknepen ogen naar mij en liep weg.

'Snap jij er iets van?' vroeg Wade aan mij, terwijl hij zijn best deed te blijven glimlachen. 'Een vogel begraven met knoflook?'

Ik dacht even na. Knoflook was iets dat allerlei jeugdherinneringen bij me wekte. Alleen al bij het horen van de naam ervan kon ik het ruiken. Ik herinnerde me dat het werd gebruikt als medicijn, en soms werd opgehangen om iets duisters en onaangenaams te weren.

'Ja,' zei ik zacht, 'dat doe ik.'

Wade trok zijn wenkbrauwen op.

'Heus?' Hij keek naar de lege deuropening en toen weer naar mij. 'Misschien zullen jij en mevrouw Cukor goed met elkaar kunnen opschieten.'

Nee, dat denk ik niet, dacht ik, maar ik zei het niet hardop. 'Zoveel gedoe over een dode vogel. Misschien heeft Ami wel gelijk wat mevrouw Cukor betreft. Maar mijn vader houdt haar in dienst tot ze omvalt. Wat ik echter graag zou willen weten –'

'Wat zou je willen weten, Wade?' hoorden we. We draaiden ons om toen Ami binnenkwam. Ze was in haar ochtendjas en slippers, en zag eruit of ze nog niet helemaal wakker was, maar ze had zich wel wat opgemaakt.

Ik keek naar Wade. Had hij me iets willen vragen over gisteravond?

Hij staarde haar even aan.

'Wat zou je willen weten?'

'Niets,' zei hij, en sloeg zijn krant weer open.

'Wat eet je?' vroeg ze. Haar gezicht vertrok even. 'Havermout? Ba!'

'Hij is heel lekker,' zei ik.

Ze schonk een kop zwarte koffie in. Wade liet zijn krant zakken. 'Kater?'

'Katje, zou ik liever zeggen,' antwoordde ze.

'Ik neem aan dat je Celeste iets van ons nachtleven hebt laten zien?' vroeg hij. Hij leek zich niet eraan te ergeren.

'Een beetje,' zei Ami, zonder verder uitsluitsel te geven. 'Basil al weg?' vroeg ze met een enigszins nerveuze klank in haar stem.

'Ja,' zei Wade, 'maar hij dreigde over een paar dagen terug te komen. Wat hij beslist niet zal doen,' voegde hij eraan toe. Hij keek op zijn horloge. 'Ik heb een paar dingen te doen op de zaak, en dan ga ik lunchen op de club. Misschien kunnen we vanavond uit eten gaan.'

'O, wat een goed idee,' riep Ami uit. 'Het verbaast me dat *ik* het niet als eerste moest voorstellen, Wade.'

'Ik dacht alleen –' Hij glimlachte koeltjes. 'Als je tenminste niet te moe bent na gisteravond. Ik heb jullie niet horen thuiskomen. Ik raakte verdiept in mijn boeken,' voegde hij er, voornamelijk voor mij, aan toe.

'Te moe om uit eten te gaan? Nooit,' antwoordde Ami. 'Het is een prima idee. Laten we naar Hunters gaan.'

Wade trok een lelijk gezicht.

'Voel je niet meer voor Billy's Hideaway? Goed eten en niet duur en –'

'Nee,' zei Ami vastberaden. 'Hunters.'

Wade knikte.

'Oké. Ik zal een tafel reserveren voor zeven uur.'

Hij stond op en keek naar mij.

'Geniet van je winkeltocht,' zei hij.

'Dat zullen we doen,' beloofde Ami. Het leek meer op een dreigement.

Hij vouwde zijn krant op, keek met een glimlach en een knikje naar mij, en vertrok.

Alsof ze constant bij de deur had staan luisteren, kwam mevrouw McAlister onmiddellijk tevoorschijn en begon borden en bestek af te ruimen. Ami knabbelde op een stukje van mijn geroosterde muffin.

'Breng me alsjeblieft een toastje dieetbrood, mevrouw McAlister,' zei Ami. 'Met krenten.'

Ze knikte en liep terug naar de keuken.

Ami schudde haar hoofd en draaide zich naar mij om.

'Zie je nou?' zei ze. 'Zie je nou waarom ik je hulp nodig heb om hier wat leven in de brouwerij te brengen? Billy's Hideaway. Als je er ooit komt, zul je zien waarom het een achterafstekkie is. Het enige wat hem interesseert zijn de prijzen op de menukaart.'

Het lag op het puntje van mijn tong om te informeren naar de pyjamabroek en haar gekreun, maar ik dacht dat als iets haar bedroefd had gemaakt, ze er niet over zou willen praten. Dat wilde ik ook nooit in het weeshuis, al smeekten de nonnen me om een verklaring voor de trieste blik in mijn ogen en de tranen op mijn wangen. Ik voelde me meer op mijn gemak als ik bleef zwijgen, dus nam ik aan dat zij er net zo over zou denken.

Ami dronk haar koffie. Even plotseling als de depressieve klank in haar stem was verschenen, verdween hij ook weer, en ze was weer een en al enthousiasme.

'Eerst gaan we naar mijn kapper en laten iets aan je haar doen. Ik heb het al geregeld. Daarna gaan we naar mijn boetieks en kopen wat leuke kleren voor je. En we gaan lunchen in een duur restaurant.'

Ze zette haar koffiekopje zo hard neer, dat het me verbaasde dat het niet brak.

'Mevrouw McAlister!' riep ze.

De kokkin verscheen onmiddellijk.

'Laat die toast maar. Ik heb geen tijd meer. Kom mee,' zei ze tegen mij, terwijl ze opstond. 'Maak je klaar om te gaan. We hebben te veel te doen om hier onze tijd te verspillen.'

Ze gaf een opgetogen gilletje en liep haastig de eetkamer uit. Het gaf me een raar gevoel om vuile borden en glazen op tafel te laten staan. Het leek of ik mijn leven lang had geholpen met opruimen, vooral mijn eigen spullen. Ik keek achterom naar mevrouw McAlister. Ze schudde haar hoofd met die korte rukkerige bewegingen die me aan een weerhaan deden denken.

Zodra ze gekleed was, stond Ami voor de deur van mijn kamer en overhandigde me een designzonnebril.

'Neem maar. Ik heb er twee,' zei ze. 'Verlies hem niet. Ze kosten vijfhonderd per stuk.'

'Vijfhonderd?' Ik aarzelde. Mijn hand bleef roerloos in de lucht hangen.

'Ik maak maar gekheid.' Ze stopte de bril in mijn hand. 'Als je hem verliest, zullen we hem meteen vervangen. Zet hem op,' drong ze aan. Toen zette ze haar eigen bril op. Ze waren identiek. 'We zijn jagers,' zei ze. 'Laten we dus op jacht gaan.'

Ik haastte me achter haar aan het huis uit naar haar sportwagen. Toen we de garage uitreden, keek ik naar links en zag mevrouw Cukor op het veld staan met een schop in de hand, die ze als een vlag op een slagveld omhooghield. Ze keek ons na toen we wegreden, voordat ze zich weer aan haar taak wijdde. Ami had haar niet gezien. Ze struikelde bijna over haar woorden toen ze een beschrijving gaf van haar boetieks en de voortreffelijke relatie die ze had met het verkooppersoneel. Met al het geld dat ze in die winkels uitgaf, verbaasde me dat niet.

De hele dag sleepte Ami me van de ene zaak naar de andere, alsof ze niet wilde dat ik even zou pauzeren en over iets nadenken. Als dat haar bedoeling was, slaagde ze daar goed in. Ik werd meegesleept door de wervelstorm van haar opgewonden energie. Soms dacht ik dat zij het belangrijker vond hoe ik eruitzag dan ik zelf.

Eerst gingen we naar haar kapper.

'Ik begrijp hoe u op het idee van die kleur bent gekomen,' zei haar kapster Dawn, toen ze mij zag. Ami knikte slechts en begon een discussie over mijn haar. Dawn wilde iets anders dan Ami, maar bezweek ten slotte voor Ami's vastberadenheid. Toen Dawn klaar was met knippen en stylen, leek mijn haar een kopie van Ami's kapsel. Ami stond naast me en inspecteerde praktisch elke lok van mijn haar, om zeker te weten dat het exact zo werd als haar eigen haar.

'Ik kan niet met je naar Mario zoals je nu gekleed bent, en met die vreselijke schoenen van je,' zei ze, en reed snel naar Oh-La-La, een boetiek in het winkelcentrum.

Wat me verbaasde was dat de verkoopster de jurk al voor me klaar had liggen. Ami had de boetiek blijkbaar al gebeld, en een tot op de knieën vallende charmeuse-en-chiffonjurk met spaghettibandjes uitgezocht. De top van het Empiremodel had charmeuse bandjes vlak onder de buste en een ruche langs de zoom. Toen ik hem aantrok, voelde hij als zijdepapier op mijn lichaam. De bijpassende sandalen hadden een houten sleehak. Ami zei dat ik er een handtas bij moest hebben en kocht een ruwleren tas voor me. Ik voelde me een kluns; ik had geen flauw benul van stijl en mode.

'Het staat haar allemaal even goed als u,' zei de verkoopster, Deirdre. En ik realiseerde me dat Ami precies dezelfde jurk en schoenen en zelfs dezelfde tas had. Waarom kopieerde ze haar eigen garderobe voor mij?

'Ik ben uitgehongerd!' riep Ami plotseling uit. Dat verbaasde me niet, want ze had bijna niet ontbeten. 'We hebben brandstof nodig voor we verder kunnen. De juiste dingen kopen is hard werken. Weinig mensen beseffen hoe moeilijk dat is, vooral Wade begrijpt het niet. Dat doet me eraan denken, Deirdre, zet alles op mijn rekening,' riep ze, zwaaiend met haar hand terwijl ze me een arm gaf en me haastig de deur uittrok.

'Ik heb mijn kleren en schoenen in de paskamer laten liggen!' gilde ik.

'Goed zo, daar zijn we dan mooi van af. Wie wil trouwens die afschuwelijke dingen mee naar huis nemen?' Ze lachte, en we reden naar haar favoriete, chique restaurant om te lunchen.

Ik kon mijn ogen niet geloven toen ik de prijzen zag. Alles was ongelooflijk duur. Ami bestelde een kipsalade, maar voor iemand die beweerde dat ze zo'n honger had, at ze opvallend weinig. Ik at zelf ook niet veel. Ik was erg zenuwachtig. Mijn sexy jurk maakte me doodverlegen, ik wist zeker dat iedereen naar me keek, vooral de mannen, die allemaal een sportjasje met een das droegen, of een pak. Veel mannen kenden Ami en kwamen langs om haar te begroeten, en dan voelde ik hun blik op mijn borsten gericht. Ze stelde me voor als een jonge kennis. Net als bij mevrouw Stone in het hotel, wekte ze de indruk dat ik een studente was, die deelnam aan een uitwisselingsprogramma.

Ik had weinig ervaring met oudere, knappe en getrouwde vrouwen, maar het viel me op dat Ami met elke man flirtte, onverschillig hoe hij eruitzag. Sommigen pakten haar hand vast en gaven haar een zoen op haar wang, maar hoe dan ook, ze plaagde met haar ogen, hield hun hand vast tot het moment waarop ze wegliepen, en maakte veel suggestieve opmerkingen, gaf aan de onschuldigste woorden iets seksueels. Toen één man, Chris O'Connor, zei dat hij haar een tijd niet gezien had, antwoordde Ami: 'Harder zoeken, Chris. Een harde is belangrijk.'

Hij werd vuurrood, tot aan het puntje van zijn neus, stotterde en stamelde, en liep haastig weg naar zijn groepje. Lachend volgde Ami zijn aftocht en knipoogde naar mij.

'Zie je hoe gemakkelijk mannen te manipuleren zijn? Ze zijn gewoon van boetseerklei.'

Waarom vond ze het zo leuk om ze te plagen? Als haar gedrag Wade eens ter ore kwam? Zou hij dat niet vreselijk vinden? Waarom interesseerde haar dat niet? Het lag op het puntje van mijn tong het haar te vragen toen Basil plotseling binnenkwam met een vrouw aan zijn arm die half zo oud leek als hij.

'Over toeval gesproken,' mompelde Ami, en lachte stralend naar Basil. Hij knikte naar haar, maar liep naar een tafel aan de andere kant van de zaal.

'Denk je dat hij zich geneert?' fluisterde Ami, zich naar me toebuigend. 'Hij geneert zich niet. Dat is niet de reden waarom hij niet naar ons toekomt. Hij wil gewoon niet dat het meisje weet dat hij een schoondochter heeft die ouder is dan zij.'

Met samengeknepen ogen en een kwaad gezicht staarde ze hem aan.

'Waarom erger je je daar zo aan? Je zei toch dat je wist dat hij zo was?' vroeg ik. Ze keek me even scherp aan en glimlachte toen. 'O, ik erger me niet. Niet echt. Nou ja, een beetje misschien. Hij is familie, en zijn gedrag kan ons allemaal in verlegenheid brengen,' legde ze uit. Maar hoe zat het met wat zíj deed? dacht ik. Nee. Het was iets anders. Het was als een bericht dat ergens vandaan kwam, een bericht dat luider en luider klonk. Ik keek om me heen. Was dat Noble die bij de keukendeur stond?

Ik draaide me om en zag dat het een ober was.

'Laten we weggaan,' zei Ami. 'We hebben nog een hoop belangrijke inkopen te doen en ik wil vroeg genoeg thuis zijn voor een massage. Vergeet niet dat we vanavond uitgaan. Wade trakteert op een elegant diner, of hij het leuk vindt of niet.'

Ze wenkte om de rekening.

Ze liet zoveel op haar bord liggen dat twee jonge weeskinderen ervan konden lunchen, dacht ik. Ik kon de gedachte niet van me afzetten. Na zo'n groot deel van mijn leven elke cent te hebben omgedraaid, oude linten en papieren zakken te hebben gespaard, sokken gestopt en kleren gewassen tot ze totaal versleten waren, was het moeilijk iemand zo onverstandig en onverschillig zoveel geld te zien uitgeven. Ik denk dat ik er mijn leven lang zo over zou denken.

In elke boetiek en elk warenhuis waar we daarna kwamen, wisten de verkoopsters onmiddellijk wat Ami voor me wilde hebben. Ze brachten ons regelrecht naar de verlangde jurken, schoenen, blouses en rokken, en steeds weer leek alles wat we kochten sprekend op Ami's kleren of was zelfs identiek. Voor we het laatste warenhuis verlieten, nam ze me mee naar de sieradenafdeling, waar ze iets uitzocht wat ze een goedkoop maar chique horloge noemde.

'Je hebt me er al een gegeven,' bracht ik haar in herinnering.

'O, ja? Doet er niet toe. Je hebt meer dan één horloge nodig, Celeste.'

Het horloge dat ze had uitgezocht leek precies op dat van haar. Het was amandelvormig en op de 12, 3, 6 en 9 fonkelde een diamantje.

'Zo,' zei ze, 'je bent bijna compleet.'

Ze liep met me naar de vitrine waarin de oorbellen lagen, en zocht drie paar uit, allemaal met bijpassende kettingen. Elke set paste bij een van de outfits die we hadden gekocht.

'Je geeft zoveel geld voor me uit,' bracht ik er ten slotte uit.

'Wade zal woedend zijn.'

'Nou en? Ik ben ook weleens kwaad,' snauwde ze, maar toen glimlachte ze weer. 'Het stelt niets voor. Ik heb je toch al gezegd dat we rijk zijn. Geld is geen probleem. Ik kan je niet in goedkope kleren naar de Dickinson School sturen. Ik wil niet dat iemand over je praat als over een arm verschoppelingetje, en dat zouden ze doen als ze je zagen in lelijke kleren zonder behoorlijke sieraden.'

'Als het zulke snobs zijn, kan ik misschien beter naar de openbare school gaan.'

'Natuurlijk niet. Ik weet dat ze snobs zijn, maar die school heeft de beste docenten en de beste faciliteiten, en waarom zou jij daar niet ook van profiteren? Je woont bij mij, en ik wil niets horen over een of andere inferieure school. Je hoeft die snobs niet aardig te vinden, maar je kunt wél wat van ze leren. Op een goede dag zul je, net als ik, de aandacht trekken van een rijke man, en dan wil je dat hij je ziet als iemand met klasse, een elegante en mondaine vrouw. Ja toch?'

Ik haalde mijn schouders op.

'Ik denk niet zo vaak aan trouwen,' bekende ik.

'Natuurlijk wel. Je bent net als ik. Als je gaat slapen, droom je over knappe prinsen en kastelen, schitterende bals en een constante stroom van juwelen. We zijn royalty – en niet door bloedbanden. We behoren tot de koningshuizen omdat we mooi zijn,' verklaarde ze lachend, en omhelsde me.

Toen werd ze serieus en hield me op armlengte afstand.

'Geniet gewoon van elk moment, Celeste. Je hebt te lang gewacht, en je verdient het. Vind je niet dat je het verdient na alles wat je in je leven hebt doorgemaakt?'

Waarom zou ik het meer verdienen dan alle andere weeskinderen ter wereld? vroeg ik me af, maar toch glimlachte ik en knikte.

'Natuurlijk,' zei ze.

Ze knipperde met haar ogen en zuchtte lachend.

'We zullen nog één ding doen,' zei ze, op haar horloge kijkend. 'Ik zal mijn massage er voor opofferen. Ik zal je meenemen naar mijn visagist. Hij moet je leren wat je moet doen en je de make-up

116

geven die bij je past. Ik ben niet echt zo deskundig als ik pretendeer, en ik wil niet in de fout gaan.'

Voor ik kon zeggen of ik het er al dan niet mee eens was, pakte ze mijn hand, gaf opdracht de dozen met de kleren die we hadden gekocht meteen naar haar huis te sturen, en trok me mee naar buiten. Ami's visagist was in een ander warenhuis. Weer kreeg ik duidelijk de indruk dat ze op de hoogte waren van onze komst. Zijn naam was Richard Dunn. Ami zei dat hij voor de televisie werkte en mannequins opmaakte.

Hij begon met mijn wenkbrauwen en ging toen experimenteren met diverse make-uptinten voordat hij uiteindelijk tot de conclusie kwam dat Ami's make-up perfect was voor mij. Dat gold ook voor haar kleur lippenstift, oogschaduw en eyeliner. Net zoals ze had gedaan met haar kleding, kopieerde Ami haar eigen make-up en kocht die voor me. Toen we uit het warenhuis kwamen, voelde ik me net een kloon. Ik had dezelfde kleren, hetzelfde kapsel, dezelfde make-up, hetzelfde horloge en identieke oorbellen, kettingen en ringen.

Ik had geen idee hoeveel ze voor me had uitgegeven, maar ik wist dat het een hoop geld was, en ze had er ook erg veel tijd voor uitgetrokken. Hoe kon ik ooit over iets klagen of ergens aan twijfelen? Ze was er kennelijk zo blij mee.

'Ik wist meteen dat je een mooi meisje was, Celeste. Meteen die eerste dag zag ik je in gedachten over straat lopen en ik vertelde mezelf: dit is een berooid jong meisje dat de top zal kunnen bereiken als ze de kans maar krijgt, en die kans wil ik je geven. En je moet niet denken dat je me voortdurend moet bedanken. Het geeft me gewoon een goed gevoel. Ik vind het heerlijk om het noodlot te tarten en te verslaan. Dat is met jou gebeurd, weet je. Het noodlot heeft jou tot slachtoffer gemaakt. Ik weet zeker dat mevrouw Cukor het met me eens zou zijn. Meestal hecht ik niet veel waarde aan dat soort dingen, maar ik oefen graag invloed uit op iemands toekomst, om te helpen, bedoel ik. Dat begrijp je toch?' vroeg ze snel.

'Ik geloof het wel,' antwoordde ik.

'Mooi. Want als je niet blij was met alles wat ik voor je doe, zou ik me diep ellendig voelen, Celeste, en heel erg teleurgesteld. Je bént toch blij, hè?'

'Ja.'

'Gelukkig.'

Ze keek opgelucht. Wás ik blij? Hoe zou ik dat niet kunnen zijn? Toch hinderde iets me, dat akelige voorgevoel, dat oude gevoel dat ik gevolgd werd, dat iets verschrikkelijks me volgde, me bedreigde. Toen we naar huis reden, zag ik een jongeman tegen een geparkeerde auto leunen. Hij hief zijn hoofd op toen we passeerden, en ik wist zeker dat het Noble was. Hij schudde langzaam zijn hoofd. Snel keek ik achterom.

'Wat is er?' vroeg Ami.

'Niets. Ik bedoel, ik dacht dat ik iemand zag die ik kende.'

'Heus? Je kent hier toch niemand?'

'Nee, natuurlijk niet.'

Ze keek me met een verwarde glimlach aan.

'Kom me alsjeblieft niet aan met dat mevrouw Cookie-gedoe, Celeste. Niet nu, na ons fantastische begin.'

'Mevrouw Cookie-gedoe?'

'Laat maar.' Een ogenblik later begon ze erover wat we zouden aantrekken voor onze eerste avond uit met Wade. Ze wilde dat ik het rechte rode jurkje zou dragen dat ze bij Le Monde had gekocht, een van de boetieks. Het had een split in de rok en de top was afgezet met rijnsteentjes.

Toen we thuiskwamen hoorden we dat Wade nog niet terug was. Ami was geërgerd.

'Hij kan me beter niet vertellen dat hij vergeten is een tafel bij Hunters te reserveren,' zei ze kwaad. 'Niet dat het er veel toe zou doen,' voegde ze eraan toe. 'Ik ken de eigenaar te goed. Hij zou desnoods een nieuwe tafel gaan kopen om mij een plezier te doen. Kleden!' riep ze als een strijdkreet, en stormde haar slaapkamer in.

Mevrouw Cukor bracht alle pakjes en tassen en dozen boven die ik niet kon dragen. Ze keurde me nauwelijks een blik waardig en begon alles op te bergen.

'Dat kan ik zelf wel, mevrouw Cukor,' zei ik.

Ze negeerde me en ging verder met het ophangen van jurken, rokken en blouses. In plaats van met haar te redetwisten, ging ik naar de badkamer om snel een bad te nemen. Ik zorgde er angstvallig voor mijn haar en make-up niet te bederven. Toen ik weer terugkwam was ze verdwenen. Zelfs de make-up was keurig uitgestald op de toilettafel. Ik haalde mijn schouders op en dacht bij mezelf dat ik een gegeven paard niet in de bek mocht kijken alleen omdat het paard zich vreemd gedroeg. Ik zal haar zoveel mogelijk vermijden, nam ik me voor. Zo belangrijk voor mijn leven hier was het niet of zij mij aardig vond, of ik haar.

Ik wilde even rust nemen en op bed gaan liggen. Na een paar ogenblikken besefte ik dat ik iets nieuws rook, een sterke geur. Ik ging rechtop zitten en de geur werd minder krachtig. Nieuwsgierig legde ik mijn hoofd weer op het kussen en snoof. Toen tilde ik het kussen op en zag kruiden die ik herkende als dille, basilicum en kruidnagel. De kruidnagel rook het sterkst. Ik legde alles op de palm van mijn hand en staarde ernaar.

De geur en het zien van de kruiden deed oude beelden en herinneringen bij me opkomen, herinneringen aan soortgelijke blaadjes die aan deuren en ramen waren gebonden. Ik herinnerde me waarom mijn moeder ze daar ophing. Het feit dat ik ze hier, onder mijn kussen, vond, maakte me kwaad. Het was niet moeilijk te begrijpen hoe die kruiden hier gekomen waren. Ik bracht alles op de palm van mijn hand naar de deur van mijn kamer.

Toen ik de deur opendeed en de gang opliep, zag ik dat mevrouw Cukor de deur van de kamer dichttrok die door Basil Emerson werd gebruikt. Ze was net klaar met schoonmaken. Ik wilde dat ze zich omdraaide en me aankeek.

'Hebt u dit onder mijn kussen gelegd?' vroeg ik, en stak mijn handen naar haar uit om de kruiden te laten zien.

Ze keek er even naar, maar zei niets en liep naar de trap.

'Ik weet wat dit moet voorstellen,' zei ik, haar achternalopend. 'Waarom hebt u dit onder mijn kussen gelegd? Waarom?' vroeg ik met stemverheffing.

Boven aan de trap draaide ze zich om, haar ogen werden donker toen zij ze half dichtkneep en naar mijn gezicht tuurde.

'Ik wist het toen ik de dode vogel zag. Het was een teken, een waarschuwing. Jij hebt het hier in huis gebracht, het boze oog. Ik moet het uitdrijven voordat het nog meer kwaad aanricht.' Ze draaide zich om en liep de trap af.

'Heb... wát gebracht?' riep ik haar na. 'Waar hebt u het over? Wat voor boos oog heb ik hier in huis gebracht?'

Ze bleef even staan en keek omhoog met een grimmig lachje om haar bleke lippen.

'Dat weet je,' zei ze. Ze knikte. 'Dat weet je.'

Ze liep verder de trap af en keek niet meer naar me tot ze beneden was. Toen draaide ze zich om, keek me aan en sloeg een kruis, waarna ze wegliep. Mijn hart klopte zo snel dat het meer hartkloppingen leken. Ik kreeg een kil gevoel aan de achterkant van mijn nek, dat als smeltend ijs omlaag droop langs mijn rug.

Ik dacht even na en draaide me toen met een ruk om.

En hij stond er.

Noble.

Hij was teruggekomen, en hij was meer dan een simpele herinnering, meer dan dr. Sackett had beschreven, meer dan slechts een projectie van schuldbesef of angst.

Hij wás er!

Maar wat me beangstigde was zijn voldane, vrolijke glimlach.

7. Het uiterlijk is alles

'Met wie ben je aan het praten?' vroeg Ami.

Ze stond in haar badjas in de deuropening. Haar gezicht ging schuil onder een dikke laag witte crème en glom in het licht van de gang. Ik keek even naar de plek waar ik gemeend had Noble te zien, maar hij was verdwenen.

'Ik –' Ik keek naar de trap. 'Mevrouw Cukor... ze heeft dit onder mijn hoofdkussen gelegd,' flapte ik eruit, en strekte mijn arm om Ami de blaadjes te laten zien.

'Wat is dat?' vroeg ze. Haar gezicht vertrok en ze deed een stap achteruit alsof ik een handvol insecten in mijn hand hield.

'Dille, basilicum en kruidnagel, kruiden.'

'Wat? Waarom zou ze zoiets onder iemands kussen leggen?'

'Het zijn kruiden die bepaalde magische eigenschappen bezitten,' zei ik. 'Ze heeft ze onder mijn kussen gelegd om het kwaad, het boze oog, zoals zij het noemt, te verdrijven.'

'Het boze oog? Heeft ze dat tegen je gezegd? Dat idiote mens! Er moet echt eens iets aan haar gedaan worden. Ik zal er met Wade over spreken. Hier moet een eind aan komen.'

'Ik wil er niet verantwoordelijk voor zijn dat ze haar baan kwijtraakt,' zei ik snel.

'Maak je daar maar geen zorgen over. Ik betwijfel of ze haar baan zal kwijtraken. Gooi die rommel weg en kleed je aan. We moeten eruitzien als dynamiet op hakken.' Ze ging terug naar haar kamer en deed de deur dicht.

Ze betwijfelde of ze haar baan zou kwijtraken? Welke macht had mevrouw Cukor over deze familie? Ik liep mijn kamer weer in, vergruisde de blaadjes in mijn hand en spoelde ze door de wc. En onmiddellijk voelde ik me schuldig. Misschien was het belangrijk,

121

dacht ik. Misschien probeerde ze me te helpen door het boze oog bij me vandaan te houden. Misschien had ik niet zo kwaad moeten zijn. Misschien... visioenen trokken aan mijn oog voorbij, herinneringen aan mama, schaduwen op het grasveld, een uil op een grafsteen.

Ik huiverde.

'Noble?' fluisterde ik. 'Ik weet dat je hier bent. Waar ben je? Ik moet met je praten. Ik heb je advies nodig.'

Het was een vreemd gevoel hem te roepen, tegen hem te praten. Het was zo lang geleden.

De gordijnen voor het raam bewogen, ook al waren de ramen gesloten. Ik wachtte, maar hij verscheen niet. Hij straft me, dacht ik. Hij straft me omdat ik hem zo lang heb genegeerd.

Na een tijdje begon mijn hart rustiger te kloppen en werd mijn ademhaling regelmatiger.

Beheers je, Celeste, zei ik tegen mezelf. Maak Ami niet bang. Loop niet het risico dat je dit alles kwijtraakt.

Ik trok de jurk met de rijnsteentjes aan en bekeek mezelf in de spiegel. Ik wist niet of ik er mooi en sexy uitzag of alleen maar sexy. Was dit een goede make-over die ik Ami had toegestaan voor me te doen, of zou ik er spijt van krijgen? Grootgebracht als ik was onder de moeilijke en in veel opzichten rigoureuze omstandigheden in het weeshuis, dacht ik zelden of nooit aan mezelf zoals Ami aan zichzelf en mij dacht: staafjes dynamiet, klaar om te exploderen voor elke man die naar ons kijkt. Ik experimenteerde nooit met kleren, met mijn haar of natuurlijk met make-up. De mensen kregen wat ze zagen.

Hoe anders was het nu. In Ami's wereld kon ik, net als zij, verschillende rollen spelen, door het leven gaan als in een film van onze eigen hand, kleren beschouwen als theaterkostuums, en naar onze eigen muziek luisteren die in ons hoofd klonk. Elke keer dat we onze slaapkamer verlieten, gekleed om uit te gaan, maakten we letterlijk onze entree op een toneel, verbeeldden ons dat er altijd een spotlight op ons gericht was. Ik had nog niet Ami's zelfverzekerdheid, en misschien zou ik die nooit krijgen, maar ik zag dat ze op applaus, bewondering, aandacht uit was. Ik was hier pas een paar dagen en liep nu al in de pas met haar.

Was dit wat ik echt wilde? Verlangde ik zo wanhopig naar liefde en familie, dat ik gewillig mijn eigen identiteit zou afstaan om die te krijgen? Of was dit mijn ware identiteit, die al die tijd verborgen had liggen wachten op de kans om aan de dag te treden? Was ik meer Ami's zus dan ik dacht of kon zijn? Ik was meestal zo goed in het zien wat andere mensen te wachten stond. Waarom kon ik dat niet voor mijzelf? Ik hoorde kloppen en pakte de tas die Ami bij mijn jurk had gekocht. Nog één blik in de spiegel, en ik liep haastig, met kloppend hart naar de deur. Ik deed hem open en liep de gang op. Eerst zag ik Ami niet, en toen kwam ze rechts van me staan en de adem stokte in mijn keel.

Ik had verwacht dat ze iets in dezelfde stijl van mijn kleding zou dragen, zodat we eruit zouden zien als het stel dynamietstaafjes waarover ze had gesproken. In plaats daarvan zag ze er jaren ouder uit en veel conservatiever in haar jasje en enkellange paarse jurk. Het jasje had driekwart mouwen en de jurk had een rechte halslijn. Allesbehalve een onthullend kledingstuk. Maar het schokkendst was de pruik die ze droeg. We hadden niet meer hetzelfde kapsel. Haar pruik had haar dat op haar schouders viel, een steile pony en was onderaan licht gekruld. Wat me het meest verraste was de kleur. Het haar was zwart.

'O,' zei ze glimlachend. 'Je kijkt naar mijn haar. Ik kon het gewoon niet krijgen zoals ik het hebben wilde in zo korte tijd. Daarom heb ik een verzameling pruiken. Soms vind ik het leuk om een zwartharige vrouw te zijn. Dat is geheimzinniger, vind je niet? Let maar op, Wade zal er geen woord over zeggen. Dat doet hij nooit. Hij vraagt nooit waarom ik iets draag of niet draag.

'Maar kijk eens naar jou!' Ze pakte mijn handen, hield mijn armen omhoog en draaide me rond. 'Jij bent een volmaakte hartenbreekster. Ik brand van verlangen om te zien hoe de mannen naar je kijken.'

'Ik voel me maar half aangekleed naast jou,' zei ik.

'Onzin. Ik kleed me naar gelang mijn stemming, en dit is toevallig mijn stemming vanavond. Daarom heb ik waarschijnlijk dat zwarte haar gekozen. Ik ben geheimzinniger met alles, zelfs met mijn lichaam, terwijl jij,' ging ze verder voor ik iets kon zeggen, 'veel te lang een geheim bent gebleven.'

Ze pakte mijn hand vast.

'En daar gaan we een eind aan maken! riep ze uit, en trok me mee naar de trap.

Ik keek achterom, in de verwachting Wade te zien. Waarom was hij altijd eerder aangekleed en beneden dan wij? vroeg ik me af. Ik had het antwoord voor we op de onderste tree waren.

'Ik heb met Wade afgesproken in het restaurant,' zei Ami. 'Hij is opgehouden door zijn werk. En als hij te laat is, beginnen we vast zonder hem.'

Toen we beneden waren, draaide ik me om en keek de gang in. Ik voelde ogen op me gericht. En daar stond mevrouw Cukor, rechts van de deur van het kantoor, met haar rug tegen de muur, alsof ze ruimte wilde maken voor iemand die voor haar langs liep. Haar hoofd was naar mij gekeerd en ze keek me kwaad aan.

Wat is er? had ik haar willen toeschreeuwen. Wat wil je van me? Wat verwacht je dat ik zal doen?

'Kom mee, malle,' zei Ami berispend en liep in de richting van de garage.

We stapten in haar sportwagen. Ze keek me glimlachend aan en streek met haar rechterhand zacht over mijn gezicht.

'Je ziet er mooi uit, Celeste,' zei ze, 'mooier nog dan ik gedacht had dat je kon zijn.'

Ze staarde me even aan. Haar ogen leken vochtig van emotie. Haar intense gevoelens overrompelden me. Ik was verheugd over het compliment, maar iets in me deed een alarm afgaan dat ik niet begreep. Ze zag mijn verwarring en lachte.

'Sorry, dat ik zo dramatisch was,' zei ze. Ze opende de deur van de garage en reed naar buiten, over de oprit. De banden piepten toen we een bocht maakten naar de straat. Ze zette de muziek aan.

'Je hebt nog geen rijbewijs, hè?'

'Nee, hoe zou ik? Wie had me moeten leren rijden? En waarin?'

'Ja, daar zat ik net aan te denken. We moeten je onmiddellijk rijles laten geven, samen met die pianolessen die ik je heb beloofd. Ik zal het Wade vanavond vertellen. Als je in je eigen mooie auto naar school rijdt, ben je met één klap populair. Je zult eens zien hoeveel nieuwe vriendinnen je dan krijgt.'

'Als ze alleen mijn vriendinnen worden omdat ik een mooie auto heb, kunnen ze niet bepaald goede vriendinnen zijn,' zei ik.

'O, hou toch op. Dat ben jij niet die zo praat. Dat is een van de nonnen of een of ander heilig boontje die je onder de duim heeft gehouden. Net als elke prinses heb je je entourage nodig,' ging ze verder. 'Toen ik op school was, had ik altijd een stuk of zes meisjes om me heen, die alles wilden wat ik wilde, en aan mijn lippen hingen. Straks gaat het jou net zo. Je zult het zien.'

'Hoe weet je dat ik dat wil?' vroeg ik. Ik wilde niet onaardig of eigenwijs zijn. Ik was gewoon nieuwsgierig om te weten wat ze in me had gezien om haar op dat idee te brengen.

Ze lachte naar me.

'Omdat ik weet dat onder dat droefgeestige schild dat de staat en die instellingen en weeshuizen om je heen hebben aangebracht, het hart klopt van een echte vrouw, die net zo is als ik. Ik zag het aan de manier waarop je je bewoog, de manier waarop je je hoofd omhooggeheven hield, de manier waarop je naar de mensen keek en vooral aan de manier waarop de mannen naar je keken.'

'Maar hoe lang heb je me geobserveerd voordat je in het weeshuis kwam?' vroeg ik.

'Dat is voor jou een vraag en voor mij een weet.' Ze lachte. 'Een tijdje,' bekende ze toen. 'Ik kon toch niet zomaar een jonge vrouw in mijn leven opnemen?' vroeg ze ter verdediging. 'Dat begrijp je toch wel?'

'Ja,' zei ik, al begreep ik het niet goed. Het had me al gehinderd dat ze me bespioneerd had en met mijn docenten had gesproken, maar nu ze had toegegeven dat ze het al een tijdje had gedaan, vond ik het nog verontrustender. Waarom had ik haar ogen niet op me gevoeld? Waarom was ik niet gewaarschuwd?

Het was Nobles schuld, dacht ik vaag. Hij had mijn gevoel afgestompt, als straf voor het feit dat ik hem in de steek had gelaten.

Nu gingen er voortdurend alarmbelletjes in me af, maar ik dacht dat de oorzaak misschien was dat ik zoveel totaal andere dingen deed. Misschien had ze gelijk. Misschien was ik al die tijd omgeven geweest door een schild. Misschien was ik emotioneel en sociaal achtergebleven. Ik verdien al die opwinding en al dat plezier, hield ik me voor. Bedaar, onrustig hart van me. En mijn tong... hou op met die gemeenplaatsen die meer thuishoren op de lippen van mensen als Moeder Higgins.

Wat was er voor verschrikkelijks aan dat ik populair zou zijn bij mijn leeftijdgenoten, dat jongens zouden vechten om mijn aandacht, dat meisjes mijn vriendin wilden zijn? Wanneer had ik ooit zoiets meegemaakt? Wanneer had ik er zelfs maar over gedroomd? Ami wilde me niet verleiden tot een rampzalig bestaan. Ze gaf me een kans, een kans om precies zo te worden als ze had beschreven, een levendige, sexy en zelfverzekerde vrouw. En was dat niet wat alle jonge meisjes hoopten te worden, of ze het toegaven of niet? Ga heen, mijn geweten, mijn paranoïde angsten, mijn visioenen van duistere oorden. Ga heen, terug naar de kerker, en laat mij met rust. Ik ga niet roepen om Noble en in alle hoeken en gaten naar hem speuren. Ik heb hem nu niet nodig, hield ik me voor. Mijn besluit stond vast.

'Wil je een sigaret?' vroeg Ami plotseling.

'Een sigaret?'

'Vertel me niet dat je nog nooit een sigaret hebt gerookt.'

Ik zei niets.

Ze lachte.

'Hm. Dan heb je zeker ook nog nooit wiet gerookt.'

'Nee.'

'Zusjelief, je zult je voelen of je herboren bent.'

Weer wilden inwendige stemmen protesteren, maar ik legde ze het zwijgen op nog voordat ze goed en wel begonnen waren. Wat had het leven voor zin als je nu en dan niet eens een risico kon nemen, experimenteren, een grens overschrijden?

'Zeg niet tegen Wade dat ik het daarover gehad heb,' waarschuwde Ami. 'Hij is Mr. Clean in dat opzicht, maar hij weet niet wat jij en ik samen doen. Weet je wat twee mensen zoals jij en ik echt aan elkaar bindt?'

'Wat dan?'

'Geheimen,' zei ze, knikkend. 'Geheimen. Onthullingen: je gedachten, je ideeën, je herinneringen blootleggen. En weet je, Celeste, dat is niet mogelijk zonder vertrouwen. We moeten elkaar om te beginnen vertrouwen.'

'Ja,' zei ik.

'Ik wist wel dat je het zou begrijpen. Zie je dat ik je al goed ken?'

Ze lachte, maar haar woorden hingen in de lucht als rook, iets dat verbrand was.

Minuten later stopten we voor de deur van Hunters, en een bediende kwam naar buiten om onze portieren te openen en onze auto te parkeren. Het restaurant zelf zag eruit of het vroeger een particulier huis was geweest, en later zou ik ontdekken dat ik goed had geraden. De eigenaars hadden de benedenverdieping uitgebroken en er een grote eetzaal en twee kleine privé-eetzaaltjes van gemaakt. Het decor was rustiek, aan de muren hingen oude boerenwerktuigen, historische uithangborden, fraaie spiegels. Al het hout en alle panelen waren van donker eiken. Rechts was een mooie bar met koperen accessoires en heel comfortabel uitziende krukken, tafeltjes en een ruimte om te dansen en er speelde een trio. Het was erg druk aan de bar. Twee barkeepers draafden heen en weer om aan alle wensen te voldoen.

De grote zaal van het restaurant was bijna vol. Kelners en serveersters in jagersgroene uniformen bewogen zich elegant tussen de tafels door. Alle gasten waren goedgekleed. Ik zag een paar jonge vrouwen die naar ik dacht van mijn leeftijd waren, maar geen van hen was gekleed zoals ik. Ze droegen allemaal conservatievere kleren, minder onthullende jurken, broekpakken en lichte truitjes met jasjes.

Zodra we de eetzaal binnenkwamen, draaiden de mensen hun hoofd om. Sommigen staarden, sommigen fluisterden, en sommigen lachten. De gerant, een oudere, gedistingeerd uitziende man in smoking, kwam haastig naar ons toe om ons te begroeten.

'Goedenavond, mevrouw Emerson.'

'Hallo, Aubrey. Mag ik je voorstellen aan onze logee, Celeste Atwell?'

'Hoe maakt u het,' zei hij, en bekeek me zo discreet mogelijk. Maar toch kon ik een glimp van afkeuring zien in de blik waarmee hij naar mijn kleding keek.

'Mevrouw Emerson, uw man heeft gebeld en een boodschap achtergelaten dat hij later zou komen, maar dat u niet op hem moest wachten,' zei Aubrey.

'Dat zegt hij omdat hij weet dat ik dat toch niet doe,' zei ze, en Aubrey knikte glimlachend.

'Wilt u mij volgen alstublieft,' zei hij, en hij leidde ons de zaal door naar een prominente tafel bij de erkerramen.

Ik had het gevoel dat ik door dichte spinnenwebben liep. Iedereen keek nog steeds naar ons, vooral naar mij. Het gaf me een gevoel of ik naakt was. Ik probeerde naar niemand te kijken, maar onwillekeurig ving ik een spottende grijns op van een paar jongere mannen en verwijtende blikken van de meeste oudere vrouwen. Sommige jonge vrouwen keken afgunstig, zelfs enigszins geërgerd, omdat ik de aandacht trok van elke man in de zaal.

Aubrey trok onze stoelen voor ons achteruit en overhandigde ons de menukaarten. De ober, een donkerharige man met een donkere huid, die gespannen op de achtergrond stond, schoot naar voren zodra Aubrey onze tafel verliet.

'Goedenavond, mevrouw Emerson,' zei hij. 'Welkom terug.'

Op zijn naamplaatje stond 'Anthony'. Hoewel hij het woord had gericht tot Ami, richtte hij zijn ogen op mij.

'Goedenavond, Tony. Dit is mijn logee, Celeste. Ze houdt van Cosmopolitans, dus breng ons er maar twee,' bestelde Ami.

'Is ze al achttien?' vroeg hij, terwijl hij zijn rechtermondhoek introk. Hij was een knappe man, met gitzwarte ogen en krachtige lippen en kaak.

'Is dat niet te zien?' was Ami's reactie.

'Als u het zegt, mevrouw,' antwoordde hij. 'Ik kom zo terug met de drankjes.'

'Maar ik ben nog geen achttien,' merkte ik op zodra hij weg was.

'Het is niet wat je bent, maar wat je lijkt te zijn,' zei Ami. 'Het uiterlijk is alles. Kijk eens om je heen, al die mensen zitten naar ons te kijken. We hebben hun gespreksstof gegeven.' Ze knikte naar een oudere vrouw met blauwgrijs haar, die ons verontwaardigd opnam. Haar kale man, met een gezicht dat samengeknepen leek tussen twee gigantische vingers, leek gehypnotiseerd. Met zijn rechterhand hield hij een vork in de lucht alsof hij bevroren was. De vrouw beantwoordde kort Ami's knikje, fluisterde iets tegen haar man, die onmiddellijk zijn ogen van ons afwendde.

Ami lachte.

Ze bestudeerde het menu.

'Laten we samen een salade nemen. Wat wil je eten? Voel je iets voor kreeft Thermidor?'

'Ik heb nog nooit kreeft gegeten,' zei ik. Ze sloeg haar ogen op naar het plafond en schudde haar hoofd.

'Oké, dan bestellen we dat voor je. Het is zoveel werk om je alles te leren, dat ik besloten heb al mijn tijd eraan te besteden,' zei ze.

Al haar tijd? Wat wilde dat zeggen? Waar waren haar vrienden, haar andere bezigheden? Ik weet dat ik me dankbaar hoorde te voelen, maar in plaats daarvan voelde ik weer die steek van angst. Onze ober kwam terug met onze cocktails. Hij droeg de roodgetinte vloeistof in grote martiniglazen op een zilveren blad alsof het vorstelijke kronen waren. Weer stopten de gesprekken en keek iedereen onze kant op. Ami zoog de aandacht op alsof haar hele wezen erdoor gevoed werd.

'Zal ik uw bestelling opnemen of wacht u op iemand?' vroeg onze ober.

'Tony toch, wacht ik ooit op iemand?' vroeg Ami plagend. Hij lachte en zijn blik ging weer snel naar mij. 'We delen de huissalade. Celeste neemt de kreeft Thermidor, en ik de garnalencocktail als hoofdgerecht. En een chocoladesoufflé als dessert.'

'Uitstekend,' zei Tony en stak zijn hand uit naar de menukaarten. 'Mag ik?' vroeg hij aan mij.

'O. Ja,' zei ik en leunde achterover.

Hij hield zijn ogen nog even strak op me gericht en liep toen haastig weg.

'Hij loopt te kwijlen,' zei Ami. 'Zie je nou?'

Ik kon er niets aan doen dat ik moest blozen en staarde omlaag.

'Je moet die preutsheid zo snel mogelijk afleren, of liever gezegd, leren beheersen. Er zijn momenten waarop je preuts en onschuldig moet lijken en momenten waarop het een nadeel is,' zei Ami belerend. 'Bijvoorbeeld, in een zaal vol snobistische, duffe mensen zoals hier, moet je zo snel en overtuigend mogelijk zelfverzekerd overkomen en hun neerbuigende blikken beantwoorden. Je moet jezelf inprenten dat niemand hier een haar beter is dan jij en dat moet je ze duidelijk laten weten door de manier waarop je je gedraagt, naar ze kijkt en zelfs tegen ze spreekt. Geef nooit iemand de voldoening te denken dat hij of zij beter is dan jij, Celeste.

'Ik weet het, een meisje dat heeft geleefd als een weeskind in afdankertjes, en geslapen, gegeten en geademd heeft van liefdadigheid, zal het daar in het begin moeilijk mee hebben, maar je bent nu mijn spirituele zuster, en je woont in mijn huis. Het is goed om een beetje arrogant te zijn. Wees trots op wat je hebt!'

Haar peptalk deed me goed. Ik hief mijn hoofd op en keek om me heen naar de gasten in het restaurant, keek iedereen recht in de ogen. Zoals Ami had voorspeld, wendden de mensen snel hun blik af.

Ami hief haar glas met een knikje naar mij.

'Op ons,' zei ze, en we klonken. Ik nam een slokje en haalde toen diep adem. Wanneer zou ik niet langer het gevoel hebben dat ik steeds dieper wegzakte in een poel van zonde? Elke kleine verandering die Ami in me teweegbracht leek besmet, of het nu het gebruik van make-up was, het kapsel, de kleren, het drinken, of nu de lessen in houding en gedrag. Veranderde ze me in een betere, meer zelfverzekerde jonge vrouw, of trok ze me omlaag naar een wachtend onheil?

Wade kwam pas toen we onze salade gegeten hadden. Op weg naar onze tafel, schudde hij handen en sprak met een paar gasten. Het gesprek ging kennelijk over mij, want hij keek naar ons en praatte toen verder.

'Ik hoop dat hij je niet beschrijft als een weeskind,' mompelde Ami.

'Het spijt me dat ik te laat ben,' zei hij toen hij bij onze tafel was. 'We hadden een kleine crisis op de zaak, een truck met verkeerde onderdelen, en we moeten morgen bestellingen afleveren.'

Hij ging zitten. Ami schudde haar hoofd.

'Je hebt een manager, Wade, die een goed salaris verdient. Ja toch? Waarom laat je die man zijn werk niet doen?'

'De zaak draagt de naam van mijn familie en niet die van de manager,' antwoordde Wade nuchter, terwijl hij het menu bestudeerde dat Anthony hem haastig was komen brengen.

'De naam van je familie,' mompelde Ami, 'op sanitaire onderdelen.'

'Ik sla de salade over,' zei Wade tegen Anthony. 'Breng me de filet mignon, medium.'

'Heel goed, meneer Emerson,' zei Anthony. Hij pakte de menukaart aan, maar glimlachte naar mij.

Te oordelen naar de uitdrukking op zijn gezicht als hij naar me keek, dacht ik niet dat Wade mijn outfit en make-up goedkeurde. Eindelijk viel zijn oog op de Cosmopolitan die voor me stond.

'Heb je sterke drank voor haar besteld?'

'Het is haar eerste avond uit met ons, Wade. Waar maak je je druk over?'

'Waar ik me druk over maak? Ami, ze is minderjarig. Dat kun je niet maken. Je brengt ook het restaurant in gevaar. Schuif dat glas alsjeblieft naar mij toe,' zei hij tegen mij.

Ik deed wat hij vroeg en Ami begon onmiddellijk te pruilen. 'Het spijt me, Celeste,' zei hij. Hij wendde zich weer tot Ami. 'Je weet dat mevrouw Brentwood, de directeur van de Dickinson School, met haar man bij de open haard zit?'

Ami wierp een blik in die richting en ik keek ook. Een aantrekkelijke vrouw van middelbare leeftijd met lichtbruin haar zat tegenover ons. Haar man zat met zijn rug naar ons toe. Ik vond dat ze een innemende glimlach had, en in tegenstelling tot de andere gasten, leek ze geen enkele belangstelling voor ons te hebben. Ze lachte om iets wat haar man zei en streek de lokken van haar schouderlange haar uit haar gezicht.

'Nou en?' mompelde Ami.

'Nou en? Ze weet dus dat Celeste niet oud genoeg is om alcohol te drinken en dat jij het voor haar bestelde. Wat ben je voor pleegmoeder? Niet erg slim.' Wade nam een slokje van mijn cocktail. 'Te zoet,' zei hij. 'Hoe kun je zoiets drinken?'

'Zoet voor zoete meisjes,' zei Ami gekscherend. Wade schudde zijn hoofd, maar maakte het zich gemakkelijk op zijn stoel en lachte naar mij.

'Opgewonden over morgen?' vroeg hij.

'Ja,' zei ik, al vond ik zenuwachtig een betere omschrijving.

'Je zult het er goed afbrengen,' zei hij. 'Ik wed dat je beter kunt studeren dan de halve schoolbevolking, van wie de meesten alles voorgekauwd krijgen. Welk onderwerp interesseert je het meest?'

'Jongens,' antwoordde Ami in mijn plaats.

Wade keek haar aan en toen langzaam weer naar mij.

'Engels, denk ik,' zei ik. Hij knikte.

'Ja, dat was ook mijn favoriete vak, vooral Engelse literatuur.'

'Ja, je krijgt alle kans om die kennis te benutten in een sanitairfabriek, hè?' snauwde Ami, alsof ze een hekel had aan alle kennis, ongeacht het onderwerp.

'Je zou verbaasd staan,' zei hij. 'Pijpleidingen moeten grammaticaal correct zijn om perfect te kunnen passen, en elegante accessoires voor wasbak, bad en douche moeten poëtisch worden beschreven.'

We moesten allebei lachen. Nu was het Ami's beurt voor een zure grijns, maar voor ze commentaar kon leveren, werd het eten opgediend. Wade keek verbaasd naar mijn bord.

'Ze heeft nog nooit kreeft gegeten, Wade, dus begin nu niet te zeuren over de prijs.'

'Dat doe ik niet. Hij ziet er voortreffelijk uit. Ik had er misschien zelf ook een moeten bestellen.'

'Hij is lekker,' zei ik, proevend. 'Verrukkelijk.'

Hij glimlachte.

'Wie is je lievelingsauteur?' vroeg hij.

'Ik heb eigenlijk geen speciale voorkeur. Ik had niet verwacht dat ik Mark Twain met zoveel plezier zou lezen als ik dit jaar gedaan heb. Ik hou van *Huck Finn*.'

'Dat deed ik ook,' zei Wade.

Ami kermde luid.

'Wade, alsjeblieft. Straks laat je haar nog de *Wall Street Journal* lezen.'

Hij haalde zijn schouders op en keek naar mij.

'Misschien wel, ja,' zei hij. 'Waarom zou ze niet iets leren over de financiële wereld?'

'Ze zal belangrijkere dingen te doen hebben.'

'Belangrijker? Zoals wat, Ami?'

'O, schei toch uit.' Ami schoof haar bord opzij. Ze had nauwelijks de helft van haar diner gegeten. 'Ik ben zo terug,' zei ze. 'Ik ga even mijn neus poederen. Eerlijk gezegd,' ging ze verder, terwijl ze opstond en zich naar Wade vooroverboog, 'moet ik plassen.'

Ze giechelde en liep weg, bleef uitdagend staan bij een tafel om met een man te praten die naar haar had zitten glimlachen, tot ongenoegen van de vrouw die bij hem was. Wades blik volgde haar en toen keek hij weer naar mij.

'Ik zal je morgenochtend wekken,' zei hij, en at verder. 'Ami zal wel zeggen dat zij het zal doen en dat je je geen zorgen hoeft te maken, maar ze zal het niet doen.'

'Dank je.'

'Ik moet toegeven dat het helemaal haar idee was om jou in huis te nemen, maar als ik eenmaal met iets heb ingestemd, dan doe ik het goed ook.' Hij boog zich naar voren en fluisterde: 'Dit eten is goed, maar niet beter dan bij Billy's Hideaway voor de helft van de prijs. Je zult het wel ondervinden. Je zult leren wat wel en niet belangrijk is.'

Iedereen probeert me iets te leren, dacht ik. Iedereen wil gelijk hebben en me vertellen wat het belangrijkst is in het leven. Ik hoopte alleen dat ik niet tussen Ami en Wade zou komen of nieuwe problemen zou veroorzaken. Dan zou mevrouw Cukor toch gelijk krijgen. Dan zou ik inderdaad het boze oog in het huis van de Emersons hebben gebracht. Er rustte een duistere vloek op me.

Toen Ami terugkwam en de soufflé geserveerd was, wilde ze dat we naar de bar zouden gaan om naar het trio te luisteren, maar Wade zei dat ze me naar huis moest brengen zodat ik een goede nachtrust zou hebben.

'Ze gaat naar een nieuwe school. Dat is niet gemakkelijk, Ami.'

'O, zo moeilijk is het nou ook weer niet. Ze kan best een uurtje of zo langer blijven.'

'De bar is niet de juiste omgeving voor haar.'

Ze sloeg haar ogen op naar het plafond en stond toen abrupt op.

'Kom mee, Assepoes. Wade denkt dat mijn auto elk moment in een pompoen kan veranderen.'

Gepikeerd liep ze weg. Ik keek naar Wade, die naar de tafel staarde.

Hoe waren deze mensen bij elkaar gekomen? vroeg ik me af. Waardoor voelden ze zich tot elkaar aangetrokken? Voor Wade was schoonheid blijkbaar niet voldoende, en wat Ami betrof was Wade oninteressant. Waren ze vroeger anders? Had iets ze veranderd? Misschien was dit de manier waarop de meeste getrouwde mensen zich na een tijd gedroegen. Wat wist ik eigenlijk van een huwelijk, gezin, familie?

'Ik ga zelf ook meteen naar huis,' zei Wade, toen ik om de tafel heenliep.

Ami stond al te wachten bij de uitgang. Haastig liep ik naar haar toe. De meeste gasten waren al vertrokken, maar het was druk in de bar en de muziek klonk luid. Er werd gelachen en gedronken. Ami keek ernaar met verlangende ogen. Bijna wilde ik zeggen dat Wade me wel thuis kon brengen en zij nog kon blijven, maar ze liep snel het restaurant uit en liet haar auto voorrijden.

'Ik heb echt van alles genoten. Dank je wel,' zei ik, om haar een beetje op te monteren.

'Wat heb ik je gezegd?' vroeg ze, terwijl ze zich met een ruk naar me omdraaide. 'Hij maakte zelfs geen opmerking over mijn haar.'

Ze hief haar armen in de lucht.

Nee, dat was vreemd, dacht ik. Waarom niet?

'Misschien heeft hij je al eerder met die pruik gezien.'

'Natuurlijk heeft hij er me al eerder mee gezien, vaak genoeg, maar daar gaat het niet om. Mannen!' zei ze en liep naar de auto. Ze gaf de bediende een fooi, en we stapten in en reden weg.

Plotseling lachte ze.

'Het is goed, hoor,' zei ze. 'Ik ben niet echt kwaad. Ik wilde alleen dat hij dat zou denken.'

'Waarom?'

'Dan is hij aardiger tegen me. Je moet ze altijd in de waan laten dat je kwaad op ze bent, zelfs al heb je er geen reden voor. Dan dwing je ze in de verdediging, en er is niets beters dan een man in de verdediging brengen,' preekte ze. 'Trouwens, dat geldt ook voor jongens van jouw leeftijd. Dat maakt geen verschil. Zoals ik al zei, alle mannen zijn kleine jongens.' Toen voegde ze er zachtjes aan toe: 'Op de een of andere manier.'

Toen we thuiskwamen stond ze erop om naar de zitkamer te gaan voor wat ze noemde een 'slokje na het eten'.

'Je moet op de hoogte zijn van die dingen, Celeste,' zei ze. 'Je zult nu worden uitgenodigd bij rijke mensen thuis. Hun kinderen zijn opgevoed met elegante, dure dingen, hebben allerlei exotische en mooie plaatsen bezocht. Je moet het goede leven leren kennen en waarderen, alles wat je kunt en zult hebben.'

'Ik wil niet dat iemand weet dat je een weeskind bent, iemand die het grootste deel van haar leven in een weeshuis heeft doorgebracht,' voegde ze er vastberaden aan toe, terwijl ze een bijna zwarte vloeistof schonk in wat ze cognacglazen noemde.

'Hoe moet ik voorkomen dat ze het horen?'

'Heel eenvoudig,' zei ze. 'We vertellen een ander verhaal.'

Ze overhandigde me het glas en ging tegenover me zitten. Ik keek naar het glas.

'Toe dan, proef eens,' zei ze.

Ik deed het. Ik vond het naar drop smaken. Eigenlijk vond ik het wel lekker.

'Het is Opal Nera, zwarte sambuca. Goed dan, wie ben je en waarom ben je hier?'

Ze leunde achterover en dacht na. Ik nam nog een slokje en staarde haar aan.

'Oké. Je bent mijn nichtje, snap je? Je ouders zijn verwikkeld in een heel nare scheiding. De meesten van die snobs zullen dat snappen en er begrip voor opbrengen. De helft van die kinderen heeft gescheiden ouders. Ik heb aangeboden je de rest van het jaar bij ons te laten wonen, zodat je een stabielere omgeving zou hebben. Dus waar kom je vandaan?'

Ze dronk uit haar glas en trommelde met haar vingers op de armleuning van de stoel.

'Niet uit het Zuiden. Je spreekt niet met een accent. We moeten voorzichtig zijn. Die kinderen hebben overal invloedrijke familieleden. Waar ben je geweest?'

'Nergens.'

'Waar was die farm van jullie?'

'In de Catskills.'

'Oké. Wat doet je vader?'

'Wat zou je zeggen van apotheker?' opperde ik. Misschien was het de alcohol, het eten, de opwinding van de hele avond, maar plotseling begon ik er plezier in te krijgen.

'Apotheker? Nee, dat is niet rijk genoeg, tenzij hij een hele winkelketen bezat. Laten we het een beetje vaag houden. Hij is een internationale ondernemer en is heel vaak van huis. Daarom is het huwelijk stukgelopen. Je moeder kan een minnaar hebben gehad. Ja, dat is het, ze heeft een minnaar en jij wist het en dat vond je heel erg, want al is je vader nog zo vaak weg, toch hou je van hem en heb je medelijden met hem. Maar hij kan natuurlijk ook vriendinnen hebben. In Europa. Perfect. Als iemand naar bijzonderheden vraagt, word je bedroefd en zeg je dat je er niet over kunt praten. Het ligt allemaal nog zo gevoelig en is erg pijnlijk. O, dat is het helemaal!'

Ik lachte en dronk mijn glas sambuca leeg.

'Smaakt het?'

'Ja.'

'Ik zal je alles leren over goede wijn en goede whisky. Je zult in chique restaurants hebben gedineerd, dus praten we over eten. En we zullen vaak in goede restaurants eten, zodat je weet waar ik het over heb. We zullen enorme lol hebben!' riep ze uit.

We hoorden voetstappen in de gang. Wade bleef in de deuropening staan en keek naar ons. Ik zette snel mijn glas neer. 'Waar ben je mee bezig, Ami? Je ging naar huis om haar een goede nachtrust te geven.'

'We moeten ons ontspannen, Wade. Vrouwen als wij duiken niet zomaar ons bed in, doen onze ogen dicht en zeilen weg naar Never-Never Land.' Ze draaide zich om naar mij. 'Wade valt altijd na een paar seconden in slaap.'

'Niet altijd,' zei hij somber.

Ami's glimlach verdween.

'Goed dan, we gaan al naar bed, pappie,' zei ze, zette haar glas neer en stond op.

Ik volgde haar voorbeeld, en samen liepen we de kamer uit. Wade deed een stap opzij. Ik keek even naar hem. Hij hief zijn rechtervuist naar zijn oor om aan te geven dat hij me wakker zou maken. Ami en ik liepen de trap op.

'Natuurlijk zal hij wel gelijk hebben,' gaf ze toe. 'Wat trek je morgen aan?'

'Ik weet het niet. Daar heb ik nog niet over nagedacht.'

'Trek die blauwe rok en blouse aan die we bij Femme Fatale hebben gekocht. En je hebt dat blauwe vestje. Dat staat je goed. En doe je mooie horloge om. Hier.' Ze haalde een gouden, met diamanten bezette ring van haar linkerhand. 'Doe die ook om. Je moet de rol waarmaken die je speelt.'

Ik aarzelde, en ze pakte mijn hand en schoof de ring aan mijn vinger. Hij paste precies.

'Morgen veroveren we nieuwe werelden,' verklaarde ze. Ze omhelsde me, gaf me een zoen en ging naar haar slaapkamer.

Ik herinner me dat ik dacht dat ik waarschijnlijk meer op Wade leek. Zodra mijn hoofd het kussen raakte, viel ik in slaap. Weliswaar werd ik midden in de nacht wakker, maar ik dacht dat ik nog sliep en droomde. Ik hoorde weer het geluid dat klonk als een onderdrukt gesnik van Ami. Ik luisterde, en toen stopte het. Ik was gewoon te moe om op te staan en te gaan kijken of er iemand was. In een paar seconden was ik weer in slaap en werd pas wakker toen mijn telefoon ging en ik Wade hoorde zeggen: 'Ik wist dat ze zich zou verslapen en je niet zou wekken. Het is tijd om op te staan en je aan te kleden. Ik breng je naar school en zal je daar inschrijven,' voegde hij eraan toe.

'Dank je,' zei ik.

Ik bleef even liggen, probeerde wijs te worden uit de nacht, de droom, en stond toen op.

Toen ik de deur van mijn kamer opendeed om beneden te gaan ontbijten, vond ik een klein bosje knoflook aan de deurknop hangen.

Deze keer liet ik het op zijn plaats.

8. Een nieuwe school

'Ami zal zich later duizend keer verontschuldigen,' zei Wade toen we in zijn auto zaten en op weg waren naar de Dickinson School. 'Natuurlijk zal ze je ook vertellen dat het niet erg is als je de eerste dag mist. Je had je ook later op de dag kunnen inschrijven of zelfs de volgende dag. Roosters, regels, afspraken, waren nooit erg belangrijk voor Ami. Ik ben bang dat haar ouders waren wat we tegenwoordig eufemistisch tolerante ouders noemen. Ze was praktisch op zichzelf aangewezen vanaf de dag waarop ze kon lopen en praten.

'Maar het is niet haar bedoeling om iemand te kwetsen. En ik probeer haar te veranderen, haar meer verantwoordelijkheidsgevoel bij te brengen. Ik zal het nooit tegen haar zeggen,' voegde hij er glimlachend aan toe, 'maar ik vind het eerlijk gezegd leuk zoals ze met sommige verwaande en arrogante kennissen van mij en mijn vader omgaat. Ze heeft heel wat meer moed dan ik in dat opzicht.

'In ieder geval denk ik dat je de docenten op deze school aardig zult vinden. Een leerlinge zoals jij zal een verademing voor ze zijn, geloof me. Maar neem niet een van de slechte gewoontes van de anderen over, zoals rommel achterlaten in de gangen, in de kleedkasten en de meisjestoiletten. Iedereen heeft slechte gewoontes. Rijke kinderen hebben alleen meer geld om eraan te spenderen.'

'Ben jij op een particuliere school geweest?' vroeg ik hem, in de veronderstelling dat hij uit eigen ervaring sprak.

'Ik?' Hij lachte. 'Nee, de opvatting van mijn vader was: een school is een school is een school. Wat deed het ertoe naar welke school je ging? "Een en een is twee op elke school in het land, Wade," was zijn vaste commentaar. Mijn ouders hadden het zich gemakkelijk kunnen permitteren om me naar een particuliere school te laten gaan.' Er klonk een vage verbittering in zijn stem.

'Ik was een goede leerling, dus vond hij het niet belangrijk, maar het is een feit dat ik een betere opleiding zou hebben gehad. Mijn docenten hadden het te druk met het handhaven van de discipline. Het enige goede van een particuliere school is dat ze je er gemakkelijker uit kunnen gooien. Zodra er geld aan te pas komt, leggen zelfs tolerante ouders plotseling veel meer interesse aan de dag. 'Ik werd geaccepteerd door Harvard Business, maar mijn vader stuurde me naar een goedkopere universiteit in Albany. "Uiteindelijk kom je toch bij mij werken," zei hij. "Wat maakt het voor verschil wat er op je diploma staat?" Mijn moeder steunde me, maar ze was toen al ziekelijk, en ik wilde niet voor nog meer problemen in haar omgeving zorgen.'

Hij keek me glimlachend aan.

'Ik weet het. Ik zit je te vertellen hoe moeilijk mijn leven was, en jij wenst waarschijnlijk dat je mijn kansen had gehad.'

Ik wilde niet zeggen: O, nee, absoluut niet – ik benijd je helemaal niet. Ik dacht dat ik hem zou kwetsen als ik zoiets zei, dus glimlachte ik slechts.

'Herinner je je nog veel van je vroegere leven op de farm?'

'Vreemd genoeg wel, ja.'

'Een dezer dagen zou ik er graag wat over horen. Ik heb er natuurlijk wel het een en ander over gelezen, en om heel eerlijk te zijn, had ik me je heel anders voorgesteld – grootgebracht als je bent in een wereld vol mystiek en bijgeloof. Ik moet het Ami nageven, zij heeft geen moment getwijfeld. En naar wat ik er tot dusver van heb gezien, zou ze weleens slimmer kunnen zijn dan ik.'

'Dank je,' zei ik. Ik aarzelde, maar omdat hij zelf had gesproken over mystiek en bijgeloof, vroeg ik hem naar mevrouw Cukor.

'Andere mensen zouden haar waarschijnlijk niet zo lang in dienst houden met haar eigenaardige gedrag,' merkte ik op.

'Waarschijnlijk niet, maar ze is erg beschermend ten opzichte van de Emersons. Ze was bij tijd en wijle als een tweede moeder voor me, en mijn vader gelooft dat ze hem geluk brengt. Het kwaad bij ons vandaan houdt. Hij gelooft meer in die dingen dan je zou denken, en mevrouw Cukor weet hem ervan te overtuigen dat ze ons allemaal beschermt.'

'Ik weet precies wat je bedoelt.'

'Ja. Ami vertelde me wat ze onder je kussen had gelegd.'

'Vandaag vond ik een bosje knoflook aan mijn deurknop,' zei ik. Ik vertelde er niet bij dat ik het daar had laten hangen.

'Ik zal met haar praten, maar dergelijke dingen doet ze van tijd tot tijd. Negeer het als je kunt, tenzij ze knoflook in je make-up gaat stoppen.'

De Dickinson School lag vlak voor ons aan de rechterkant. Het lage gebouw van lichtbruine steen strekte zich uit over een enorm groot, mooi terrein, met een royale, fraaie fontein aan de voorkant. De drie treden die naar de ingang leidden waren lang en koffiekleurig, met aan beide kanten dikke pilaren. Er stond een vlaggenstok met een vlag die wapperde in de wind. Rechts was een parkeerterrein met tientallen hypermoderne auto's. Iemand was net een parkeerplaats opgereden, en er stapten leerlingen uit, van wie de meesten langzaam en met tegenzin naar de zij-ingang liepen.

'Er zijn hier niet meer dan een stuk of honderd leerlingen, als het er al zoveel zijn,' vertelde Wade. 'Het is een gewone high school, groep negen tot en met twaalf.'

'Heus? Alleen al mijn groep op de openbare school had bijna tachtig leerlingen.'

'Tja, dit is een bijzonder geval. Ik geloof dat de verhouding docent-leerling zoiets is als één op negen. Mijn vader heeft nooit begrepen hoe zo'n situatie tot meer persoonlijke aandacht kan leiden. Ik neem aan dat het zijn voor en tegen heeft. Als je een boer laat, weet de hele school het,' voegde hij er lachend aan toe.

We stopten op een lege parkeerplaats en stapten uit.

'Ondanks, of misschien juist dankzij de omvang van het gebouw, is dit echt een imponerende school. Ze hebben geen noemenswaardig basketbalteam en de school is te klein voor football, maar ze hebben topgolf- en tennisteams.'

'Ik heb geen van beide ooit gespeeld,' zei ik.

'O? Nou, we hebben een eigen tennisbaan, dus zal ik het je leren, al ben ik niet zo'n sportman. Mijn vader is een uitstekende tennisser, zelfs nu nog. Hij speelt graag tegen mij, om te bewijzen dat hij zijn jeugdige kracht nog niet heeft verloren.' We liepen de trap op naar de ingang. 'Ik heb hier eens een toneelopvoering bijgewoond, dus ik weet dat ze een goede toneelclub hebben. De dochter van een vriend van me speelde de hoofdrol. Dat was twee jaar geleden. Ze heeft eindexamen gedaan en gaat nu naar Vassar. De leerlingen die hier hun diploma hebben gehaald komen meestal op de beste universiteiten terecht.'

Hij deed de deur open. Ik haalde diep adem en liep de kleine maar luxueuze hal in. De goudgeel betegelde vloeren glommen, evenals de drie zwartmarmeren pilaren. Er stonden vitrinekasten van donker hout en glas, vol trofeeën, en aan alle muren hingen schilderijen van landelijke taferelen. Op de verste muur stond geëtst THE DICKINSON SCHOOL. Daaronder stond een buste op een zwartmarmeren piëdestal. Wade vertelde me dat de buste van Zachary Dickinson was, de oprichter van de school en de eerste weldoener. Zachary Dickinson was een zakenman die een vermogen had verdiend in de meubelindustrie. Toen we dichterbij kwamen en ik het beeld beter kon bekijken, vond ik dat hij op Bob Hope leek.

Er waren twee gangen, een aan de linkerkant en een aan de rechterkant. Boven de linkergang hing een bord met de mededeling dat zich hier de kantoren van de administratie bevonden. De stilte in het gebouw viel me op. Anders dan de scholen die ik had bezocht, leek deze verlaten. Zelfs als er les werd gegeven in de lokalen van mijn vroegere high school, liepen er leerlingen rond die lawaai maakten, naar elkaar schreeuwden, naar de wc gingen of zonder toestemming rondslenterden.

Aan het begin van de gang was links een deur met een vergulde plaat waarop stond te lezen HOOFDKANTOOR. Ik keek de rest van de gang af. Alle deuren van de lokalen en kantoren waren gesloten. Er liep niemand in de gang, en het was er even stil als in de hal. De muren waren kaal, zonder posters of borden, en de gang zag eruit of hij net geboend en gewreven was. Een reeks neonbuizen in het midden boven de gang wierp een geelwit licht op de muren en de vloer.

Voordat Wade zijn hand kon uitsteken naar de deurknop van het hoofdkantoor, hoorden we een andere deur opengaan. Een paar stemmen klonken aan het andere eind van de gang. Twee jongens kwamen binnen van het parkeerterrein. Ik kon zien dat een van hen dezelfde kleur haar had als ik, al zag het er in het geelwitte licht wat roder uit. Even verbeeldde ik me zelfs dat zijn haar in brand stond. De andere jongen had donker haar en was wat kleiner. Ze lachten om iets, bleven even staan om naar ons te kijken, en liepen toen een vertrek in.

Ik ging het kantoor binnen toen Wade de deur had geopend. In tegenstelling tot de kantoren in mijn oude school was het of ik in een bibliotheek kwam. De twee vrouwen die aan hun bureau achter de balie zaten te werken, spraken zachtjes met elkaar. Alles was even schoon en ordelijk; zelfs op het mededelingenbord links van ons waren de aankondigingen in perfecte rechte rijen opgeprikt. Er was niets te bekennen van het tumult en de drukte waaraan ik gewend was in het kantoor van een school.

Een van de vrouwen leek rond de zestig, de andere niet ouder dan een jaar of dertig. Ze keken allebei op toen we binnenkwamen. De oudste vrouw bleef achter haar bureau zitten, terwijl de jongste naar de balie liep.

'Waarmee kan ik u van dienst zijn?' vroeg ze met een glimlach naar mij.

'Ik ben Wade Emerson. Mijn vrouw en ik hebben met mevrouw Brentwood afgesproken dat we Celeste vanmorgen zouden inschrijven,' zei hij.

Toen pas drong het tot me door dat Ami me had willen voorstellen als haar nichtje. Per slot hadden zij en ik gisteravond samen het verhaal verzonnen. Maar zou het kantoorpersoneel niet op de hoogte zijn van de waarheid? vroeg ik me af.

'O. Een ogenblik,' zei de vrouw en keerde terug naar haar bureau om de telefoon op te nemen. Ze sprak net zo zacht als ze met haar collega had gesproken.

Bijna onmiddellijk ging het kantoor van de directeur open, en mevrouw Brentwood kwam tevoorschijn. Ze droeg een antracietkleurig mantelpak en een witte blouse en zag er even elegant en aantrekkelijk uit als toen ik haar gezien had in het restaurant.

'Meneer Emerson, hoe maakt u het. Komt u binnen, alstublieft.' Ze deed een stap opzij.

'Dank u,' zei Wade. Hij wachtte tot ik hem voor zou gaan.

'Hallo,' zei mevrouw Brentwood glimlachend. 'Jij bent dus Celeste.' Ze gaf me een hand.

'Goedemorgen,' zei ik. We gingen haar kantoor binnen.

Als ze Ami, mij en Wade de vorige avond in het restaurant had gezien, liet ze dat niet merken.

'Ik kreeg de indruk dat uw vrouw haar zou brengen,' zei ze tegen Wade, toen ze zag dat Ami er niet bij was.

'Ik ook,' zei hij op droge toon. 'Feitelijk komt dit wel goed uit. Het is op weg naar mijn werk.'

Ze trok haar wenkbrauwen op, glimlachte nog innemender en ging weer achter haar bureau zitten.

'Alstublieft,' zei ze, wijzend naar de stoelen die voor haar bureau stonden.

Ik ging zitten, en Wade ook.

'Laat ik beginnen met je officieel en informeel welkom te heten, Celeste,' zei ze tegen mij. 'Ik ben onder de indruk van je schoolrapport. Het is prettig een goede leerling erbij te krijgen, en ik zie dat je verleden jaar ook een opstelwedstrijd van je school hebt gewonnen.'

'Weet u dat al allemaal?' vroeg ik.

'O, ja. Dat heeft mevrouw Emerson vorige week doorgegeven.'

'Vorige week? Maar hoe –' Ik klemde mijn lippen op elkaar en keek naar Wade, die even naar mij en toen weer naar mevrouw Brentwood keek.

'Ik hoop alleen dat je niet zoveel verder bent dan de andere leerlingen, dat je je gaat vervelen en ongeduldig wordt. Alle docenten zijn overigens op de hoogte van je komst, en ze willen je allemaal graag leren kennen. Hier is je lesrooster.' Ze overhandigde me een kaart. 'Ik zal je rondleiden om je vertrouwd te maken met het gebouw. Je zult merken dat dat in enkele minuten gebeurd is,' ging ze verder, met een glinstering in haar ogen. 'Onze school is waarschijnlijk niet meer dan een derde van je vorige school, maar we houden het graag gezellig.'

'Hebt u alle telefoonnummers en alle informatie die u nodig hebt?' vroeg Wade.

'Ja, die hebben we.' Ze keek naar een dossier dat opengeslagen op haar bureau lag. 'Inclusief de data van haar inentingen. Heel volledig. Alles staat hierin,' voegde ze er nadrukkelijk aan toe. 'Dit is een boekje over de Dickinson School, Celeste,' ging ze verder, en overhandigde me een in goud en blauw gebonden brochure. 'Dat zijn trouwens de kleuren van onze school. Het boekje vermeldt onze geschiedenis, verklaart ons beleid, onze regels. Er is ook een lijst van de keuzevakken voor de ouderejaars, en dat is in feite de enige beslissing die je dient te maken ten aanzien van je officiële lesrooster. Het vijfde lesuur is facultatief en je kunt kiezen uit kunstgeschiedenis, toneelvoordracht, of creatief schrijven en journalistiek. Die klas maakt de schoolkrant. Ben je in iets daarvan geïnteresseerd?'

'Creatief schrijven en journalistiek, denk ik.'

'Ja, natuurlijk. Je hebt die opstelwedstrijd gewonnen. Prachtig. Meneer Feldman zal heel blij zijn. Hij heeft meer strijders nodig voor zijn troepen. Goed dan,' ging ze verder, en pakte een andere brochure van haar bureau. 'Dit is voor de ouders, meneer Emerson. Daarin staan de schoolactiviteiten, de open-huisdagen, evenementen die we hopen dat de ouders zullen bijwonen. We zijn nogal trots op de steun van de ouders voor onze school.'

Wade pakte het aan, keek er even naar en knikte.

'Natuurlijk. We zullen doen wat we kunnen.'

'Mooi.' Ze keek op haar horloge. 'We hebben nog tien minuten voordat de lessen beginnen. Alle leerlingen zijn in hun eigen lokaal. Jij hebt lokaal twaalf, de laatstejaars. We gaan meteen aan de slag. Ik zal je rondleiden. Wilt u ons vergezellen, meneer Emerson?'

'Ik denk dat ik beter naar mijn werk kan gaan. Ik geloof dat ik haar in goede handen achterlaat.'

'Daar kunt u van op aan,' zei mevrouw Brentwood. 'En als u nog vragen hebt, kunt u of mevrouw Emerson me altijd bellen.'

'Dat zullen we doen,' zei Wade. Hij liep langs ons heen naar de deur en draaide zich toen weer naar me om. 'Veel succes, Celeste. Maar ik denk niet dat je mijn aanmoediging nodig zult hebben.' Met die woorden ging hij weg.

Even voelde ik me in de steek gelaten. Het was maar een voorbijgaand gevoel, maar het sneed door me heen als een scherp mes door een zachte cake. Ik bungelde ergens in het luchtledige. Ik voelde me niet alleen als een vis op het droge, maar als een vis die geen idee had waar ze eigenlijk thuishoorde. Wie waren deze mensen? In wat voor wereld was ik terechtgekomen? Hoe zou ik daar ooit kunnen thuishoren en me op mijn gemak voelen?

'Zo, Celeste,' zei mevrouw Brentwood. Haar stem klonk plotseling strenger, harder. Ik draaide me een beetje verbaasd om. 'Jij en ik gaan nu over tot wat ik mijn Kom-tot-Jezus-samenkomst noem. We hebben tijd genoeg. Ga weer zitten,' beval ze. Haar ogen waren niet langer zachtblauw, maar kil grijs.

Ik ging zitten en wachtte terwijl zij naar het raam liep, het rolgordijn dichttrok en zich toen weer naar mij omdraaide.

'Ik ben blij te zien dat je zulke goede cijfers hebt behaald op je openbare school,' begon ze. Ze sprak het woord *openbare* uit of het haar tong vervuilde. 'Maar ik ben me er ook van bewust dat goede cijfers soms worden gegeven uit welwillendheid of omdat het de gemakkelijkste manier is. Ik weet hoe gestrest de leerkrachten op onze openbare scholen zijn, hoe ze onder druk staan en alle problemen proberen te vermijden.'

'Ik heb mijn cijfers met hard werken verdiend. Niemand heeft me ooit een voldoende gegeven die ik niet verdiend had,' antwoordde ik. 'Praktisch mijn hele leven heb ik nooit iemand gehad die me verdedigde of voor me opkwam als ik onrechtvaardig behandeld werd, mevrouw Brentwood. Mijn docenten waren niet bang voor een probleem.'

Haar ogen werden feller en smaller, maar haar lippen bleven strak.

'Ja, dat kan wel waar zijn, maar ik ben me ook heel goed bewust dat kinderen zonder ouders, zonder huiselijk leven, anderen kunnen besmetten die dat wél hebben,' zei ze.

Ik voelde me of ze me over het bureau heen een klap in mijn gezicht had gegeven. Ik kromp ineen en dook weg in mijn stoel.

'Ze hebben me heel wat dingen genoemd, mevrouw Brentwood, maar nooit een besmettelijke ziekte.'

'Ik beschuldig je nergens van en wat ik zeg is niet speciaal op jou gemunt. Ik beoordeel mensen niet naar hun uiterlijke verschijning. Ik wacht tot ze me tonen wie en wat ze zijn door hun gedrag. Ik wil je alleen attent maken op mijn grote verantwoordelijkheid hier. Het welzijn van de leerlingen als geheel gaat boven alles. Dat heb ik beloofd aan de ouders die me het welzijn van hun kinderen hebben toevertrouwd en die veel geld betalen voor deze extra liefdevolle aandacht.'

Te oordelen naar de manier waarop ze sprak, kon ik me niet voorstellen dat die aandacht erg liefdevol was.

'Nooit zal een individuele leerling belangrijker zijn dan dat, hoe rijk zijn of haar weldoener ook is,' zei ze nadrukkelijk.

Ze schraapte haar keel en haar stramme houding ontspande enigszins.

'Goed. Je begint hier onder de dekmantel van een bedrog waarmee ik heb ingestemd, omdat je pleegmoeder zo bezorgd is voor je welzijn en je opname in de familie van de Dickinson School. Ik heb haar verzekerd dat er geen reden was voor haar angst, maar ze maakte zich serieus ongerust en smeekte me het verzinsel niet tegen te spreken.'

'Het verzinsel?'

'Hoor eens, privézaken zijn privézaken. Dit is geen kantoor van een van die openbare scholen waar dingen uitlekken via het roddelcircuit. Wij dulden geen geroddel en als iemand van mijn personeel zich daaraan schuldig maakt volgt onmiddellijk ontslag.

'Kortom, wat jij je medeleerlingen vertelt is jouw zaak, zolang niemand anders er schade van ondervindt. Ik heb er geen probleem mee dat je mevrouw Emersons nichtje bent, als zij zich daarbij meer op haar gemak voelt. Ik heb je pleegmoeder die belofte gedaan, en beloof het nu ook jou, maar ik moet die voorwaarde eraan verbinden, Celeste. Doe niets wat de Dickinson School schade, gebrek aan respect of slechte publiciteit kan opleveren. Heb je me goed begrepen?'

'Ja, mevrouw,' zei ik. Ik hield mijn ogen op haar gericht zoals ik ze vroeger, toen ik veel jonger was, op volwassenen gericht hield, ook al duizelde het me. Hoe kon Ami dit vóór gisteravond hebben afgesproken? Ze had kennelijk ons hele spontane bedenksel al lang van tevoren gepland.

Mevrouw Brentwood leek zich onbehaaglijk te voelen onder mijn strakke blik en stond op. Ze liep om het bureau heen naar de deur.

'Volg me,' beval ze, opende de deur van het kantoor en liep naar buiten.

De twee vrouwen achter de balie keken op, maar richtten hun ogen onmiddellijk weer op hun werk toen we de gang opliepen.

'Onze school is klein genoeg om de taken van counselors, directeuren en decanen op openbare scholen op me te kunnen nemen,' begon ze toen we door de gang liepen. 'Als je enige problemen of vragen hebt, kun je een afspraak maken om mij te spreken, waar het ook over gaat.

'Dit,' ging ze verder, terwijl ze bij een deur bleef staan, 'is ons natuur- en scheikundelokaal.' Ze deed de deur open. Een kale man in een laboratoriumjas, met wat grijs pluishaar rond zijn oren, keek op van zijn lessenaar, die hoger stond dan de lessenaars van de leerlingen. Hij zette zijn bril recht op zijn neus en temperde de vlam van een bunsenbrander.

'Goedemorgen, meneer Samuels. Dit is Celeste Atwell, de nieuwe leerlinge. U hebt haar papieren eind vorige week ontvangen. U zult zich herinneren dat ze uw scheikundelessen in het derde uur zal volgen.'

'Ja, natuurlijk. Ik heb gezien dat je al scheikunde had op je oude school. Ik hoop dat we er niet voor onderdoen,' zei hij.

Ik voelde dat mevrouw Brentwoods haren overeind gingen staan.

'Daar twijfel ik geen moment aan, meneer Samuels,' zei ik. 'Mijn klas was zo groot, dat we de handleidingen om de beurt moesten raadplegen.'

'Hm, ja, welkom op Dickinson, Celeste,' zei hij glimlachend. Zijn ronde wangen bolden.

'Dank u,' zei ik.

'Ik geef haar een heel snelle rondleiding,' zei mevrouw Brentwood. Ze liep achteruit en deed de deur dicht. 'Meneer Samuels is al twaalf jaar bij ons. Hij heeft een belangrijk essay geschreven over genetica, dat gepubliceerd is in een vooraanstaand wetenschappelijk blad. Hij sponsort ook de natuurwetenschapsclub na schooltijd, voor het geval het je interesseert,' ging ze verder. Ze hamerde haar woorden als spijkers van trots in mijn hoofd.

'Dit is het lokaal van groep negen,' zei ze, met een knikje naar lokaal 9.

'En het tiende, elfde, en jouw lokaal,' ging ze verder, maar ze bleef niet staan.

We liepen de gang door naar de kantine, die nog niet half zo groot was als die op mijn oude school, maar veel mooiere meubels had en er veel schoner uitzag. Twee oudere dames en een jonge vrouw waren druk bezig met het menu van de dag.

'Je hoeft niets te betalen, dus er is geen caissière,' legde mevrouw Brentwood uit. 'Dat is allemaal inbegrepen in het schoolgeld. We vragen jullie alleen om de boel op te ruimen en geen eten te verspillen.'

We liepen verder naar de sportzaal, die, hoewel hij kleiner was dan die van mijn vorige school, ook een stuk schoner was en er nieuwer uitzag; zelfs de banken leken comfortabeler. De sportlerares van de meisjes was bezig een volleybalnet te spannen.

'Goedemorgen, mevrouw Grossbard,' riep mevrouw Brentwood. Haar stem weergalmde door de zaal.

Mevrouw Grossbard, die klein en gedrongen was voor een sportlerares, draaide zich om. Ze had heel dun, kortgeknipt lichtbruin haar en droeg een uniform in de kleuren van de school.

'Dit is Celeste Atwell.'

'O, ja. Hoe is je golf?' vroeg ze onmiddellijk. 'Ik heb nog een plaatsje voor je in het team.'

'Ik heb het nog nooit gespeeld,' antwoordde ik.

Ze keek verstomd.

'Misschien is ze een natuurtalent,' opperde mevrouw Brentwood.

'Neem haar eens een test af.'

'Ja. Natuurlijk. Ja,' zei mevrouw Grossbard, maar het klonk niet erg enthousiast. Ze ging weer terug naar haar volleybalnet, en wij liepen door. Ik keek door de achterdeuren naar buiten, naar de balvelden, de tennisbanen en een golfbaan. Aan de voorkant van het gebouw was daar niets van te zien, en het verbaasde me dat het terrein van de school zo groot was en zo goed onderhouden.

'De tennisbanen waren een geschenk van een van onze anonieme weldoeners,' merkte mevrouw Brentwood op.

De gang voerde verder naar nog meer klaslokalen en de bibliotheek. Een lange, donkerharige man was aan het werk bij een archiefkast.

'Dit is meneer Monk, onze bibliothecaris,' zei ze, en hij draaide zich naar ons om. 'Onze nieuwe leerlinge, Celeste Atwell.'

'Welkom,' zei hij. 'Ik zal je een overzicht geven van je studie hier. We hebben zes computers en twintigduizend boeken,' zei hij trots. 'Studenten van de plaatselijke universiteit komen hier vaak research doen. Natuurlijk met schriftelijke toestemming,' ging hij verder met een knikje naar mevrouw Brentwood.

Ze knikte zwijgend, en hij ging verder met zijn dossiers alsof hij een hersenoperatie uitvoerde en geen seconde van zijn aandacht kon verspillen.

'Dank u,' zei ik, en we liepen terug naar de hal en naar haar kantoor, waar ze bleef staan.

'Ik denk dat je je weg nu wel kunt vinden. Je kunt nu naar jouw lokaal gaan. Je hebt nog drie minuten, en je docent, meneer Hersh, die tevens je wiskundeleraar is, zal je inschrijven in zijn boeken. Veel succes en welkom,' zei ze. Haar aantrekkelijke glimlach en zachte blik keerden terug.

Ik dacht aan een hert in het bos, en hoe goed het dier in zijn omgeving kon opgaan, zodat het bijna onzichtbaar werd. Als een kameleon kon ze van kleur wisselen, maar in haar geval waren het stemmingen, momenten, precies zoals het uitkwam. Misschien was dat de deskundigheid van een succesvolle bestuurder, een politicus. Ze liet merken dat ze alles kon zijn voor alle mensen. Stel haar tevreden, en ze was mevrouw Minzaamheid. Dwarsboom haar, en ze was mevrouw Scherprechter.

'Dank u,' zei ik, en liep door de gang naar mijn klaslokaal. Ook al had ze de tijd genomen om me een rondleiding te geven door het gebouw, een preek te houden vol versluierde dreigementen, en had ze me aan een paar docenten voorgesteld, toch had ik het gevoel dat ik onvoorbereid in het diepe werd gegooid. Op mijn oude school zorgde het leerlingenbestand in ieder geval voor wat we noemden Big Brothers en Big Sisters, die de nieuwe leerlingen op z'n minst met de omgeving lieten kennismaken en ze voorstelden aan andere leerlingen. Ze hadden iemand om mee te praten, zodat ze zich niet te veel alleen en verloren voelden. Ik denk dat iedereen hier verondersteld wordt onafhankelijk te zijn en wereldwijs genoeg om daar geen last van te hebben, dacht ik. Bovendien, wat had ik voor keus?

In weerwil van wat me verteld was over de omvang van het leerlingenbestand, was ik verbaasd dat er niet meer dan ongeveer achttien leerlingen waren in de hoogste klas. Alle ogen werden op mij gericht zodra ik de deur opendeed en binnenkwam. De roodharige jongen die ik in de gang had gezien, zat op de eerste rij, onderuitgezakt, zijn lange benen gestrekt onder de bank, zodat zijn zwarte sportschoenen aan de voorkant tevoorschijn kwamen. Hij had sproeten op zijn jukbeenderen en een kuiltje in zijn linkerwang. Zijn felblauwe ogen en oranje getinte lippen gaven hem een kleurrijk gezicht. Hij glimlachte schelms, alsof hij alles over me wist.

Naast hem zat een, vond ik, veel interessantere en knappere donkerharige jongen, wiens donkere ogen gevoeligheid en intelligentie verrieden. Hij zat rechtop, krachtiger, en zag er, zonder arrogant te lijken, atletischer en zelfverzekerder uit. Hij keek me even strak aan, toen verzachtten zijn lippen en keek hij weer naar de docent.

Ik keek naar de rest van de klas en zag dat de meisjes net zoveel belangstelling voor me hadden en even nieuwsgierig naar me waren als de jongens. Eén meisje in het bijzonder, een aantrekkelijke brunette met lichtbruine ogen, keek een beetje ontsteld toen ik mijn entree maakte. Het was alsof ik iets had onderbroken dat ze zei of deed. Ze keek naar de donkerharige jongen en toen weer naar mij, terwijl ik naar voren liep, naar de lessenaar van meneer Hersh. Hij stond met zijn handen op zijn heupen en had zijn jasje losgeknoopt. Hij leek in de vijftig, had zwart met grijs doorstreept krulhaar en blauwgrijze ogen. Ik had het idee dat hij bezig was de groep een uitbrander te geven. Hij richtte zich snel op en keek naar mij.

'Welkom,' zei hij. 'Klas, dit is Celeste Atwell, die vanmorgen is ingeschreven.' Ik wachtte terwijl hij iets in zijn register noteerde. Toen keek hij weer op en glimlachte. 'Neem die lege schoolbank maar aan het eind van de eerste rij, Celeste. Ik was bijna klaar met mijn aankondigingen voor vandaag, en we hebben nog maar een minuut of zo voordat de bel gaat voor het eerste lesuur.'

'Dank u,' zei ik.

'Wat een beleefdheid,' zei de roodharige jongen hatelijk. Sommige jongens lachten, maar niet de donkerharige jongen naast hem. Hij schudde slechts zijn hoofd.

Ik liep het lokaal door, over het middenpad. Toen ik langs de aantrekkelijke brunette kwam, bekeek ik haar belangstellend, omdat ze me zo aanstaarde. Maar ze beantwoordde mijn glimlach niet. Zodra ik zat, ging meneer Hersh verder.

'Zoals ik al zei, heeft mevrouw Brentwood me gevraagd jullie erop te wijzen dat iemand onachtzaam is geweest met het weggooien van handdoeken in de afvalemmer in het meisjestoilet hier in de gang. Als iemand een papieren handdoek op de grond ziet liggen, moet ze die in de afvalemmer gooien.'

'Jakkes,' kermde een klein meisje met lichtbruin haar. 'Wie wil nou andermans vuil oprapen?'

De meisjes om haar heen knikten instemmend.

'Waarom kunnen meiden niet net zo netjes zijn als wij, jongens?' riep de roodharige jongen. De andere jongens juichten.

'Jij veegt je handen niet af aan handdoeken, Waverly. Jij veegt ze af aan je broek,' antwoordde het meisje met het lichtbruine haar. Gejuich en gesis. 'Oké, zo is het genoeg,' zei meneer Hersh krachtdadig. De leerlingen kalmeerden ogenblikkelijk. 'Jullie brengen het grootste deel van de dag door in dit gebouw. Je hoort je hier te gedragen zoals je je thuis gedraagt.'

'Dat is nou juist het probleem,' riep een andere jongen, en er werd opnieuw gelachen.

'Als dit zo doorgaat,' zei meneer Hersh vastberaden, 'vinden jullie straks helemaal geen handdoeken meer in de toiletten. Dan moeten jullie allemaal je handen afvegen aan je kleren, en omdat sommige van die kleren nogal kostbaar zijn, zou ik er maar eens goed over nadenken, meisjes.'

Als dat het grootste probleem hier is, dacht ik, dan zal dit inderdaad een heel nieuwe ervaring zijn. Het meisjestoilet in mijn school stonk altijd naar rook, overal op de grond lagen verfrommelde papieren handdoeken, op de muren en spiegels was graffiti gekalkt, en de wc's lagen vaak vol sigarettenpeuken, snoeppapiertjes en zelfs tampons.

De bel ging en iedereen stond op. De donkerharige jongen keek even naar mij en liep toen de klas uit. De aantrekkelijke brunette kwam naar me toe.

'Ik ben Germaine Osterhout,' zei ze. 'Ik ben de klassenvertegenwoordigster. Welkom op Dickinson.'

'Dank je,' zei ik, maar nog voordat ik was uitgesproken, had ze zich al omgedraaid en liep weg.

'Dat is meer dan mij ten deel viel toen ik voor het eerst hier op school kwam,' zei een heel lang meisje met lang, steil bruin haar. 'Het duurde weken voordat iemand hallo zei of zich zelfs maar van mijn bestaan bewust was.'

Ik staarde haar even aan, en ze begon te lachen.

'Kom, malle, ik maak maar gekheid.' Ze pakte mijn arm en trok me mee achter de anderen aan. 'Ik ben Lynette Firestone. Mijn moeder en je nicht zijn goede vriendinnen.'

'O?'

Ami had haar naam niet genoemd, maar ze had nooit iemand bij naam genoemd, en wat nog verbluffender was, ze had niet gezegd dat ze ons verzinsel al aan iemand anders verteld had.

Lynette bleef even staan en draaide zich in de gang naar me om.

Ik merkte dat ongeveer iedereen die langskwam me belangstellend opnam.

'Ik vind het heel erg van je ouders. Gelukkig maar dat je niet een stuk jonger was toen het gebeurde. Het is echt heel aardig van je nicht om je bij haar in huis te nemen, ook al geeft het je het gevoel dat je een vluchteling bent.'

'Sorry? Een vluchteling?'

'Geintje. Het is aardig van haar om voor je te zorgen, en aardig van mij om aan te bieden je te helpen geacclimatiseerd te raken.'

Ze had een brede mond, waarvan de hoeken omlaag hingen, alsof de spieren rond haar lippen verslapt waren van vermoeidheid. Haar donkere ogen waren iets te groot voor haar smalle gezicht, en haar neus was arrogant en leek recentelijk gecorrigeerd door een plastisch chirurg. Ze had een goed figuur, maar was niet knap genoeg om model te worden. Haar lengte, zo te zien minstens een meter tachtig, moest een nadeel zijn ten opzichte van de rest van haar, dacht ik.

'Je zou weleens dankjewel kunnen zeggen,' ging ze ironisch verder toen ik niets zei.

'Wát?' Precies wat ik nodig had, iemand die me eraan herinnerde wanneer ik dankjewel moest zeggen, dacht ik.

'Niks,' zei ze glimlachend. 'Grapje. Bijna niemand hier zegt ooit dankjewel. En niemand verontschuldigt zich voor iets, dus dat hoef je niet te verwachten.'

'Dat doe ik niet. Ik verwacht nooit iets van iemand. Als er dan iets goeds gebeurt, is dat een prettige verrassing.'

Ze glimlachte.

'Feitelijk heeft mijn moeder me met mijn hand op de bijbel laten zweren dat ik je vriendin zou worden. Dat had ze je nicht beloofd.'

'O, pieker daar maar niet over,' zei ik, en raadpleegde mijn lesrooster om te weten naar welk lokaal ik moest voor mijn volgende lesuur. 'Ik verwacht niet hier vrienden te maken.'

'Hè?' zei ze. Haar mond viel open van verbazing.

'Ik maak maar gekheid,' zei ik, en liep door.

'Goed zo,' hoorde ik een stem rechts van me. Ik keek op en zag dat de jongen met het donkere haar naar me glimlachte en toen doorliep naar hetzelfde klaslokaal. Ik had geen idee dat hij naast ons had gestaan en ons gesprek had afgeluisterd.

Het bleek dat hij schuin tegenover me zat. Het was de economieles van meneer Franks, een kwieke man van in de veertig, met voortijdig grijs haar, wiens energie en levendigheid erop gericht waren enthousiasme en belangstelling te wekken bij zijn leerlingen. Soms leek het of hij de achterkant van de klas onderwees, een denkbeeldige, perfecte groep leerlingen. Ik moest heimelijk lachen om de manier waarop hij een vraag stelde en dan, in de verwachting toch geen antwoord te zullen krijgen, die zelf beantwoordde, alsof iemand in de klas dat had gedaan. Ik kon zien dat de donkerharige jongen zich net zo amuseerde als ik.

'Hallo,' zei hij toen de bel aan het eind van de les ging. 'Ik ben wel niet de klassenvertegenwoordiger, maar welkom op Dickinson.'

'Dank je,' zei ik, en legde toen snel mijn hand voor mijn mond. 'Oeps. Dat wilde ik niet zeggen.'

Hij lachte.

'Ik ben Trevor Foley. Geloof geen woord van wat Lynette je vertelt,' waarschuwde hij. 'Ze is een pathologische leugenaarster en het minst populaire meisje van school. Als iemand je een slechte start wilde geven bij de leerlingen van Dickinson, zou hij je aanraden vriendschap te sluiten met Lynette.

'Doe het rustig aan en doe wat iedereen hier doet: eerst de etalages bekijken voor je koopt.'

'Doe jij dat ook?'

'Natuurlijk. En het bevalt me uitstekend wat ik zie,' zei hij glimlachend, en liep door.

Iets in hem deed me denken aan Noble. Was het de manier waarop hij naar de mensen keek? De manier waarop hij glimlachte? Het mysterie in zijn ogen? Of was de wens de vader van de gedachte?

Per slot vreesde ik niets zo erg als alleen zijn. En iets zei me dat dat hier net zo gemakkelijk kon gebeuren als overal elders.

9. Het kind van mijn moeder

Ami stond aan het eind van de schooldag op me te wachten, maar in weerwil van Wades voorspelling, maakte ze geen excuses. Integendeel, ze was kwaad. Ze stond naast haar sportauto te zwaaien toen ik naar buiten kwam. Trevor liep naast me. We hadden het grootste deel van de dag samen doorgebracht. Hij had naast me gezeten tijdens de lunch, had me voorgesteld aan andere leerlingen, en me advies gegeven over sommigen van hen en sommige docenten. Waverly, die kennelijk de clown van de klas was, plaagde hem genadeloos met mij.

'Eindelijk een meisje gevonden dat tijd voor je heeft, hè, Trevor? Wacht maar tot morgen,' waarschuwde hij lachend. 'Als ze erachter komt dat je net een geslachtsziekte achter de rug hebt.'

'Hou je kop, idioot,' zei Trevor, die hem niet de voldoening wilde geven om nijdig te worden.

Ik kon zien dat Lynette zich ergerde omdat ik niet was ingegaan op haar aanbod tot vriendschap. Ze probeerde me zover te krijgen dat ik tijdens de lunch bij haar kwam zitten en was verbaasd en teleurgesteld toen ze zag dat ik in gezelschap van Trevor was.

'Ik probeer alleen maar vriendelijk te zijn,' snibde ze, maar de tranen leken niet ver weg.

Ik nodigde haar uit zich bij ons aan te sluiten. Ze dacht er even over na, maar koos toen voor twee andere meisjes die minstens twintig pond te zwaar waren en haar minachting voor de andere leerlingen deelden. Met elkaar vormden ze een goed voorbeeld van: *Misery Loves Company*. Narigheid houdt van gezelschap.

'Celeste!' riep Ami, al wist ze dat ik haar had gezien. 'Schiet op, we moeten een paar dingen doen en het is al laat.'

Ik keek naar Trevor.

'Bedankt dat je zoveel tijd aan me hebt besteed,' zei ik.

'Weer een bedankje? Sorry, ik kan er nu niets aan doen; ik zal het morgen rapporteren,' zei hij schertsend.

Lachend wilde ik weglopen.

'Hé,' zei hij. Hij haalde me in en pakte mijn arm om me weer naar zich toe te draaien. 'Serieus, als je vragen mocht hebben over het werk, dit is mijn nummer.' Hij overhandigde me een kaartje. 'We hebben allemaal kaartjes,' voegde hij eraan toe toen hij mijn verbazing zag. 'Dat is de gewoonte hier. Goed voor je prestige.'

'Bed... laat maar.' Ik zweeg bijtijds en stopte het kaartje in mijn tas.

'Hé, dat is niet eerlijk. Als je mij jouw nummer eens gaf?'

'Ik heb geen kaartje,' zei ik.

'Maar je hebt wél een telefoonnummer.'

Ik lachte en vertelde het hem.

'Tot kijk,' zei hij en liep naar zijn auto. Ik keek hem even na en liep toen haastig naar Ami, die hem ook nakeek.

'Is dat Trevor Foley?' vroeg ze.

'Ja.'

'Heb je nu al vriendschap met hem gesloten?' vroeg ze. Ze leek eerder teleurgesteld dan geïmponeerd.

'Ik geloof dat het eerder andersom was,' antwoordde ik. 'Waarom? Ken je hem?'

'Ik weet wie de Foleys zijn. Zijn vader is autodealer en heeft meer dan tien vestigingen tussen hier en New York City.'

Ze keek even peinzend voor zich uit en glimlachte toen.

'Ik wist wel dat je hier geen problemen zou hebben,' zei ze. 'Stap in. Ik heb thuis een verrassing voor je.'

'Een verrassing?'

'Ja. Je moet even geduld hebben. Wade heeft gebeld,' ging ze verder. Haar woede laaide op toen ze instapte en de motor startte, 'om me uit te foeteren dat ik vanmorgen niet vroeg genoeg op was om je te laten inschrijven. Mocht wat. Hadden we ook morgen kunnen doen.'

Ik moest even in mezelf lachen. Hoe kwam het dat hij haar zo goed kende en toch helemaal niet kende?

'Toe nou. Blijf daar niet als een houten klaas zitten. Vertel eens over je eerste dag. Bevalt de school je, vind je je docenten aardig? Heb je nog andere jongens leren kennen behalve Trevor Foley?' Ze vuurde haar vragen snel op me af. Maar het antwoord op al haar vragen was een simpel ja.

'En de andere meisjes?' ging ze verder. 'O, ik weet dat ze in het begin heel hooghartig kunnen zijn. Ze willen weten wat voor vlees ze in de kuip hebben voor ze bereid zijn vriendschap te sluiten, maar daar zullen we zo gauw mogelijk iets aan doen.

'O, heb je Lynette Firestone ontmoet?' vroeg ze.

Ik moest lachen omdat ze opgewondener was over mijn eerste schooldag dan ikzelf.

'Ja,' zei ik. 'Ze stelde zich meteen voor.' Ik herinnerde me alles wat ze gezegd had. 'Hoe kon ze zo gauw weten wat ons verzinsel was? Ik dacht dat jij en ik gisteravond de details daarvan hadden besproken,' zei ik nieuwsgierig. 'Mevrouw Brentwood wist ook al wat je de mensen zou gaan vertellen.'

'O, ik had al wat ideeën in hun hoofd geplant en die hebben wij samen uitgewerkt.' Ze maakte een gebaar alsof het antwoord niet belangrijk was. 'Feitelijk had ik het eerst uitgeprobeerd op Lynettes moeder om te zien hoe het balletje zou rollen. Soms lunchen we samen. Lynette zou een aardige vriendin voor je zijn,' ging ze verder. Ze glimlachte. 'Ik ben zo blij dat je een goed begin hebt gemaakt.'

Vervolgens vertelde ze me over diverse liefdadigheidsevenementen die op komst waren, winkeltochten die ze voor ons gepland had in New York City, en een paar ideeën voor de vakantie.

'Als ik Wade tenminste ooit zover kan krijgen om met vakantie te gaan,' voegde ze eraan toe. 'Maar nu jij bij ons bent, zal hij wel moeten.'

We bleven staan bij het hek, en toen zei ze: 'Doe je ogen dicht.'

'Waarom?'

'De verrassing.'

Ik lachte en deed wat ze vroeg. We reden naar binnen.

'Nog niet,' zei ze. 'Nog niet. Oké,' toen we stopten. 'Nu.'

Ik deed mijn ogen open. Er stond een auto voor de deur met een man achter het stuur. Op de zijkanten van de auto stond SAFETY FIRST AUTORIJSCHOOL.

'Je eerste les,' kirde Ami. 'Hij komt twee weken lang elke dag, tot hij vindt dat je je rijexamen kunt afleggen. Je ziet, ik kom mijn beloftes na. Toe dan. Hij wacht op je, malle.'

Ik bleef zitten en staarde dom voor me uit.

'Nu?'

'Natuurlijk nu. Welke tiener kan nou niet rijden? Toe dan,' drong ze aan. Ze duwde me bijna de auto uit. Ik breng je boeken wel voor je naar binnen en leg ze in je kamer. Schiet op. Laat hem niet zo lang wachten. Hij wordt per uur betaald en je weet hoe Wade over geld denkt.'

Kleren, sieraden, een nieuw kapsel en make-up, een particuliere school, rijlessen, en dat alles in een tijdsbestek van een paar dagen. Eindelijk heb ik geluk.

Mijn eerste rijles ging goed. De instructeur was aardig, maar leek haast een robot, herhaalde met monotone stem instructies, verkeersregels en kritiek. Ik dacht al dat hij tot de conclusie was gekomen dat ik een onverbeterlijke stoethaspel was, maar toen we teruggingen naar huis vertelde hij me dat ik het uitzonderlijk goed had gedaan voor iemand die geen enkele rijervaring had.

'En in tegenstelling tot andere tienerleerlingen luisterde je en beschouwde je de auto niet als een nieuw stuk speelgoed.'

Ik bedankte hem en ging via de garage naar binnen, omdat de deur nog openstond. Mevrouw McAlister werkte in een razend tempo in de keuken om het avondeten te bereiden. Ze keek nauwelijks op toen ik langsliep. Mevrouw Cukor zag ik niet, wat me niet teleurstelde. Ik holde de trap op, met het plan meteen aan mijn huiswerk te beginnen. Ik was niet in paniek, maar ik realiseerde me dat ik in alle vakken achter was. In gedachten zag ik het gezicht van mevrouw Brentwood en hoorde ik haar opmerkingen over mijn goede cijfers op de openbare school. Als ik het hier slecht deed, zou ze zich beslist gerechtvaardigd voelen, en zou ik het elke keer dat ik naar haar keek in haar ogen zien.

Toen ik bij mijn kamer kwam, zag ik dat het bosje knoflook van mijn deurknop verdwenen was. Misschien had Wade met mevrouw Cukor gesproken, dacht ik. Ik ging naar binnen, verkleedde me en begon aan mijn huiswerk. Nog geen tien minuten later werd er op de deur geklopt en kwam Ami binnen.

'Sorry, ik was aan de telefoon. Hoe ging je eerste rijles?'

'Goed, geloof ik. Hij leek tevreden.'

'Mooi.' Ze aarzelde even en zei toen: 'Er was telefoon voor je. Je telefoon bleef maar overgaan, dus heb ik maar voor je opgenomen.'

'Telefoon?'

'Trevor Foley.' Ze keek een beetje zuur. 'Je bent wel erg vlug geweest met het geven van je telefoonnummer, hè? Ik had je aangeraden daar heel selectief mee te zijn.

Ik bedoel, je kent die jongen nauwelijks, en het is een geheim nummer, om niet door elke Tom, Dick en Trevor gestoord te worden.'

'O,' zei ik. Ik had er niet aan gedacht dat het zoiets belangrijks en geheims zou zijn. Ik had nooit een eigen telefoon gehad, en vond het heel opwindend om iemand mijn nummer te kunnen geven.

'Ik wil niet zo gauw al kritiek op je hebben, Celeste, maar ik wil zorgen voor je welzijn en je laten profiteren van mijn jarenlange ervaring, vooral als het op mannen aankomt. Jongens,' voegde ze eraan toe.

'Ik weet het. Het spijt me.'

'Wat er gebeurt is dat je het aan één jongen geeft, en hij geeft het aan een ander en weer aan een ander, en voor je het weet, bellen ze je allemaal op en zeggen stupide dingen om je in bed te krijgen. Je moet vanaf het begin begrijpen dat de reden dat ze je bellen, met je praten, aardig zijn, zuiver en alleen is om seks met je te hebben. Dat is hun natuur. Ze kunnen er niets aan doen.'

Ze liep verder de kamer in en ging op mijn bed zitten.

'Misschien moet ik je eerst een lesje geven over jongens. Ik weet hoe geïsoleerd je bent geweest van de buitenwereld. Die nonnen hebben de bijbel om je heen gewikkeld, muren opgetrokken tussen jou en jongens.'

'Nou, niet helemaal,' zei ik. 'Zo hoog was die muur niet.'

'Hoog genoeg,' zei ze bits. 'Zodra de hormonen van een jongen zich ontwikkelen, nemen ze het volledig over. Je kunt het zien aan de manier waarop jongens naar je kijken, als je goed oplet. Ze kijken dwars door je kleren heen, fantaseren over je borsten, je buik, tussen je benen, alles. In gedachten hebben ze voortdurend seks met je, tot hun tong uit hun mond hangt.'

Ik hoorde de verbitterde klank in haar stem. Ze zag het en glimlachte.

'Ik wil ze niet zo afschrikwekkend voorstellen. Ik wil alleen dat je op je hoede bent. Mijn moeder zei altijd: Haastige spoed is zelden goed. En met reden. Zoveel meisjes die jonger zijn dan jij verwoesten hun leven voor een paar ogenblikken fysiek genot. Ze verliezen hun reputatie en ten slotte hun zelfrespect. Ze worden cynisch en depressief en gaan zichzelf of de mensen om hen heen haten. En veel van die meisjes worden geestesziek. Ja, dat is zo, Celeste. Jij hebt een heel moeilijke jeugd moeten overwinnen, en kijk eens hoe ver je nu bent. Ik zou mezelf haten als ik jou iets zou laten overkomen. Dat begrijp je toch, hè?'

'Ja, natuurlijk,' zei ik.

'Goed.' Ze staarde naar haar handen en keek toen weer naar mij. Er glinsterden tranen in haar ogen die ze met geweld bedwong. 'Ik vind het afschuwelijk om de indruk te wekken dat ik je een standje geef. Ik vond het altijd vreselijk als mijn moeder dat deed, en vooral als mijn vader het deed. Ik weet dat je je dan klein en leeg voelt van binnen.'

Ze glimlachte.

'Net als ik vroeger, ben je ervan overtuigd dat je voor jezelf kunt zorgen. Ik weet het. Dat is de arrogantie van de jeugd,' zei ze met opgeheven hoofd. Ze lachte. 'Je hebt het gevoel dat je niets kwaads kan overkomen. Het maakt je roekeloos. Dat was ik ook, maar gelukkig had ik sterke ouders.'

Ik luisterde, maar onwillekeurig fronste ik mijn wenkbrauwen. Wade had me verteld dat haar ouders te tolerant waren en zich weinig bewust waren van hun verantwoordelijkheid. Waarom geloofde hij één ding en zij iets totaal anders?

'Kom eens hier,' zei ze glimlachend. Ze stak haar hand naar me uit. Ik stond op en pakte hem aan. Ze klopte op het bed naast haar ten teken dat ik moest gaan zitten. Ze liet mijn hand niet los.

'Je beseft nog niet hoe mooi je bent, Celeste. Waar je leefde en hoe je leefde maakte het moeilijk voor je om je daarvan bewust te worden, ik weet het. Waarschijnlijk zeiden ze dat het zondig was om jezelf mooi te vinden, je te concentreren op je uiterlijk. Heb ik gelijk of niet?'

'Min of meer,' gaf ik toe.

'Natuurlijk zeiden ze dat. Dat doen ze omdat ze zich zo ongelukkig voelen met hun eigen verschijning. Narigheid houdt van gezelschap,' zei ze, alsof ze mijn gedachten eerder op de dag had gehoord en me wilde laten weten dat we in dezelfde richting dachten.

'Ik geloof niet dat het helemaal zo was, maar –'

'Dat was het, geloof me,' zei ze op bijna bevelende toon. Toen glimlachte ze. 'Het doet er niet toe. Wat ertoe doet is de waarheid, en de waarheid is dat je mooi bent. Als een meisje zich thuisvoelt in de wereld, de normale wereld, en ze groeit op met haar eigen schoonheid, heeft ze enige voorbereiding gehad en heeft ze tenminste een idee van wat haar te wachten kan staan.

'Maar jij... jij werd achter slot en grendel gehouden, weggesloten in een tehuis, en dan kom ik plotseling in je leven en bevrijd je, net zoals Lincoln de slaven bevrijdde.'

Ik begon te lachen.

'Lach niet. Dat is geen dwaze opmerking van me. Zo *is* het. Je bent vrij om praktisch alles te doen wat je wilt. In feite heb je meer vrijheid, omdat je nu zoveel voordelen hebt. Je hebt je eigen spullen. Je hebt mooie kleren, een prachtig nieuw thuis, en weldra' – haar ogen fonkelden – 'zul je je eigen auto hebben. Absoluut.'

Ze kneep nog harder in mijn hand.

'Maar vrijheid brengt verantwoordelijkheid met zich mee. Je moet me beloven, op je hart en je ziel, op je leven, dat je je kostbare schat niet snel en achteloos zult wegschenken. Je moet je beheersen. Je moet –'

'Dat zou ik nooit doen, niet voor mezelf en niet voor een ander,' zei ik vastberaden.

Ze staarde me even aan en toen knikte ze lachend.

'Nee, dat zou je niet doen. Dat wist ik al zodra ik je zag. Je bent heel bijzonder, Celeste. Je hebt iets dat andere meisjes niet hebben, en daar ben ik erg blij om.'

Ze haalde diep en opgelucht adem en liet mijn hand los.

Toen stond ze op. 'Laten we een afspraak maken. Tot je echt gesetteld bent en je goed weet hoe de dingen in hun werk gaan, maak je geen afspraakjes en ga je niet alleen uit met een van de jongens die je leert kennen. Je kunt natuurlijk aan de telefoon met ze praten, maar laten we ze voorlopig op een veilige afstand houden. Niet dat je te zwak zou zijn of dat ik je niet vertrouw,' ging ze snel verder. 'Maar ik zou me meer op mijn gemak voelen. Ik weet niet hoe ik me zou voelen als ik je op de een of andere manier in gevaarlijke omstandigheden had gebracht in plaats van je leven te verbeteren.'

Ik staarde haar aan en vroeg me af of zij niet nog hogere en dikkere muren opwierp dan alle Moeders Higgins ter wereld hadden gedaan of konden doen? Maakte zij me in de ware zin des woords tot een gevangene?

'Als je zegt voorlopig, hoe lang bedoel je dan?' vroeg ik diep teleurgesteld.

'O, niet lang, maar lang genoeg om zeker te weten dat je met beide benen op de grond staat. Als ik niet goed voor je zorgde, zou Wade me trouwens flink op mijn huid zitten, Celeste. Misschien zou hij zelfs willen dat ik je terugstuurde,' eindigde ze, met een theatraal dreigement in haar laatste woorden.

Het bloed steeg naar mijn wangen.

Gedraag je zoals ik wil en doe wat ik wil, anders sturen we je terug, was de boodschap, helder en duidelijk.

Het was een dag vol dreigementen, dacht ik, denkend aan de momenten in het kantoor van mevrouw Brentwood toen Wade weg was. Stond er iets op mijn voorhoofd te lezen, was er iets met me dat ik niet kon zien maar anderen wel? Was het de donkere wolk van mijn verleden die boven mijn hoofd hing? Wanneer was ik ooit iets anders geweest dan een goed meisje, een fatsoenlijk meisje, gehoorzaam en verantwoordelijk en betrouwbaar? Moeder Higgins waardeerde me, maar was dat om de redenen die Ami suggereerde? Was het omdat ik met religieuze boeien geketend was door het weeshuis? Als je levenslang wordt opgesloten, is het dan minder waarschijnlijk dat je zondigt?

'Laat me zien dat je je vrijheid aankunt,' zei Ami ten slotte. 'Dat is alles wat ik vraag. Oké?'

Ik knikte. 'Oké.'

'Goed, goed. Laat dit het enige serieuze, onaangename gesprek tussen ons zijn.' Ze drukte haar handpalmen tegen elkaar als in gebed, omhelsde me en liep naar de deur. 'O, tussen haakjes, Basil komt vanavond weer eten. Mevrouw McAlister maakt een Ierse stoofpot, een van zijn lievelingsgerechten, vooral zoals zij het klaarmaakt. Draag de outfit die ik voor je gekocht heb bij Oh-La-La, en vergeet de eau de toilette niet waar hij van houdt. Per slot,' ging ze met een ijl lachje verder, 'is hij eigenlijk degene die voor alles betaalt.'

Ze ging weg, deed de deur zachtjes achter zich dicht. Pas op dat moment werd ik me bewust van mijn bonzende hart. Waarom moest ik er altijd sexy uitzien voor Basil? Hij was hier werkelijk heer en meester.

Ik ging weer aan mijn huiswerk, maar kon niet beletten dat ik aan Trevor dacht en me afvroeg waarom hij zo gauw gebeld had. Ondanks alle waarschuwingen die Ami me had gegeven, vond ik het onbeleefd en onhebbelijk om zijn telefoontje te negeren. Ami had geen telefoonnummer genoteerd om aan mij door te geven, maar hij wist dat dat niet nodig was. Ik haalde zijn kaartje uit mijn tas. Toen ik het nummer intoetste had ik onwillekeurig het gevoel dat ik iets verkeerds deed. Hij nam op bij de eerste bel.

'Met Trevor Foley,' zei hij.

'Hoi. Met Celeste Atwell.'

'Hallo. Hoe gaat het? Al bijgekomen van je eerste dag in de sweatshop?'

'Je kunt de Dickinson School moeilijk een sweatshop noemen,' zei ik lachend. 'Ben je nooit op een openbare school geweest?'

'Nee, ik ben regelrecht van de peuterschool naar een particuliere basisschool gegaan. De zomers bracht ik door in een kamp dat erop gericht was om keurige leerlingen van een dure particuliere high school van ons te maken.

'Maar ik belde je om te vragen of je zin hebt dit weekend met me naar een party te gaan. Het is een goede gelegenheid om een paar andere leerlingen te ontmoeten. Waverly geeft een verjaardagsfeest voor zichzelf.'

'Hij geeft een feest voor zichzelf?'

'Niemand anders doet het, ook zijn ouders niet. Die vinden dat verjaardagsfeesten ophouden na je vijfde jaar. Gelukkig voor ons, en jammer voor hen, gaan ze met zijn tienjarige zus naar een auditie in New York City voor een rolletje bij de kindertelevisie, en Waverly weigerde om mee te gaan. Omdat het zijn verjaardag is, vonden ze het goed.'

'Ze laten hem op zijn verjaardag alleen?'

'Zoals ik al zei, ze hechten niet erg aan verjaardagen, maar wij wel. Je zult je uitstekend amuseren. Zal ik je om acht uur komen halen?'

'Ik zou graag willen, echt waar, maar ik kan niet,' zei ik. 'Mijn... nicht heeft me gevraagd om niet uit te gaan voordat ik hier helemaal gesetteld ben.'

'Hoe lang duurt het voor je gesetteld bent?'
'Niet lang. Hoop ik.'
'Wat een ongein. Dus tot die tijd moet je thuis met je nicht naar de televisie kijken of zoiets?'
'Ik weet zeker dat mijn nicht wel wat activiteiten voor me gepland zal hebben.'
'Activiteiten? Woon je in een kamp of in een huis?' Hij stak zijn teleurstelling niet onder stoelen of banken.
'Het spijt me. Ik... verkeer in een nadelige positie.'
'Ja,' zei hij, en zweeg toen. Maar even later was hij weer gekalmeerd. 'Ik neem aan van wel, ja. Het spijt me dat ik zo horkerig deed.'
'Ze zijn echt heel aardig. Mijn nicht heeft er voor gezorgd dat ik rijles krijg. Ik heb vandaag mijn eerste les gehad.'
'Bedoel je dat je nog nooit autogereden hebt?'
'Nee. Mijn moeder is heel zenuwachtig,' zei ik, snel een uitweg verzinnend.
'Dat mag je wel zeggen. Misschien ben je beter af als je bij je nicht woont.'
'Dat hoop ik. Ik bedoel, het zijn aardige mensen en ze hebben zo veel.'
'Ja. Ik ken die onderneming. De Emersons hebben al hun auto's bij de vestigingen van mijn vader gekocht. Als je extra rijlessen nodig hebt, zal ik je die graag geven,' ging hij verder.
'Voorlopig kan ik me beter aan de officiële lessen houden.'
'Ja. Oké. Zie je morgen.'
'Ja. En, Trevor...'
'Ja?'
'Op gevaar af me onbemind te maken bij de kliek op school, bedankt dat je aan me gedacht hebt.'
Hij lachte.
'Vergeet die verleden tijd. Ik denk aan je. Tot gauw.'
Ik hield de hoorn nog wat langer tegen mijn oor, als iemand die de smaak van iets heerlijks zo lang mogelijk wil laten voortduren. Ik kon er natuurlijk niet over oordelen. Ami had gelijk dat ik geen enkele ervaring had, maar mijn instinct zei me dat ik niet bang hoefde te zijn voor Trevor, dat hij in zijn hart een goed mens was en hij me niet alleen beschouwde als een nieuwe verovering.

163

Juist op dit soort momenten miste ik Noble het meest, miste het geluid van zijn stem, het zien van zijn spirituele gestalte. Was ik te ver van hem afgedreven, van hen allen, van mijn verleden, mijn familie? Zou ik ze nooit meer kunnen aanraken of horen? 'Alle kinderen,' had mijn psycholoog, dr. Sackett, me verteld, 'hebben hun denkbeeldige, onschuldige wereld, en daarna groeien ze er overheen. Ik denk dat we altijd het verlies van ons kinderlijke vertrouwen blijven betreuren, van die bereidheid te geloven in iets meer, maar dat is nu eenmaal onvermijdelijk, willen we kunnen functioneren in de volwassen wereld.'

Voor mij was het een te grote opoffering en verlies, dacht ik. En toch was ik bang er hard aan te werken om het terug te krijgen. Ik was bang om net als mijn moeder en mijn familie als een gek te worden beschouwd. Ik was bang om te worden gestigmatiseerd en voorgoed als een raar buitenbeentje te worden gebrandmerkt. Waar zou ik naartoe moeten onder die omstandigheden, en wie zou ik liefhebben en wie zou mij liefhebben? Hoe kon ik een compromis vinden, de verwondering die ik vroeger gekend had en waar ik zo van genoten had, behouden, en toch blijven leven te midden van degenen die dat nooit gekend hadden en nooit zouden kennen?

Ik heb er genoeg van om eenzaam te zijn, dacht ik. Ik heb er genoeg van om in een of andere wereld te worden opgesloten. Als ik om me heen keek naar alles wat ik nu had en zou hebben, vroeg ik me af of ik bereid was te wachten. Trevors mooie ogen riepen me.

Ik wilde zo graag antwoorden.

Voorlopig moest ik mijn innerlijke stemmen het zwijgen opleggen, mijn hart beletten te snel te kloppen en net doen alsof het me niets deed.

Met al die tumultueuze gedachten die door mijn hoofd spookten, kostte het me moeite weer aan mijn huiswerk te gaan, maar het lukte me. Ik ging zo op in mijn studie, dat ik de tijd uit het oog verloor. Ami was geschokt toen ze zag dat ik nog achter mijn bureau zat.

'Wat doe je? Je moet je aankleden! Daar heeft een vrouw meer dan tien minuten voor nodig. Wij kunnen ons niet even scheren, een geurtje over ons heen sprenkelen, een hemd en een broek aantrekken en dan weghollen terwijl we ons haar borstelen. Voorbereidingen, voorbereidingen, voorbereidingen, ze zijn zo belangrijk, Celeste. Ik dacht dat ik je dat al had bijgebracht.'

'Het spijt me, ik raakte verdiept in mijn huiswerk. Ik zal me gauw aankleden.'

'Ik vraag je niet om het gauw te doen. Ik vraag je om het perfect te doen.'

'Je moet niet zo'n boekenwurm worden,' waarschuwde ze, met een knikje naar mijn schoolboeken. 'Dan loop je de belangrijke dingen mis. Ik kom over een halfuur terug.' Ze keek op haar horloge. 'Eigenlijk is het heel goed als we wat later dan anders komen. Ik ben nog steeds kwaad op hem omdat hij me vanmorgen een standje gaf omdat ik niet vroeg genoeg was opgestaan om je naar school te brengen.' Met die woorden liep ze weg.

Ik begon me onmiddellijk aan te kleden, terwijl ik me weer afvroeg waarom ik er altijd zo sexy en aantrekkelijk uit moest zien voor Wades vader. Toen ik klaar was en naar haar kamer ging, keek Ami verbaasd dat ik me zo snel mooi had weten op te tutten. Ik wachtte op haar kritiek, maar in plaats daarvan knikte ze glimlachend.

'Heel goed. Je ziet er geweldig uit, Celeste. Ik ben er trots op dat je alles zo snel hebt weten op te pikken. Je ogen en lippen zijn uitstekend opgemaakt.' Ze hield haar hoofd schuin. 'Je houdt me toch niet voor de gek, hè? Je hebt dit toch echt nooit gedaan voordat je hier kwam?'

'Nee, hoor,' zei ik lachend.

'Nou ja, doet er ook niet toe.' Ze sprong overeind. 'Het enige belangrijke is dat we er allebei weer fantastisch uitzien. Wade heeft al gevraagd waar we bleven. Hij zegt dat zijn vader te snel te veel drinkt. Hij heeft me nodig, zie je. Een volgende keer zal hij niet zo gauw de telefoon opnemen om me op mijn vingers te tikken. Let goed op. Dit zijn kleine lessen die je te pas zullen komen als je je ten slotte settelt met je eigen Wade.' Ze gaf me een arm.

Mijn eigen Wade? Op wie ik ook verliefd zou worden en met wie ik ook zou trouwen, dacht ik, ik hoopte dat mijn relatie met hem een stuk beter zou zijn. Was dat een dwaze droom? Waren alle huwelijken uiteindelijk hetzelfde, en vonden twee mensen ten slotte een manier om elkaar te tolereren in plaats van zich vast te klampen aan iets magisch, iets bijzonders?

'Je steekt de draak met me,' zei Basil Emerson, zodra we de eetkamer binnenkwamen. Hij wees met zijn lange dikke wijsvinger naar Ami, en zijn woedende gezicht maakte dat ik als aan de grond genageld bleef staan. Zijn ogen schoten vuur.

Wade zat met gebogen hoofd en gevouwen handen, als een boeteling die om genade smeekt. Ik zag het volle glas whisky voor Basil op tafel staan.

'*Moi?*' zei Ami, als een toonbeeld van onschuld. 'Hoezo, Basil?' 'Om ons zo te laten wachten. Je weet hoe ze vrouwen noemen die dat doen, hè?' Toen glimlachte hij, pakte zijn glas en nam een slok. 'Vrouwen die plagen?'

'We kunnen ons nu eenmaal niet snel kleden, Basil,' zei Ami, terwijl ze me naar de tafel leidde. 'Stel je voor dat iemand probeerde Renoir of Da Vinci te overhaasten.'

Basil bulderde van het lachen, en Wade keek op.

'Wil je het aanbrengen van make-up vergelijken met een wereldberoemd schilder?' vroeg hij.

'Ja,' zei Ami zonder enige aarzeling. 'Basil, heb ik gelijk of niet?'

'Wat mij betreft heb je altijd gelijk, Ami,' zei hij. 'Neem jou nu eens,' zei hij, naar mij kijkend. 'Iedere keer dat ik jou zie, Miss Misère, raak ik meer in de war. Hoe hebben ze je al die jaren over het hoofd kunnen zien?'

'De mensen die in het weeshuis kwamen waren niet op zoek naar concubines,' mompelde Wade.

'Concu- wat?'

'Ze zochten behoeftige kinderen, kinderen die ze konden helpen aan een gezinsleven,' legde Wade uit. 'Geen minnaressen en maîtresses en wat dies meer zij.'

Basil trok zijn mondhoeken in en schudde zijn hoofd.

'Ontspan jij je wel eens, Wade? Maak je wel eens grapjes met de mensen op de zaak? Soms vraag ik me weleens af of ik wel iets met je geboorte te maken had.'

'Dat doe ik ook vaak, pa.'

Basil staarde hem aan. Even dacht ik dat hij woedend tegen Wade zou uitvallen, hem misschien zelfs een klap in zijn gezicht zou geven, maar in plaats daarvan vertrok zijn gezicht in een glimlach, en toen bulderde hij weer van het lachen.

'Da's een goeie. Ik zal je een grap vertellen. Stel je voor dat Jeanie Emerson een relatie heeft en zwanger wordt. Nou, die vrouw was zo preuts dat ze zich zelfs niet wilde uitkleden waar ik bij was, en dan praat ik over een huwelijk van twintig jaar. Als we seks hadden moest het licht uit, verdomme. Nu ik eraan denk, hebben we jou in het donker verwekt, Wade. Misschien was dat het probleem, hè, Ami? Wat vind jij? Is het gemakkelijker of beter om te vrijen met het licht aan of uit?'

'Kunnen we het over iets anders hebben?' vroeg Wade smekend.

'Ja, we kunnen over iets anders praten,' zei Basil en zwaaide met zijn glas naar Ami. 'We kunnen erover praten wanneer ik een kleinkind krijg, dat met het licht aan of uit wordt gemaakt.'

Het was of de bliksem insloeg, over onze hoofden heen, onze hersens verschroeide terwijl het donderde in onze oren. Wade en Ami verstarden.

'O, vergeet het maar. Laten we genieten van ons maal, van het goede Ierse eten,' riep Basil luid, en mevrouw Cukor verscheen met mevrouw McAlister achter zich aan, om het eten binnen te brengen.

Het was allemaal even verrukkelijk, maar de spanning aan tafel maakte het moeilijk om ervan te genieten. Wade probeerde het gesprek te brengen op mijn eerste schooldag, maar zijn vader begon een tirade over het verspillen van geld aan verwende kinderen.

'Een mooi meisje als zij hoeft zich niet druk te maken over dure scholen,' verklaarde hij. Hij glimlachte naar me, bedoelde het als een compliment, maar zo zag ik het niet, en Ami evenmin. Ze hield een toespraak over vrouwenrechten en de plaats van de vrouw in de zakelijke en professionele wereld.

Basils oren werden steeds roder, hetzij door de combinatie van wijn en whisky of door Ami's bitse kritiek op het machogedrag. Wade hield voornamelijk zijn mond. Maar aan het eind van het diner was iedereen stil en er heerste een drukkende sfeer. Basil mompelde een excuus dat hij vroeg weg moest.

'Ik heb morgenvroeg iets te doen,' zei hij, 'dus ik kan niet blijven slapen.'

Toen hij Ami een afscheidszoen gaf, legde hij zijn hand om haar middel en liet die omlaaggaan naar haar billen. Ze greep hem bij zijn onderarm en duwde hem snel weg, maar ik had alles gezien. Als Wade het ook had gezien, liet hij het niet merken.

Basil draaide zich om naar mij om me welterusten te wensen, maar toen hij naar me toeliep, stak ik mijn hand uit. Hij keek ernaar of ik er een mes in had, keek vervolgens naar mij en glimlachte.

'Ik begrijp nu waarom Ami van begin af aan zo op je gesteld was,' mompelde hij, gaf me een slappe hand en verdween.

'Laten we een eindje gaan rijden,' zei Ami onmiddellijk. 'Ik heb behoefte aan frisse lucht.'

'Maar ik heb zoveel huiswerk,' zei ik smekend.

Ik zag dat ze teleurgesteld was, maar ik wist niet wat ik moest doen. Wade kwam me te hulp.

'Waar wil je 's avonds om deze tijd trouwens naartoe? Bovendien heb je haar naar een dure school gestuurd. Geef haar dan ook die kans.'

Ami pruilde en ik excuseerde me en ging terug naar mijn kamer. Toen ik naar de trap liep, stond mevrouw Cukor plotseling voor me, alsof ze al die tijd op me had staan wachten.

'Duisternis daalt neer op dit huis,' waarschuwde ze. 'Dat weet jij ook.'

'Ik weet niets over wat voor duisternis dan ook,' kaatste ik terug. 'Ik weet niet wie of wat u denkt dat ik ben, maar ik krijg er genoeg van om te worden behandeld als de verpersoonlijking van het kwaad.'

'Je bent de slang in het paradijs,' mompelde ze, maar ging niet weg.

'Dit was nauwelijks het paradijs voor ik hier kwam, mevrouw Cukor, en wat mij betreft, bent u misschien wel de slang.'

Dat zette haar op haar plaats.

Ze legde haar hand tegen haar keel.

Ik ben het kind van mijn moeder, dacht ik. Ik deins voor niemand terug. Ik deed een stap naar haar toe.

'Wacht u voor de duisternis in uw eigen hart,' zei ik, en liet haar als aan zoutpilaar onder aan de trap staan.

Mijn hart bonsde, maar ik voelde me gesterkt.

Misschien laat je je niet meer zien, Noble, dacht ik, maar je bent binnen in me. Binnen in mijn hart. En daar zul je nooit uit ontsnappen.

Tot ik in staat ben je te laten gaan.

10. Een halfnaakte man

Uren later werd er op mijn deur geklopt. Voor ik 'Binnen' kon zeggen, deed Ami de deur open en liep in haar nachthemd de kamer in. Ze was nog opgemaakt, maar haar haar wekte de indruk dat ze er woest met haar vingers doorheen had gewoeld.

'Het spijt me van vanavond,' zei ze, terwijl ze liep te ijsberen. 'Misschien was het niet zo'n goed idee Basil te laten wachten en zoveel te laten drinken. We zullen er de volgende keer aan denken. Hij kan vreselijk onhebbelijk zijn.' Ze bleef staan en keek me aan. 'Heeft hij je van streek gebracht? Heeft hij je gevoelens gekwetst?'

'Nee, niets aan de hand,' zei ik, maar wat die gekwetste gevoelens betrof, vroeg ik me af of ik iets moest zeggen over mijn confrontatie met mevrouw Cukor. Ik besloot echter dat het voor één avond voldoende was geweest, en ik was moe. Ik had veel gelezen en genoteerd en had een kort opstel geschreven voor mijn taalles.

'Moet je dat zien,' zei Ami. Ze keek naar mijn bureau en zag de opengeslagen boeken en alle papieren liggen. 'Je bent wél leergierig, hè? Een opvallend ijverige leerling.'

Ik haalde mijn schouders op.

'Misschien wel, ja. Toen ik klein was, lazen mijn broer en mijn moeder me vaak voor. Ze zeggen dat dat de beste manier is om een goede leerling van iemand te maken.'

'Je broer? Je bedoelt toch je zusje, hè?'

'Ja,' zei ik.

'Wat moet dat allemaal vreemd zijn geweest. Ik wil graag eens met je over dat alles praten, maar niet als het voor een van ons beiden onaangenaam is,' voegde ze er snel aan toe.

'Ik herinner me er niet genoeg van om erover te kunnen praten,' antwoordde ik, en draaide me snel om. Behalve met Flora en dr.

169

Sackett had ik nooit echt met iemand over mijn verleden gesproken. Alle anderen legden een voor mijn gevoel bijna pornografische belangstelling voor details aan de dag. 'Mooi. Vergeten kan soms een zegen zijn. Zoals ik alle nare dingen die Basil vanavond gezegd heeft zal vergeten.' Ze knipte met haar vingers. 'Kijk, zó. Zie je? Al het lelijks en alle narigheid zijn verdwenen. 'Dit is een magisch oord. We kunnen het verdriet verdrijven met een knipje van onze vingers of gewoon door naar buiten te gaan en iets nieuws te kopen, wat ik van plan ben morgen te doen als jij op school bent. Ik zal voor jou ook iets leuks kopen.'

'Je hebt me al zoveel gegeven, Ami.'

'Nou en? Ik doe graag dingen voor je, dingen waarvan ik weet dat ze goed voor je zijn.'

Ze raakte zachtjes mijn wang aan.

'Het is trouwens net of ik het voor mezelf doe. Via jou beleef ik mijn jeugd opnieuw, Celeste. Maak je dus geen zorgen. Je geeft me iets heel kostbaars ervoor terug, iets heel kostbaars,' zei ze. Toen boog ze zich voorover en gaf me een zoen op mijn voorhoofd, waarna ze zich omdraaide en wegging. 'Mooie dromen,' wenste ze me bij de deur. 'Ik wil dat iedereen in huis mooie dromen heeft en alle nachtmerries buiten de deuren en ramen blijven, waar ze horen.'

Ik keek haar na en stond toen op en maakte me gereed om naar bed te gaan. Maar voor ik ging slapen, besloot ik naar beneden te gaan om iets kouds te drinken Het water uit de kraan in mijn badkamer was niet erg koud, en ik verlangde naar iets zoets, een sapje of een frisdrank. Ik wist dat er, als er niets in de keuken was, in ieder geval iets te vinden zou zijn in de ijskast achter de bar.

De gangen waren vaag verlicht, en alle kamers beneden waren donker. Ik bleef aarzelend staan bij de deur van de keuken, denkend aan mevrouw McAlister, die haar keuken als een cerberus bewaakte. Ik wist zeker dat ze het zou merken als ik ook maar iets verstoorde in de ijskast, dus ging ik naar de bar en vond een blikje ginger ale. Ik maakte het open en nam een slok, toen ik iemand in de gang hoorde. Ik keek voorzichtig om de hoek van de deur, de zwak verlichte gang in. Was het mevrouw Cukor? Zwierf ze als een soort geest in huis rond?

Ik zag haar niet maar voelde haar aanwezigheid. Misschien

stond ze in de schaduw van de verste deur of net achter de deur van het kantoor. Ze spookte niet rond in huis, ze achtervolgde mij. Ik wachtte nog even, liep toen de trap weer op naar mijn kamer. Toen ik boven bij de deur van mijn kamer kwam, hoorde ik een gekerm komen uit de slaapkamer van Ami en Wade.

Wades stem klonk gedempt, maar ik kon horen dat hij pleitte, vleide, haar bijna om iets smeekte. Haar reactie was alleen maar huilen en kermen. En toen liet ze een gil horen die mijn hele lichaam deed beven door het schrille, angstwekkende geluid. Daarna werd het stil, en ik voelde me schuldig dat ik voor luistervink had gespeeld.

Wat was er aan de hand? vroeg ik me af. Was Ami ziek? Deed Wade haar pijn? De gedachte daaraan en aan mevrouw Cukor die als een schaduw op de muren beneden rondsloop, hield me een tijdje wakker, maar ten slotte viel ik in slaap.

Ik werd weer wakker door mijn telefoon.

'Wakker worden!' zei Wade op zangerige toon.

Weer verbaasde ik me dat ik niet uit mezelf wakker was geworden.

'Ik moet een wekker zetten.'

'Hoeft niet. Ik vind het niet erg.'

'Ik word bijna nooit zo laat wakker. Ik weet niet hoe het komt.'

'De wijn bij het eten,' antwoordde hij nuchter. 'Ami slaapt nog als een roos, dus zoals ik al verwachtte, zal ík je weer naar school brengen.'

'Dank je,' zei ik, stond op, kleedde me aan en ging naar de eetkamer om te ontbijten, waar hij zoals gewoonlijk zijn krant zat te lezen.

Het maakte me nieuwsgierig naar een leven dat zo gereglementeerd en georganiseerd was als dat van hem, dag in, dag uit dezelfde dingen doen en dat blijkbaar prettig vinden. Sommige mensen stelden spontaniteit gewoon niet op prijs en voelden zich niet op hun gemak met veranderingen, hoe gering ze ook waren, dacht ik. Wade was een van die mensen. Hij droeg dezelfde kleren, borstelde zijn haar op dezelfde manier, kwam op dezelfde tijd op kantoor, en las dezelfde krant. Ami, die zo onvoorspelbaar was, moest wel een buitenaards wezen lijken in zijn ogen.

Merouw McAlister verscheen in de deuropening en wachtte tot

ik zei wat ik voor mijn ontbijt wilde. Ik vroeg me af of ik er ooit aan zou wennen dat mensen zoveel voor me deden – kookten, schoonmaakten en ook mijn kamer opruimden.

'Ik denk dat ik vanmorgen een paar eieren wil, met een hele dooier.'

'Met een hele dooier,' herhaalde ze. 'Gebakken of gepocheerd?'

'Gebakken, denk ik.'

'Hm,' zei ze, alsof ze dat al verwacht had en trok zich terug in de keuken.

Wade liet zijn krant zakken.

'Sorry voor mijn vader gisteravond. Hij was al halfdronken toen hij kwam en toen hij zo lang op jullie moest wachten, dronk hij nog een hoop meer. Niet dat hij nuchter zoveel beter is te pruimen,' voegde hij eraan toe.

'Het geeft niet. Het stoorde me niet zo erg,' zei ik. Ik had trouwens het idee dat ik niet het recht had me over iemand hier in huis te beklagen.

'Nee. Ik geloof niet dat het jou stoorde. Je bent een geweldige meid, Celeste. Misschien heeft het leven in weeshuizen je harder gemaakt dan Ami denkt. Ik geloof niet dat je daar breekbaar of overgevoelig kunt opgroeien. Alles wat Ami verschrikkelijk of weerzinwekkend vindt, sla jij van je af als een olifant een vlieg.'

'Er zijn dingen die je ook in het weeshuis kunnen storen,' merkte ik op, 'maar je kunt niet je beklag doen, en je krijgt toch weinig sympathie, dus vind je manieren om het te verbergen of in jezelf op te sluiten.'

Hij knikte.

'Wat me niet vernietigt, maakt me sterker,' zei hij.

'Pardon?'

'Niets. Het is een uitspraak van een filosoof, een uitspraak die me bevalt.'

Ik dacht erover na en glimlachte

'Mij ook,' zei ik. 'Ik zal het onthouden. Dank je.' Hij glimlachte.

Gek, dacht ik, dat was iets dat ik hem thuis zelden zag doen, glimlachen.

'Gaat het goed met Ami?' vroeg ik, denkend aan het gekerm dat ik had gehoord.

'Ami? Zeker. Ik weet niet of ze je verteld heeft dat ze elke dag vroeg op zou staan om met je te ontbijten of zo, maar het zou me verbazen als ze dat ooit zou doen.'

'Ik wil niemand tot last zijn,' zei ik.

'Waarom zeg je dat?' Zijn glimlach werd nog innemender. 'Het is geen moeite voor me om je naar school te brengen. Echt niet. Ik kom er langs als ik naar mijn werk ga, en ik ben altijd zo vroeg op, ook in het weekend.'

'Oké,' zei ik en dronk nog wat sinaasappelsap.

Hij reikte over de tafel heen en schonk koffie in mijn kopje.

'Dus vertel eens, nu mijn vader niet tegen ons zit te bulderen, hoe was je eerste dag op school? Heb je een paar aardige mensen leren kennen?' Hij glimlachte weer. 'Soms kunnen rijke mensen ook best aardig zijn.'

'Ja,' zei ik.

'Een jongen misschien?' Hij hield zijn hoofd schuin.

'Ja.'

'Mooi zo. Ik denk dat je een druk sociaal leven zult krijgen, en binnenkort uitgenodigd zult worden voor party's en zo,' zei hij.

Het lag op het puntje van mijn tong om te zeggen dat ik al een uitnodiging voor een party had, maar ik dacht dat ik Ami dan zou verraden. Wade zou het misschien niet helemaal eens zijn met de beperkingen die ze me oplegde, en dan zou ze denken dat ik me bij hem beklaagd had.

'Misschien wel, ja,' zei ik.

Mevrouw McAlister kwam binnen met mijn eieren. Weer hing ze bijna over me heen terwijl ik begon te eten. Ik durfde zelfs geen peper en zout te pakken, ook al had ik dat graag gewild.

'Dank u,' zei ik tussen twee happen door. 'Precies zoals ik ze lekker vind.'

'Zo wil meneer Emerson zelf ze graag hebben,' antwoordde ze, alsof dat de gouden norm was hier in huis. Ze knikte naar Wade en ging terug naar de keuken.

Onmiddellijk stak ik mijn hand uit naar het zout. Wade keek me met een slim glimlachje aan. Ik hoorde geen stofzuiger of enig ander geluid in huis en vroeg me af waar mevrouw Cukor was. Weer dacht ik erover te vertellen over mijn confrontatie met haar na het diner, maar weer vond ik dat het niet op mijn weg lag om moeilijkheden in dit huis te veroorzaken.

In plaats daarvan praatte ik over school, mijn indruk van de docenten, van wie de meesten me imponeerden, en over de faciliteiten. Hij informeerde naar mijn ervaringen op de openbare school en luisterde als iemand die werkelijk belangstelling had voor de jonge mensen van tegenwoordig.

Later, in de auto en op weg naar school, vertelde Wade verder over zijn eigen jeugd en zijn heimelijke ambitie om Engels te doceren aan de universiteit.

'Net als jij, heb ik veel gelezen,' zei hij. 'Ik heb zelfs geprobeerd beroepsschrijver te worden. Mijn moeder moedigde me aan, maar mijn vader vond dat ik geld verkwistte aan postzegels, door mijn korte verhalen en gedichten naar tijdschriften te sturen. Misschien had hij gelijk; ik heb nooit ergens iets gepubliceerd, behalve in het literaire schoolblad en de schoolkrant, en natuurlijk praatte pa altijd minachtend over docenten en het onderwijs in het algemeen, omdat het slecht betaald werd. Hij schepte op dat hij als loodgieter in één maand meer verdiende dan mijn Engelse leraar op high school in zes. Ik geloof dat dat waar was, maar het was tijdverspilling om te proberen hem ervan te overtuigen dat er nog andere dingen meespeelden bij de keus van een loopbaan.

'Als je gaat schrijven voor de schoolkrant, wil ik het graag lezen, als ik mag,' vervolgde hij.

'Natuurlijk, maar ik kan niet beloven dat het iets bijzonders zal worden.'

Hij draaide zich lachend naar me om.

'Maar jij bent iets bijzonders, Celeste. Je hoeft niets te beloven, dat zie ik nu al.'

Ik weet niet hoe vaak in mijn leven ik al blij was geweest met een achteloos complimentje, maar ik wist dat mijn gezicht in vuur en vlam stond. Hij moest lachen en er verscheen een glinstering in zijn lichtbruine ogen, zodat ze meer leken op glimmende stenen onder het heldere water van een beek. 'Ik wens je weer een heel prettige dag,' zei hij toen we bij de school kwamen. 'O.' Hij haalde een zakelijk visitekaartje uit zijn zak en gaf het aan mij. 'Mocht Ami niet op tijd zijn of totaal vergeten je af te halen, bel dan het mobiele nummer op dit kaartje, dan kom ik je halen.'

'Dank je,' zei ik en liep naar de ingang van de school.

Ik voelde zijn ogen nog op me gericht, draaide me om en zwaaide naar hem. Hij knikte en reed weg, maar er lag zo'n melancholieke uitdrukking op zijn gezicht, dat ik me even bedroefd voelde.

Iedereen die ik buiten het weeshuis leer kennen schijnt zich in lagen geheimzinnigheid te hullen, dacht ik. Kinderen waren naakt, hun angst en hoop waren voor iedereen te zien, vooral weeskinderen die alleen waren, drijvend op het water als bladeren die niet langer verbonden zijn met de takken van een boom, niet in staat zich de boom te herinneren waarvan ze waren afgevallen.

Zowel Wade als Ami had familie, erfgoed, een fundering, een fundering van waaruit ze konden groeien, maar binnen hun wereld waren ook zoveel niet gehoorde stemmen. Het was ironisch, dacht ik. Zij hadden één nadeel dat ik niet had. Vanaf de dag waarop ze konden begrijpen, praten en lopen, stonden ze onder druk om hun ouders een plezier te doen. Ik kon voelen dat Wade nog steeds verlangde, hunkerde, naar de goedkeuring van zijn vader. Waarom zou hij zich anders in het keurslijf hebben laten dwingen van de zaak van zijn vader?

Naar wat voor goedkeuring was Ami op zoek, en van wie?

Hoe was het mogelijk dat het hebben van echte familie ooit een nadeel kon zijn? Het was te gek om zelfs maar aan te denken.

En toch herinnerde ik me maar al te goed hoe schuldig ik me als kind kon voelen, bang dat ik niet voldeed aan de verwachtingen van mijn moeder, mijn geweldige spirituele familie. Wat stond me te wachten nu ik me in de 'buitenwereld' bevond, zoals wij weeskinderen die noemden? Wie zou ik nu teleurstellen?

Ik liep de school binnen en begon de dag. Trevor was elk moment dat hij kon bij me. Ik zag dat Germaine Osterhout zich ergerde aan de aandacht die hij me schonk. Ze staarde me over het middenpad heen woedend aan, fluisterde met haar vriendinnen terwijl ze fel mijn richting uitkeek, en draaide me zoveel ze kon de rug toe, vooral als ik met Trevor opliep of met hem praatte.

'Ik wilde echt dat je naar dat feest kon komen,' zei hij tijdens de lunch. 'Misschien kan ik er met je nicht over praten. Dan beloof ik haar dat ik je vroeg thuis zal brengen. Ze horen blij te zijn dat je nieuwe mensen leert kennen. Dat is een van de moeilijkste dingen als je op een nieuwe school komt. Zal ik het proberen?'

Ik dacht erover na. Ik wilde er dolgraag heen, maar had nog steeds het gevoel dat Ami het zou opvatten als een soort verraad, een vorm van ondankbaarheid. Ik had ingestemd met haar restricties en had niet gejammerd of geklaagd.

'Ik denk niet dat het zo'n goed idee zou zijn. Ik moet ervoor zorgen dat ik niets doe wat hen kan ergeren. Ze doen zoveel voor me,' zei ik, in de hoop dat hij het zou begrijpen.

'Als ze je echt willen helpen, zouden ze je vrienden laten maken.' Hij weigerde zich te laten afwijzen.

Hij zag mijn bezorgde blik. Ik vond hem aardig. Dat vond ik echt. Ik geloof dat hij dat ook besefte.

'Ik weet wat,' zei hij plotseling weer opgewekt. 'Vergeet die verjaardag van Waverly. In plaats daarvan kom ik bij jou op bezoek. Hoe vind je dat?'

'Wat? Bij mij op bezoek? Hoe bedoel je?'

'Je nodigt me bij je thuis uit. Zaterdagavond. Dan kom ik daar in plaats van op dat feest.'

'Het is mijn huis niet.'

'Nou en? Je woont daar toch? Nodig me uit.'

'Ik weet het niet.' Mijn stem klonk nerveus. 'Ik zal –'

'Wat is daar voor verkeerds aan? Mensen kunnen je toch bezoeken? Ze sluiten je in het weekend toch niet op in de kelder of op zolder? Je nicht kan ons de hele tijd chaperonneren, als ze dat wil.'

'Ja, natuurlijk, maar... oké, ik zal het vragen.' Ik liet me vermurwen, zag in dat elk ander antwoord misplaatst zou zijn.

'Goed zo.'

Later, tussen mijn les in creatief schrijven en het laatste uur, kwam Lynette Firestone in de gang naar me toe en gaf me een por tegen mijn schouder om me stil te laten staan.

'Je wilt Germaine Osterhouts vriendje wel heel gauw inpikken,' mompelde ze. 'Iedereen heeft het erover en plaagt haar ermee.'

'Niemand heeft me verteld dat hij haar vriendje was, en ik denk dat hij zelf wel kan beslissen.'

'Ik waarschuw je maar. Ze is niet het type om als vijand te hebben. Ik weet het uit ervaring,' ging ze verder. Ze trok haar mondhoeken omlaag.

'Je draait de dingen om.'

'Hè? Wat bedoel je?'

'*Ik* ben niet degene die je als vijand moet hebben,' zei ik, en liep haastig naar mijn laatste les.

Aan het eind van de dag liep Trevor met me mee naar buiten. Beiden verwachtten we dat Ami zou staan wachten, net als de vorige dag, maar ze was nergens te bekennen. 'Weet je zeker dat ze je komt halen?' vroeg Trevor toen we zeker tien minuten gewacht hadden. De meeste andere leerlingen waren in hun auto gestapt of opgehaald door hun ouders. We waren praktisch de enigen die daar nog stonden. Het parkeerterrein was bijna leeg.

De hele dag was de lucht overgegaan van gedeeltelijk bewolkt tot totaal bewolkt tot een enkel regenbuitje, en het zag ernaar uit dat de wolken uit het oosten kwamen opzetten om ons op een nieuwe regenbui te trakteren. De wind stak op en joeg het stof over de oprijlaan. Bomen zwaaiden en trilden. Ik zag de vochtigheid in de lucht. Zelfs de vogels trokken zich terug.

Waar was ze? vroeg ik me af. Misschien was ze gisteravond werkelijk ziek geworden, maar waarom had ze me niet laten weten dat ze niet kon komen? Ik betastte het kaartje in mijn tas dat Wade me had gegeven. Hij had het me overhandigd met een gezicht alsof hij verwachtte dat ik het nodig zou hebben, maar ik dacht dat ik hem dan uit zijn werk zou halen. En misschien zou ik moeilijkheden veroorzaken tussen hem en Ami, en misschien zelfs tussen Ami en mij, vooral als ze onderweg was en ik te snel mijn conclusies had getrokken.

Ik tuurde de straat af, maar zag haar niet. En over twintig minuten begon mijn tweede rijles. Hoe moest dat?

'Zal ik je thuisbrengen?' bood Trevor aan.

'Ik weet het niet. Veronderstel dat ze komt en ik ben er niet?' zei ik bijna jammerend.

'We zullen onderweg naar haar uitkijken. Als we haar zien, toeter ik en zorg dat ze stopt.'

Ik wipte van de ene voet op de andere. Mijn zenuwen trilden als gitaarsnaren door mijn hart. De eerste dikke regendruppels vielen.

'Kom,' zei Trevor. Hij pakte mijn linkerarm en trok me mee naar zijn zwarte Mercedes sportwagen. 'Ik heb die auto pas kortgeleden gekregen en wil er graag mee opscheppen. Het is idioot om in de regen te blijven wachten, en het ziet er naar uit dat het een flinke bui zal worden.'

Mijn tegenzin begon te verdwijnen, en ik stond hem toe me naar zijn auto te brengen, het portier te openen en me te helpen instappen. De auto rook inderdaad nieuw, vooral het leer.

'Mooie auto,' zei ik toen we erin zaten.

'Ja. Mijn vader geeft me er een om te gebruiken en verkoopt hem dan als een tweedehands auto, maar na vriendelijk gebruik, als je begrijpt wat ik bedoel,' zei hij lachend. Hij startte de motor en reed weg.

Ik hield mijn blik strak op de weg gericht, zocht nog steeds naar een teken van Ami, maar er was niets van haar te bekennen. Gek, dacht ik. Waar was ze? Hoe kon ze me vergeten? Waarom belde ze de school niet en liet ze me door mevrouw Brentwood of iemand anders zeggen dat ze later zou komen?

We reden weg van school. Het was te laat om van gedachten te veranderen, en ik deed echt niets verkeerds, dacht ik. Ze zou het begrijpen.

'Feitelijk zou je nicht blij moeten zijn als ik je elke dag thuisbracht,' zei Trevor, ons overhaast tot een relatie dwingend, althans in zijn gedachten. 'Ik kan je zelfs 's morgens komen afhalen. Het is geen enkele moeite om langs hun huis te rijden.'

'Ik denk het niet,' zei ik vriendelijk. 'Mijn neef rijdt langs de school op weg naar zijn werk.'

'Niet echt. Het is een omweg voor hem.'

'Hoe dan ook,' zei ik, verbaasd dat te horen, 'hij doet het graag.'

'Oké. Vertel eens wat meer over jezelf en waar je vroeger woonde en naar welke school je ging. Het was geen particuliere school, hè?'

'Nee.'

'Heb je daar iemand achtergelaten, een geliefde die wegkwijnt zoals in dat sonnet van Shakespeare dat we vandaag hebben gelezen?' vroeg hij met een heimelijk lachje.

'Nee.'

Hij maakte een grimas en keek me sceptisch aan.

'Wat heb je gedaan? Er een eind aan gemaakt vlak voordat je wegging of zo?'

'Ik heb nooit een vaste vriend gehad, Trevor.'

'Bang voor een relatie omdat je ouders dit doormaken? Ik kan het je niet kwalijk nemen,' zei hij voor ik kon antwoorden. 'Weet je, drie van de vijf kinderen op school hebben gescheiden ouders.

'Met mijn ouders gaat het prima,' voegde hij er gauw aan toe. 'Ik ben niet bang voor een serieuze relatie.'

'Had je verkering met Germaine Osterhout?'

'Wat heeft ze tegen je gezegd? Ik heb nooit –'

'Nee. Lynette Firestone waarschuwde me vandaag dat ik een vijand zou krijgen door haar vriendje weg te kapen.'

Hij schudde zijn hoofd. 'Net iets voor Lynette. Ze moet het leven van anderen meebeleven omdat ze geen eigen leven heeft. Germaine en ik zijn samen wel eens uitgegaan, maar ze is echt niet mijn vaste vriendin. Je bent toch niet bang voor haar, hè?' vroeg hij met een ondeugende grijns.

'Echt niet,' zei ik.

Hij keek me even aan en zijn glimlach verdween.

'En wanneer ga je me je levensverhaal vertellen?'

'Zodra ik klaar ben met het schrijven ervan,' antwoordde ik en hij lachte.

Menige waarheid werd verteld bij wijze van grap. Ik dacht aan mijn dagboek.

Een tijdje later stopten we bij het hek. Het stroomde van de regen. De ruitenwissers konden er niet tegenop.

'Ik denk niet dat ze zullen horen toeteren. Ik loop wel even naar de intercom,' zei hij en trok zijn jasje over zijn hoofd.

'Je wordt kletsnat.'

'Alles voor een schone dame,' zei hij, citerend uit een van de gedichten die we bij de Engelse les hadden gelezen.

Hij stapte uit en liep naar de intercom. Het begon nog harder te regenen. Zijn dure leren jasje raakte doorweekt. Degene die de intercom moest opnemen deed er heel lang over. Het kon alleen mevrouw Cukor of mevrouw McAlister zijn, dacht ik, tenzij Ami thuis was, maar waarom zou ze dan de school niet hebben gebeld?

Hij draaide zich om en haalde zijn schouders op. De regen droop langs zijn wangen en doorweekte zijn broek en bedierf zijn schoenen.

'Kom terug in de auto!' riep ik.

Plotseling ging het hek langzaam open.

Hij holde terug, gooide zijn natte jasje achter in de auto. We reden de oprit op.

'Je bent kletsnat,' zei ik.

'Ik weet het. Als ik doodga... *'tis better to have loved and lost than never to have loved at all.* Het is beter om te hebben liefgehad en je geliefde te hebben verloren, dan nooit te hebben liefgehad.'

'Je bent een idioot,' zei ik lachend. Ik zag mijn rij-instructeur en zijn auto niet, en ik was al tien minuten te laat. 'Rij om het huis heen. Vlak naast de garage is een zij-ingang.'

'O, de personeelsingang, hè?' Hij stopte. 'Het spijt me dat je zo nat bent geworden. Wil je mee naar binnen om op te drogen?'

Ik vond dat ik het aan moest bieden. Dat was niet meer dan billijk.

'Graag,' zei hij.

'Oké, kom maar mee.' Ik haalde diep adem, deed het portier open en rende naar de zij-ingang. Hij volgde me op de hielen.

Lachend holden we naar binnen.

'Nou, dat is wat je noemt regen,' zei hij.

Mevrouw McAlister kwam de keuken uit en keek naar ons.

'Hallo, mevrouw McAlister,' zei ik. 'Dit is Trevor Foley. Hij heeft me thuisgebracht omdat Ami niet kwam. Weet u waar ze is of wat er gebeurd is?'

'Ik zou het niet weten,' zei ze.

'En mijn rij-instructeur?'

'Hij heeft gebeld om te zeggen dat hij vandaag niet kwam omdat je nog niet voldoende ervaring hebt om in dit weer te rijden. Behalve kok, ben ik hier ook nog boodschappenjongen. Mensen bellen meestal op de directe lijn van mevrouw Emerson en laten een bericht achter op haar antwoordapparaat.'

'Het spijt me,' zei ik. 'Ik heb niet... ik bedoel, ik heb geen mobiel of...'

'Ik zou daar maar niet blijven staan druipen op mevrouw Cukors vloer. Anders spreekt ze een vloek over je uit,' waarschuwde ze, en verdween weer in de keuken.

'Wie is dat, en wie is mevrouw Cukor?'

'Ik hoop voor je dat je daar niet achter komt,' mompelde ik. 'Trek je schoenen en sokken uit en zorg in ieder geval dat je een beetje droog wordt. Ik weet hoe ik de droger moet gebruiken. De

deur naar de wasruimte is hier in de gang. Die regen is ijskoud.'
'Brrr!' overdreef hij, maar hij leek zich inderdaad erg onbehaaglijk te voelen. Zijn broek was doorweekt.

Hij trok zijn schoenen en sokken uit en volgde me de gang door. Ik nam hem eerst mee naar de kleedkamer beneden. 'Wat een huis! Ik dacht dat dat van ons iets bijzonders was,' zei hij, om zich heen kijkend.

'Ga daar naar binnen en trek je natte kleren uit,' zei ik, wijzend naar de kleedkamer. 'Ik zal een badjas voor je halen tot ze droog zijn.'

Haastig liep ik naar boven, pakte de dikke badjas van de haak in mijn badkamer en holde weer de trap af.

Toen klopte ik op de deur van de kleedkamer en gaf hem de badjas toen hij opendeed. Hij stond in zijn onderbroek en lachte naar me. Hij overhandigde me zijn natte kleren Hij moest lachen om het gezicht dat ik trok en begon de badjas aan te trekken.

'Ruikt lekker,' zei hij snuivend.

'Ik ben beneden in de wasruimte,' zei ik en liep weg.

Toen zijn kleren in de droger lagen, ging ik mijn schoolboeken halen en vond hem toen op blote voeten in de gang, waar hij door de open deur van de zitkamer naar het portret van Wades moeder stond te kijken. Op dat moment kwam mevrouw Cukor uit de zitkamer, waar ze de meubels had gewreven. Toen ze hem zag, bleef ze stokstijf staan.

'Trevor,' riep ik. 'Sorry, ik ben vergeten je een paar slippers te geven. Kom mee, tot je kleren droog zijn.'

Hij keek naar mevrouw Cukor, wier woedende blik iedereen op de vlucht zou hebben gejaagd, en liep toen naar de voet van de trap, waar ik stond.

'Wie is dat?' fluisterde hij. 'Ze keek me zo strak aan, dat ik het gevoel had dat haar ogen in mijn gezicht brandden.'

'De huishoudster. Ze is een beetje vreemd,' zei ik en bracht hem de trap op naar mijn kamer.

'Wauw,' zei hij, naar binnen kijkend. 'Gezellig. Mooi bed heb je.'

Ik legde mijn boeken op mijn bureau en trok mijn schoenen uit. Mijn haar was een beetje nat, maar ik was lang niet zo doorweekt als hij, omdat hij zo lang in de regen bij de intercom had staan wachten tot iemand het hek zou openen. Hij liep rond in mijn kamer en bekeek alles. Toen liet hij zich achterover op bed vallen, met uitgestrekte armen.

'Comfortabel,' zei hij.

Ik staarde hem aan. Op dat moment drong het tot me door dat ik nog nooit met een jongen alleen in een kamer was geweest, behalve een paar seconden in een klaslokaal van de openbare school. 'Wat is er?' vroeg hij. Hij ging overeind zitten en keek me aan. 'Je ziet eruit of je doodsbang bent.'

'Dat ben ik niet,' snauwde ik, me snel beheersend. 'Ik ben alleen –'

'Zenuwachtig?' vroeg hij plagend.

'Nee.'

'Verlegen?' Hij stond op van het bed. 'Vertel me niet dat een knap meisje als jij nog nooit alleen in een kamer is geweest met een halfnaakte jongen.'

'Dat ben ik nooit geweest,' bekende ik.

Hij kwam glimlachend naar me toe.

'Waarom wil elk meisje tegenwoordig elke jongen laten denken dat ze de preutsheid zelve is? Onschuldig en rein?' vroeg hij, met zijn gezicht enkele centimeters van het mijne verwijderd. 'Omdat zo weinig meisjes het maar zijn?'

Hij legde zijn rechterhand op mijn middel. Ik trok me niet terug. Ik voelde me als gehypnotiseerd, als een hert gevangen in de koplampen, gevangen door Trevors ogen, Trevors uitnodigende lippen, zijn aantrekkelijke glimlach en de belofte van genot die ze inhielden.

Met zijn linkerhand maakte hij de badjas los en liet hem openvallen, toen drukte hij zich tegen me aan en kuste me, eerst zacht, toen harder, perste zijn opgezwollen lid tegen me aan, zodat ik de passie als een elektrische stroom van zijn lichaam in het mijne voelde overgaan. Het duizelde me.

'Je bent verrukkelijk,' fluisterde hij, en stond op het punt me weer te zoenen toen we de deur open hoorden gaan. We draaiden ons om en zagen Ami op de drempel staan. Haar haar was kletsnat, en ze haalde zo hijgend adem dat haar schouders op en neer gingen. Ze was blijkbaar de trap opgehold. Ze keek geschokt en verbijsterd. Haar ogen waren opengesperd en haar lippen zo strakgetrokken dat haar mond openviel, als in een stomme gil.

Ze legde haar rechterhand op haar hart alsof ze het moest tegenhouden, voorkomen dat het door haar borst heen zou springen, en toen leunde ze tegen de deurpost alsof ze flauw ging vallen. Trevor ging snel achteruit en deed de badjas dicht.

'Wat... wat doen jullie daar?' bracht ze er met moeite uit.

'Trevor heeft me thuisgebracht,' flapte ik er snel uit. 'We hebben een hele tijd staan wachten en toen bood hij aan me thuis te brengen. Maar hij was doorweekt omdat hij zo lang bij de intercom moest staan wachten voordat iemand het hek opende, dus hebben we zijn kleren in de droger gedaan, en...'

Ze kwam naar voren alsof ze ons allebei wilde aanvallen.

Trevor voelde zich zo gegeneerd dat hij daar in mijn badjas stond, dat hij zich omdraaide en naar de grond staarde.

'Ik was maar een kwartier te laat, Celeste. Ik zou het de school hebben laten weten als ik je niet kon komen halen. Ik was wanhopig, en ik ben zelf kletsnat geworden toen ik uit de auto stapte en de school inliep om je te zoeken. Mevrouw Brentwood was kwaad, omdat niemand haar gevraagd had me te bellen. Ik héb een mobiel, weet je. Ik was te bereiken. Ze heeft mijn nummer in geval van nood.'

'We wisten niet wat we moesten doen,' protesteerde ik zwakjes. 'Het was niet mijn bedoeling om moeilijkheden te veroorzaken. Het spijt me.'

Ami beheerste zich.

'Het schijnt dat Trevor je iets meer heeft aangeboden dan je alleen thuisbrengen,' zei ze fel. Het leek of ze met pijltjes naar hem gooide, alleen troffen sommige ervan ook mij. Ik voelde dezelfde pijn. 'Ik wil dat je nu meteen naar beneden gaat, jongeman. We zullen mevrouw Cukor vragen je kleren te pakken. Die zullen nu wel droog genoeg zijn.'

'Ja, mevrouw,' zei Trevor gehoorzaam. 'Ik wilde niet voor problemen zorgen. Ik –'

'Nee. Mannen willen nooit problemen veroorzaken,' zei Ami. 'Maar dat doen ze wél. En hoe!'

Trevor keek verward naar mij. Ik kon zijn gedachten horen. *Wat is dat voor raar mens. Is ze wel van vlees en bloed?*

'Nou ja,' zei Trevor, en liep naar de trap. Ami deed een stap opzij.

'Toe dan. Mevrouw Cukor staat op je te wachten,' zei ze streng.

Hij keek achterom naar mij.

'Het spijt me, Trevor,' zei ik. 'Dank je.'

'Oké. Graag gedaan.'

Hij ging weg en Ami keek hem na. Ze week nog verder naar achteren, alsof ze bang was dat hij haar zou aanraken, en keek toen naar mij.

'Ik ben zo in je teleurgesteld, Celeste, diep teleurgesteld,' zei ze hoofdschuddend.

Ze liep de kamer uit en deed de deur achter zich dicht. Beschaamd, verward, gefrustreerd en kwaad bleef ik achter. Ik voelde me alle richtingen uit getrokken, voelde me uiteenvallen als een kleifiguur.

Ik zou algauw weten hoe ik weer in elkaar gezet zou worden.

11. Verlangens

Ik verkleedde me en stond op het punt naar beneden te gaan om met Ami te praten en te proberen de dingen recht te zettten, toen ze terugkwam in mijn kamer. Haar hele houding was veranderd. Ze glimlachte en zag er ontspannen uit, meer als de Ami die ik in het begin had leren kennen.

'Het spijt me van dat alles,' begon ze, met haar rechterhand achter haar rug zwaaiend toen ze binnenkwam. Ze had een grote boodschappentas in haar hand en legde die op mijn bed. Ik herkende het Oh-La-La-logo. 'Kijk eens wat ik vandaag voor je gekocht heb,' zei ze, en haalde een spijkerbroek tevoorschijn. 'Het is een heupbroek. Die heb je nog niet. En ik heb ook dit shirt met korte mouwen erbij gekocht voor je.' Ze hield het voor haar borst. 'Zie je, het heeft schattige pofmouwtjes, met elastiek gerimpeld, en het past precies bij de spijkerbroek. En ik dacht dat je die gebloemde ceintuur ook wel leuk zou vinden.' Ze haalde hem uit de tas. 'Alle meisjes van jouw leeftijd dragen die tegenwoordig.'

'Dank je,' zei ik. 'Ik heb meisjes inderdaad die spijkerbroek zien dragen op school.'

Ze legde alles opzij en ging met gevouwen handen op het bed zitten.

'Ik wilde daarnet niet zo kwaad overkomen, maar ik was zo verbaasd hem in jouw badjas te zien, en ik kreeg de indruk dat hij bezig was je snel in te palmen. Kijk maar eens hoe slim hij het had aangelegd om meteen uit de kleren en in je kamer te komen.'

'Dat was niet zijn idee. Ik was bang dat hij kou zou vatten in die natte kleren, Ami. Ik heb hem zelf voorgesteld zijn kleren te drogen, en ik kon zo gauw niks anders bedenken dan hem mijn badjas te geven. Ik wilde hem er niet een van Wade geven. Het was echt een ijskoude regen en hij was door en door nat.'

'Ja, natuurlijk, dat heb je goed gedaan. Ik weet dat ik niet kwaad had moeten worden op jou. Ik weet dat je bedoelingen zuiver en goed waren, maar ik maak me bezorgd voor je, Celeste. Ik weet dat je praktisch geen ervaring hebt met jongens.'

'Hoe weet je hoeveel ervaring ik heb gehad?' vroeg ik, een beetje geërgerd, ook al was het de waarheid.

'O, ik kan wel zien hoeveel ervaring een meisje heeft. Geloof me, het is tegenwoordig niet moeilijk degenen met ervaring te onderscheiden van de onschuldige meisjes,' zei ze.

Was het zo duidelijk? vroeg ik me af. Zag Trevor dat ook?

'Maar dat is het punt niet,' ging ze verder. 'Het punt is dat ik een grote verantwoordelijkheid op me heb genomen en ik wil zeker weten dat ik geen fouten maak. Ik had moeten weten dat de jongens onmiddellijk achter je aan zouden komen, vooral een jongen als Trevor Foley.'

'Hij is heel beleefd en aardig, Ami.'

'Daar kun je niet op afgaan. Denk je dat een seriemoordenaar zou rondlopen met een ongeschoren gezicht, vuile kleren en duidelijk zichtbare messen of pistolen? Nee. Hij zou eruitzien als je buurjongen en beleefd en hoffelijk zijn en je in zijn kamer uitnodigen, ervoor zorgen dat je alleen met hem bent, of hij zou een andere valstrik spannen.'

'Hoe kun je dan ooit weten wie slecht is en wie goed?'

'Dat is nou juist de truc,' zei ze glimlachend. 'Dat is de vaardigheid die je opdoet met de ervaring, en daarom wil ik dat je langzaam te werk gaat, Celeste, heel langzaam. Ik wil je niet beletten plezier te hebben. Kijk,' ze knikte naar de nieuwe kleren, 'ik heb de laatste mode voor je gekocht, volgens de verkoopsters, zodat je je niet buitengesloten hoeft te voelen. Zou ik dat doen als ik niet wilde dat je gelukkig bent en van het leven geniet? Nou?'

'Nee,' gaf ik toe. Maar het was zo ongeveer of je adverteerde om iets te verkopen en dan niets te verkopen had. Waarom zou je dan adverteren?

'Nee, natuurlijk niet. Maar wat ik wél wil, is zeker weten dat je goed bent voorbereid, de beste opleiding hebt gehad, zodat je niet in een situatie belandt waaruit je je niet op elegante wijze kunt redden, en, wat het allerbelangrijkste is, Celeste, dat je niet in de val van een man trapt en eindigt zoals zoveel jonge meisjes tegenwoordig... weglopen om abortus te plegen.

'Ja, dat is zo,' ging ze snel verder toen ik haar scherp aankeek. 'Je zou verbaasd zijn hoeveel meisjes op die school zich in de problemen hebben gewerkt. Dat soort nieuws doet snel de ronde, vooral in deze gemeenschap van jaloerse sletjes.'

Ze stond op en begon te ijsberen als een lerares die aan een les begon.

'Nee, ik ben niet zo stom,' zei ze. 'Het is nog niet zo erg lang geleden dat ik jouw leeftijd had, en zoals ik zei tegen die non in je weeshuis, ik wil je laten profiteren van mijn ervaring en je wat belangrijke voorlichting geven, een voorlichting die je in dat tehuis nooit zou hebben gekregen. Hoe kan een non je vertellen hoe het is als een man je zoent en streelt en je van alles belooft terwijl zijn handen je lichaam betasten?'

Ik wilde wat zeggen, maar blijkbaar had ze zich voorgenomen al die dingen tegen me te zeggen en wilde ze het zo snel mogelijk achter de rug hebben.

'Ik weet dat je denkt dat je erg slim bent, te verstandig om je door jongens voor de gek te laten houden, maar het zijn niet je hersens waar ze op azen, geloof me. Helaas is je eigen lichaam niet te vertrouwen. Dat weet je nu nog niet, maar waarschijnlijk ben je zelf je ergste vijand.'

'Hè? Waarom zeg je dat?'

'Je kunt jezelf niet vertrouwen, niet erop vertrouwen dat je altijd zult doen wat juist is. Er zijn plekjes op je lichaam, erogene zones of zoiets, ik ben vergeten hoe ze die noemen. Plekjes, die als ze worden aangeraakt of gezoend, de deur openen naar je geheime schat. En als je niet op de rem trapt, als je ze niet tegenhoudt voor ze te ver gaan, zul je plotseling merken dat je niet meer in staat bent die deur dicht te doen.

'Feitelijk,' zei ze, zich naar me toebuigend en bijna fluisterend, 'zul je zelf even verlangend zijn als zij om te doen wat ze willen.'

Haar opengesperde ogen fonkelden. Ze knipperde even en deed toen een stap achteruit.

'Natuurlijk is het op dat moment een verrukkelijk gevoel. Dat wordt ons tenminste altijd verteld door mannen en vrouwen die laag gezonken zijn, maar het is niet altijd zo verrukkelijk! Zoals

187

mannen het beschrijven, kan het hun weinig schelen met wie ze het doen. Ze zeggen zelfs weerzinwekkende dingen, bijvoorbeeld dat alle katjes gelijk zijn in het donker.

'Het ergste van alles is misschien wel als je het had gedaan met iemand van wie je niet hield. Je zou je zo teleurgesteld kunnen voelen dat je er daarna nooit meer van zou kunnen genieten. Je zou zelfs frigide kunnen worden of zo.' Ze wendde haar blik af.

'Dus je ziet,' ging ze een ogenblik later verder, me weer aankijkend. 'Ik maak me echt bezorgd over je. Ik maak me ongerust. Al mijn energie besteed ik tegenwoordig aan jou, en dat doe ik met liefde.'

'Ik weet het, Ami. Ik waardeer het echt.'

'Goed.' Ze glimlachte, ging weer naast me op het bed zitten en pakte mijn hand. 'Goed. Maar ik ben ook realistisch. Ik weet dat wat ik ook zeg, hoeveel ik je ook leer, hoeveel je ook begrijpt en belooft, sommige dingen niet zijn tegen te houden.'

Ze dacht even na en schudde toen haar hoofd.

'Ik kan me gewoon niet voorstellen dat je opgroeit zonder dat iemand je die dingen leert. Geen wonder dat meisjes als jij zo vaak in moeilijkheden raken. Het eerste wat je moet doen is beginnen met de pil. Zodra ik de kans krijg zal ik er met mijn dokter over spreken.'

'De pil?'

'Om niet zwanger te raken. Ik weet zeker dat de nonnen het er nooit met je over hebben gehad, maar je moet het doen om jezelf te beschermen, je *tegen* jezelf te beschermen, en om mij meer op mijn gemak te stellen.'

Ik wist niet of ik moest lachen of huilen, en ze zag het aan mijn gezicht.

'Denk niet dat je beter bent dan de anderen, Celeste. Ongeacht hoe je bent opgevoed of hoe je hebt geleefd in het weeshuis. Ik ben me heel goed bewust van alle spirituele en paranormale dingen waaraan je was blootgesteld en die je verondersteld wordt te hebben geërfd, maar je hebt toch hetzelfde lichaam en gevoel als elk ander meisje van jouw leeftijd, en zoals ik al zei, er zijn mannen, jongens, die op het juiste knopje weten te drukken. Soms kunnen we ondanks alles ons er niet tegen verzetten. We kunnen niet stoppen! Beschouw de pil maar als een veiligheidsklep.'

Ze keek alsof ze een hysterische huilbui zou krijgen als ik niet toestemde.

'Oké, Ami. Ik zal ze nemen bij wijze van voorzorg, zoals je zegt.'

'Dank je. Dank je. Ik zal ervoor zorgen.'

Ze vouwde haar handen. 'En vertel me nu eens, wat heeft Trevor Foley tegen je gezegd dat je hem zo snel meenam naar je kamer? Je bent pas twee dagen op die school. Je moet óf een overrijpe vrucht zijn, óf hij is een verdraaid goeie goochelaar.'

Ze leunde achterover, in de verwachting van een sappig verhaal en een pittige beschrijving.

'Hij heeft helemaal niks gezegd om me dat te laten doen. Ik dacht alleen dat hij zich niet op zijn gemak zou voelen als hij beneden in mijn badjas zat.'

'Nee,' hield ze vol, en prikte met haar vinger in de richting van mijn gezicht, 'hij gaf je het gevoel dat hij zich niet op zijn gemak zou voelen. Hij heeft dat idee in je hoofd geplant, of je je dat realiseert of niet, geloof me maar. Waarschijnlijk heeft hij alles precies zo gepland vanaf het moment waarop hij voorstelde je thuis te brengen. Misschien zelfs al eerder.'

'Dat geloof ik niet, Ami,' zei ik zacht. 'Hij was echt alleen maar beleefd en behulpzaam. Het stroomde van de regen, en jij kwam niet, en ik heb echt gewacht. We dachten dat als jij onderweg was, we je misschien tegen zouden komen en je konden laten stoppen.'

Ze schudde haar hoofd.

'Het is mijn schuld, het is mijn schuld. Ik ging te veel op in mijn bezigheden en verloor de tijd uit het oog. Het zal niet meer gebeuren. Ik kan je niet kwetsbaar en alleen achterlaten in die... die jungle.'

Ik vond het vreselijk dat ze deed of ik zo hulpeloos was, maar ik sprak haar niet tegen.

'Wat is er met je rijles gebeurd?' vroeg ze.

'Die heeft hij geannuleerd in verband met het weer. Hij zei dat ik nog niet genoeg ervaring had om in een wolkbreuk te rijden, en dat gebeurde toen Trevor uitstapte en naar de intercom liep,' zei ik nadrukkelijk.

'Oké, oké, zo is het genoeg.' Ze stond op en glimlachte toen. 'Nog één verrassing. Ik heb een muziekleraar gevonden, meneer LaRuffa, die je pianoles komt geven. Hij komt zaterdag om halfacht.'

'Om halfacht 's morgens?'

'Nee, 's avonds. Ik wil er graag bij zijn en hij heeft ingestemd met de dag en de tijd. Je hebt toch niets anders te doen? Nee toch?' vroeg ze met een onderzoekende blik. Het leek minder een vraag dan een bevel.

Ik dacht aan Trevor en aan zijn hoop dat ik hem misschien kon uitnodigen. Na wat er gebeurd was, en nu met die lessen, was dat idee van de baan. Hijzelf misschien ook wel, en ik kon het hem niet kwalijk nemen.

'Je kijkt niet erg blij, maar toen ik het eerder tegen je zei, was je juist zo enthousiast. Je zei dat je altijd gewild had dat je piano kon spelen.'

'Ik bén er blij om. Het is waar dat ik het al heel lang gewild heb. Mijn moeder speelde altijd voor ons, en ze kon prachtig spelen.'

'O? Dat herinner je je nog heel goed, hè?'

'Ja. Zelfs de muziek. Ze speelde elke avond na het eten. Mijn broertje en ik zaten naar haar te luisteren.'

'Broertje?'

'Ik bedoel, mijn zusje.'

Ze glimlachte. Waarom vond ze het zo belangrijk me telkens te verbeteren? dacht ik.

Nog steeds glimlachend, haalde ze diep adem.

'Oké, prachtig. En laten we die hele Trevor Foley-geschiedenis voor Wade verborgen houden. Hij hoeft het niet te weten. Hij zal er alleen maar nerveus van worden en een zeurende kinderjuf van hem maken of zo. Oké. Geheimen, weet je nog? Wat twee vrienden bindt is dat ze hun geheimen delen en voor zich houden.'

'Zowel mevrouw Cukor als mevrouw McAlister heeft Trevor hier gezien,' bracht ik haar in herinnering.

'Dat geeft niet. Die zeggen niets. Je houdt het hier niet lang vol als je over iemand in huis roddelt. Dat weten ze allebei.' Ze gaf me een klopje op mijn knie en stond op. 'Ik zal je aan je huiswerk laten. Ik weet hoe serieus je dat opvat. Vrijdagavond gaan we weer in een heel speciaal restaurant eten, dus schrijf het in je agenda. Wade gaat niet mee. Hij moet naar een of andere stomme buizen- of schroevenconventie. Hoe volwassen mannen bij elkaar kunnen gaan zitten om te praten over hulpstukken en nieuw gereedschap is me een raadsel, maar mannen zijn nu eenmaal een andere diersoort, hè?'

Ze liep naar de deur, waar ze even bleef staan en zich toen weer omdraaide.

'Ik zeg niet dat Trevor Foley geen knappe jongen is of niet van goede familie, maar hij is een jongen met hevig opspelende hormonen. Dat komt door zijn leeftijd. Voor mooie en bijzondere vrouwen zoals wij, zijn ze net stieren die een rode lap zien. Er zijn wat elegante en slimme manoeuvres voor nodig om niet op de horens te worden genomen. Begrijp je? Ik zal voor de pil zorgen,' voegde ze er toen glimlachend aan toe. 'Olé.' Ze lachte en draaide rond als een matador die een aanvallende stier vermijdt. Toen liet ze me achter, verbaasder dan ooit.

Ik kreeg een visioen van Trevor zoals hij voor me stond toen hij me net gezoend had, en diep in mijn hart wenste ik dat ik die pil nodig zou hebben. Alleen al de gedachte daaraan deed het bloed naar mijn wangen stijgen, maar ondanks Ami's waarschuwingen en de schrikbeelden die ze me had voorgetoverd, genoot ik toch van mijn fantasie. Misschien had ze in één opzicht gelijk. Misschien kon ik, net als elk ander meisje van mijn leeftijd, mijn ergste vijand zijn.

Getrouw aan haar woord, hield Ami het incident met Trevor geheim voor Wade. Toen hij 's avonds tijdens het eten informeerde hoe ze me van school had afgehaald, hield ze een lang verhaal hoe moeilijk het was om terug te rijden in die stortregen en dat ze de rij-instructeur had gebeld om hem te zeggen dat hij de les moest uitstellen tot ik wat meer ervaring had achter het stuur. Wade luisterde met een uitdrukkingsloos gezicht, maar toen hij naar mij keek, moest ik mijn ogen afwenden. Hij wist dat ze niet de waarheid vertelde, maar hij trok haar woorden niet openlijk in twijfel.

Als twee mensen leren elkaars leugens te accepteren, wordt hun relatie dan hechter of juist niet? vroeg ik me af. Het was toch iets anders om elkaars zwakheden te accepteren dan elkaars bedrog. In het weeshuis waren we vaak mild jegens elkaar als het om leugens ging. Dat waren trouwens meestal meer wensdromen. Meisjes verzonnen een verleden of een reden voor het feit dat ze alleen op de wereld waren, een reden die we allemaal doorhadden – ik tenminste bijna altijd – maar waarover we nooit iets zeiden. Soms, dacht ik, hullen we ons in illusies en fantasieën om ons te beschermen tegen de wrede werkelijkheid. Dat is toch zeker niet slecht. Ik was ervan overtuigd dat in Ami's gedachten haar leugens goed waren, goed voor ons allemaal.

Wade daarentegen leek iemand die leugens niet nodig had of ervan afhankelijk was. Hij had weinig illusies en maakte geen excuses voor zichzelf of zelfs voor Ami, en vooral niet voor zijn vader. Sommige mensen accepteerden de duisternis in het leven en deden niets om die te ontkennen. Was het hun daarom onmogelijk om ooit gelukkig te zijn? Misschien, maar Wade leek allang geleden alle hoop op geluk te hebben opgegeven, althans in de zin die Ami eraan gaf.

Wat zou hem gelukkig maken? vroeg ik me af. Kon het Ami werkelijk iets schelen? Verlangde hij naar het kind waarvan ze oorspronkelijk beweerd hadden dat ze het wilden hebben en waarvan Ami gezegd had dat ze er geen haast mee had? Wist hij dat?

Plotseling kwam het bij me op dat ik misschien een andere manier voor haar was om het moederschap uit te stellen, dat ze me voor dat doel gebruikte en misschien zou blijven gebruiken. Ik hoopte dat het niet waar was, want dan zou Wade beslist een hekel aan me krijgen, dacht ik.

Hij trof me net op het moment dat ik alleen was en naar boven wilde gaan om mijn huiswerk af te maken.

'Hoe ben je echt thuisgekomen vandaag?' vroeg hij met een verwachtingsvolle glimlach.

Even dacht ik erover te bevestigen wat Ami hem verteld had, maar ik kon duidelijk zien dat hij het geen moment zou geloven, en hij zou me niet ongestraft laten liegen.

'Een jongen die ik heb leren kennen,' antwoordde ik.

Hij lachte.

'Wees maar niet bang,' zei hij. 'We zullen je bekentenis geheimhouden.' Met die woorden liep hij naar zijn kantoor.

Nu doen ze het allebei, dacht ik. Ze maken allebei gebruik van geheimen om me aan hen te binden.

Ik was nog geen twintig minuten in mijn kamer toen de telefoon ging. Ik sprong erop af om hem niet vaker dan één keer te laten overgaan. Ik wist natuurlijk wie belde.

'Heb je nog moeilijkheden gehad?' vroeg Trevor zodra ik hallo had gezegd.

'Nee, alles is in orde.'

'Het was stom van me. Ik had moeten nadenken. Ik had kunnen verwachten dat zoiets zou gebeuren. Zie je nou wat je met me doet?'

'En wat is dat dan wel?'

'Je betovert me en maakt dat ik stomme dingen doe. Als iemand anders me ooit in jouw badjas zou zien of erachter kwam –'

'Ik denk niet dat mijn nicht iets tegen iemand zal zeggen. Maak je geen zorgen.'

'Ik neem aan dat de kans dat ik zaterdagavond op bezoek kom nu wel verkeken is, hè?'

'Mijn nicht heeft geregeld dat ik zaterdagavond mijn eerste pianoles krijg.'

'Zaterdagavond? Wie heeft er nou les op zaterdagavond?'

'Ik blijkbaar.'

'Hé, ik waarschuw je maar, en jij kunt je nicht waarschuwen. Ik geef je niet op. Niemand heeft mijn kleren ooit beter gedroogd.'

Ik lachte. 'Laat de dingen maar even betijen.'

'Dat kunnen de dingen wel, maar ik niet. Tot morgen.'

'Oké.'

Nog steeds glimlachend hing ik op. Werd ik te halsoverkop verliefd op hem? Had Ami gelijk dat ik te onervaren en kwetsbaar was?

Zo lang was het nog niet geleden dat ik, als ik het niet meer wist of zenuwachtig was, Noble kon oproepen, iemand die van me hield en me hielp. Dr. Sackett wilde me ervan overtuigen dat het slechts een deel van mijzelf was, voortspruitend uit mijn onzekerheid en angst. Misschien was het waar, maar in ieder geval voelde ik me toen niet zo alleen als nu, dacht ik.

Doe niet zo stom, hield ik me voor. Pak je problemen aan zoals elk volwassen mens doet.

Ik hield me doof voor alle stemmen behalve mijn eigen stem en las zoveel ik kon, om gauw in slaap te kunnen vallen.

Ik lag al in bed toen er zachtjes op mijn deur geklopt werd.

'Binnen,' riep ik.

Ami deed de deur een eindje open en tuurde naar binnen. Ze was al in haar nachthemd.

'Ik wilde alleen even weten hoe het met je gaat.'

'Oké,' zei ik.

'Mooi. Je hebt je keurig gedragen aan tafel. We zullen goeie maatjes worden. Slaap lekker. Als ik je eenmaal aan de pil heb, zul je minder nachtmerries hebben, geloof me maar.'

Ze trok zich terug en deed de deur zachtjes dicht.

Was dat wat zij deed? vroeg ik me af. De pil slikken zonder dat Wade het wist? Had ze beloofd ermee te stoppen en had ze dat niet gedaan? Plotseling vond ik hun intieme samenzijn erg belangrijk. Als een klein meisje, dat zich niet kan voorstellen dat haar ouders seks hebben, kon ik me hen beiden moeilijk in een hartstochtelijke omhelzing zien.

Wade hield misschien wel zijn overhemd en das aan, dacht ik en moest stiekem giechelen.

Ik keek de kamer door naar de schaduwen in de hoek. Ze leken Nobles gestalte aan te nemen. Ik verlangde zo naar een kameraad. Als ik hem roep, zal hij er zijn voor me, dacht ik, en dan... dan kon het allemaal weer opnieuw beginnen.

Ik kneep mijn ogen dicht, sloot ze als iemand die een juwelenkistje op slot doet. Ik kon mijn oogleden bijna horen dichtklikken. Ik vluchtte in de slaap.

Ondanks de obstakels die hem en mij in de weg stonden, hield Trevor zich aan zijn woord. Op school bracht hij elk vrij moment met me door. We zaten bij elkaar in de kantine, en twee keer wist hij een veilig plekje te vinden om me te zoenen. Eén keer sleepte hij me het natuurkundelokaal in en de tweede keer bleef hij tijdens het lopen plotseling staan, liet de mensen achter ons voorgaan en trok me toen mee achter de deur van het Engelse leslokaal. Natuurlijk was ik bang dat we ontdekt zouden worden, maar dat leek me alleen maar meer te doen genieten van zijn kus en deed mijn hart bonzen.

De rest van de week was Ami er prompt aan het eind van de schooldag om me af te halen; ze haastte zich om op tijd thuis te zijn voor mijn rijles. Donderdag kwam ze zelfs het schoolgebouw binnen, wat me belette met Trevor naar de uitgang te lopen. Natuurlijk informeerde ze voortdurend naar hem.

'Zit hij nog steeds achter je aan?' was haar eerste vraag. 'Komt hij op je af zodra hij de kans krijgt?'

'Je doet net of het een jacht of een achtervolging is,' antwoordde ik.

'Dat is precies wat het is op jouw leeftijd, Celeste. Je bent een belangrijke prooi voor hem. En wat denk je dat er gebeurt als hij eenmaal zijn zin heeft gekregen? Ik zal het je vertellen,' ging ze verder voordat ik zelfs maar een antwoord kon bedenken. 'Hij zal je laten vallen als een bedorven vrucht, want zo zal hij je beschouwen.'

'Waarom?' vroeg ik. Had ze gelijk? Had ze werkelijk zoveel verstand van de relatie tussen man en vrouw als ze beweerde?

'Waarom? Omdat het mysterie weg is. En dat is wat hem intrigeert. Ze denken allemaal dat het een of andere meisje iets unieks heeft, iets dat hun een wonderbaarlijk orgasme zal geven.'

'Het *is* zo.' Ze bloosde zelf een beetje. 'Daar zijn de mannen naar op jacht, het mythische, wonderbaarlijke orgasme, omdat zij niet hebben wat wij hebben.'

'Wat dan?'

'Het vermogen om meerdere orgasmen te krijgen tijdens de geslachtsgemeenschap,' legde ze uit op de toon van een wetenschappelijk docent. 'Voor een man is het belangrijker. Hij kan niet onmiddellijk weer klaarkomen.'

'Heeft niemand je dat ooit geleerd? Helemaal nooit? Ik kan me niet voorstellen dat je er nooit iets over gehoord hebt.'

'Een beetje,' zei ik. Het was heel iets anders om te leren over de voortplanting in de biologieles dan te horen wat er feitelijk met jou persoonlijk gebeurde.

'Nou ja, nu je meer weet, kun je beter begrijpen waarom ik zo bezorgd ben, ja toch?'

'Ja, Ami,' zei ik, maar met minder enthousiasme dan ze gehoopt had. Ik zag haar teleurstelling, maar ik voelde dit soort laaghartige motieven niet aan in Trevor, en ik was als het om mensen ging altijd op mijn eigen instinct afgegaan. Daar had ik altijd op kunnen vertrouwen toen ik jonger was en in het weeshuis geconfronteerd werd met de ene soort bedreiging na de andere. Alleen vreesde ik dat mijn therapie me veel van dat vermogen ontnomen had. Ik was allang niet meer Baby Celeste, het begaafde kleine meisje. Misschien was ik werkelijk even kwetsbaar als ieder ander.

'Je zult me nog wel gaan waarderen,' voorspelde ze, meer tegen zichzelf dan tegen mij, dacht ik.

Die vrijdag trokken we onze 'moorddadige outfits' aan, zoals zij het noemde, en nam ze me mee naar een restaurant dat bijna vijftig kilometer verderop lag. Ze legde uit dat Wade nooit zo ver wilde rijden alleen om ergens te gaan eten. 'Voor hem is het gewoon een hapje eten. Voor mij is het een avondje uit. Hij gaat net zo lief naar een wegrestaurant, neem dat maar van me aan.'

Weer bleek de gerant haar te kennen, en hij verzekerde haar dat hij voor een goede tafel zou zorgen. Het restaurant was een chique oriëntaals restaurant, met een Thaise en Chinese keuken en zelfs een paar continentale gerechten, waaronder steaks en kreeft. Er was een heel drukke bar, waar we eerst naartoe gingen voor cocktails. Even dacht ik dat ze mijn identiteitsbewijs zouden verlangen, maar Ami stopte de ober wat geld toe, en hij kwam ons twee Cosmopolitans brengen. Ze bestelde er nog twee en liet die naar onze tafel brengen toen het tijd was om te eten.

Onderweg naar onze tafel flirtte ze, net als ze in het Stone House had gedaan, met een paar mannen die alleen zaten, gaf hun de indruk dat ze ons wel konden oppikken, om dan, net als ze eerder had gedaan, op het laatste moment met haar trouwring te wapperen. Ik realiseerde me dat ze hem had afgedaan en toen weer aan haar vinger had geschoven, wat ze waarschijnlijk dus ook had gedaan in het Stone House.

'Denk je niet dat ze op een keer wel eens heel kwaad kunnen worden en een hoop moeilijkheden veroorzaken?' vroeg ik, toen ze zich net als de vorige keer excuseerde met de opmerking dat ze alleen wat plezier wilde hebben en wilde weten of ze nog 'met de stieren kon meerennen', zoals zij het noemde.

'Nee,' zei ze. 'Dat is hun te veel moeite. Ze zoeken gewoon een ander doelwit, geloof me maar,' zei ze. 'Ik ken de mannen.'

Ze zag dat ik niet erg blij was met het antwoord. Ik moest onwillekeurig aan Wade denken. Het feit dat ik in Ami's gezelschap was maakte dat ik me schuldig voelde.

'Wat is er?' vroeg ze, een beetje geërgerd over de manier waarop ik met mijn eten speelde en naar mijn bord zat te staren. 'Heb je het niet naar je zin?'

Ik dacht even na en besloot toen haar de waarheid te vertellen.

'Nee,' zei ik. 'Ik moet steeds weer aan Wade denken. Ik weet zeker dat het hem verdriet zou doen als hij dit wist, wat hij ook mag beweren. Het lijkt me trouwens toch verkeerd om mannen zo te plagen.' Het kon me niet schelen of ze me een preutse tante noemde of te veel beïnvloed door de nonnen van het weeshuis. 'O. Wade,' zei ze met een diepe zucht. Ze wendde even haar blik af. Toen ze me weer aankeek, zag ik dat er tranen in haar ogen stonden.

'Je denkt dat ik gewoon een plaaggeest ben, een misselijke flirt, zoals Basil me noemt. Bedoel je dat?'

'Ik voel me niet op mijn gemak als ik erbij ben als je dit doet, Ami,' bekende ik. 'Het spijt me, maar ik heb wél voldoende ervaring om te weten dat mannen een vrouw die doet wat jij doet en wat ik doe als ik in je gezelschap ben, scheldnamen geven als droogverleidster.

'Ik bedoel, het is alsof je je vinger vlak bij een kaarsvlam houdt en hem op het laatste moment, vlak voordat je hem brandt, terugtrekt. Eerst vertel je me dat ik extra voorzichtig moet zijn, en dan neem je me mee naar een restaurant als dit en lok je allerlei mannen naar ons toe, alleen om ze daarna weg te jagen. Sorry,' zei ik, beseffend hoe hardvochtig ik klonk. Mijn hart bonsde wild. Misschien zou ze me nu haar huis uitgooien.

Ze keek me heel lang aan, en ik besefte dat ze inderdaad op het punt stond een belangrijke beslissing te nemen. Wilde ze me terugsturen naar het weeshuis, me zeggen dat ik toch een hopeloos geval was gebleken? Ik zette me schrap voor de afwijzing. Per slot had ik daarmee geleefd sinds ik naar mijn eerste weeshuis werd gebracht. Het was me niet vreemd. Integendeel, het was me maar al te bekend.

'Goed,' zei ze, 'ik zal je wat vertellen. Het is mijn grootste geheim, en ik had willen wachten tot we nog intiemer met elkaar waren, maar ik vertrouw op je belofte dat je alles tussen ons in je hart zult wegsluiten. Kan ik daarvan op aan?'

'Ja,' zei ik. Ik hield mijn adem in. Ging ze me vertellen dat ze een relatie had? Wat moest ik dan doen, wat moest ik zeggen? Hoe kon ik dat voor Wade verborgen houden? Hij zou het ongetwijfeld aan mijn gezicht zien, dacht ik.

Ze nam een slokje en slikte moeilijk. Toen richtte ze zich op en keek me strak aan.

'De reden dat ik te laat was om je af te halen toen het die dag zo regende, was dat mijn afspraak met mijn therapeut was uitgelopen. Ja, ik ben onder behandeling van een therapeut. We maakten belangrijke vorderingen volgens haar, en ze wilde het onderhoud niet beëindigen, ook al was het uur allang voorbij. Ik ging zo op in onze bespreking dat ik niet op de tijd lette.

'In ieder geval, de avonden dat ik alleen uitga, het flirten, het hoort allemaal bij mijn therapie,' beweerde ze.

'Hè? Hoe kan dat nou een therapie zijn?'

'Ik weet dat je dit moeilijk zult kunnen geloven, maar ik ben altijd erg verlegen en introvert geweest. Ik heb je niet precies de waarheid verteld toen we elkaar leerden kennen. Ik overdreef en verzon dingen, om je beter over me te laten denken en sneller bevriend met je te kunnen raken. Ik had niet echt zo'n lange lijst met vriendjes. Feitelijk was het een verlanglijstje van vriendjes.'

Ik schudde ongelovig mijn hoofd.

'Ik kan zien dat je me niet gelooft omdat ik zoveel weet en zo goed ben in wat we nu doen, maar er was heel wat therapie voor nodig om me zoveel zelfvertrouwen te geven. Dat flirten doe ik om mezelf te versterken. Het is volkomen onschuldig, maar het verhoogt mijn ego en versterkt mijn zelfbeeld.'

'Ik begrijp het niet. Waarom moet je je ego verhogen?' vroeg ik.

'Je weet alles over stijl. Je weet dat je mooi bent. Alle mannen kijken naar je.'

Ze lachte.

'Ja, nu wél. Ik was een heel mager, slungelig meisje toen ik opgroeide. Pas laat in mijn puberteit begon ik wat aantrekkelijker te worden, en mijn moeder droeg er niet toe bij mijn zelfvertrouwen te verhogen. Ze had zo'n stomme uitdrukking: "Je moet spelen met de kaarten die je krijgt." Dat was of ze tegen me zei: Je bent niet mooi. Je zult nooit mooi worden. Jongens zullen nooit enige belangstelling voor je tonen, dus zie het onder ogen en leer ermee leven. Ik kreeg mijn eerste echte afspraakje pas toen ik in de hoogste klas van high school zat! Nou ja, je kunt je wel voorstellen wat voor uitwerking dat op me had. Ik heb je verteld dat mijn vader me altijd Mon Ami noemde, alsof ik een vriend was en niet een mooie dochter.

'Ik zag hoe andere vaders hun dochters adoreerden, als prinsesjes behandelden, en hun steeds weer vertelden hoe mooi en bijzonder ze waren. Zo was mijn vader niet. Bij mijn ouders voelde ik me het beroemde lelijke eendje.'

'Maar je hebt me toch verteld dat je een debutante was?'

'Ja, en dat was een ramp. De enige reden waarom mijn moeder erop stond dat ik het zou doen was om haar naam op de society-pagina's te krijgen. We hadden zelfs moeite om de gastenlijst vol te krijgen. Ik haatte elke seconde ervan. Wade was zich van dat alles niet bewust toen we elkaar leerden kennen, en het feit dat hijzelf niet bepaald een charmeur was, maakte het me gemakkelijker om komedie te spelen. Tot de dag van vandaag gelooft hij dat ik het populairste meisje op school was. Maar dat is oké. Je man moet een paar illusies en fantasieën over je hebben.'

'Weet Wade dat je in therapie bent?'

'Ja. Feitelijk was het zijn idee.'

'Maar... Dat begrijp ik niet. Als hij nog steeds gelooft dat je zo populair was, waarom zou hij dan willen dat je naar een therapeut gaat?'

'Er zit meer achter mijn verhaal.'

Ze gebaarde de ober om weg te gaan toen hij kwam vragen of we nog iets wensten. 'Omdat ik zo wanhopig graag geaccepteerd wilde worden, erbij wilde horen, heb ik me schuldig gemaakt aan een heel nare ervaring.'

'Wat voor ervaring?'

'Het is erg gecompliceerd. Ik heb je al genoeg in de war gebracht, en je hebt al genoeg narigheid in je leven gehad. Je hoeft alleen maar te weten dat je je geen zorgen hoeft te maken over Wade. Maak je liever zorgen over mij of... eigenlijk over geen van ons beiden. Het gaat ons goed. Het gaat mij goed,' zei ze nadrukkelijk. 'Ik hoop dat je niet denkt dat ik, door mijn eigen problemen met onzekerheid, niet weet waar ik het over heb als ik jou advies geef. Het een heeft niets te maken met het ander. Het is zoals docenten vaak zeggen: "Kijk naar mijn leer en niet naar mijn daden." Bovendien heb ik tijdens het proces om zelfvertrouwen te krijgen zoveel geleerd, dat ik je echt kan laten profiteren van een grote wijsheid. Begrijp je dat?'

Ik begreep het niet, maar knikte toch.

'In orde. Geloof me maar. Het gaat me nu goed. Ik heb een geweldige therapeut. Ze heeft me een heel eind op weg geholpen. Het was niet gemakkelijk voor me om, zoals ik toen was, met Wade te leven en Basil om je heen te hebben. Je kunt je wel voorstellen hoe Basil een vrouw zou behandelen als ze ook maar enige onzekerheid toonde.'

Ze zweeg even.

'Je bent er toch niet van geschrokken, hè?' vroeg ze. 'Iedereen kan dit soort problemen hebben, en hopen mensen gaan tegenwoordig naar een therapeut.'

'Nee,' zei ik. 'Je weet dat ik als kind en zelfs als tiener ook in therapie ben geweest.'

'Ja, dat weet ik, en daarom dacht ik dat we zo goed met elkaar zouden kunnen opschieten. We weten allebei wat het betekent om volledig op iemand te vertrouwen, iemand die in feite een vreemde is. Ik zie iets in jou dat het me gemakkelijk maakt je in vertrouwen te nemen. Je bent een heel oprecht mens en ik weet dat je het meent als je zegt dat je me geen verwijt zult maken van dit alles, zelfs niet van het flirten.'

'Dank je,' zei ik, en ze glimlachte naar me.

'Ja, dat had ik gehoopt te zullen horen. Je bent een verstandige jongedame. We zullen dikke vriendinnen worden, voor eeuwig en altijd.' Ze reikte over de tafel heen, pakte mijn hand vast en drukte die zachtjes. Toen, alsof ze niets had gezegd, begon ze te praten over een stel naast ons, geërgerd over de man die naar alle vrouwen om zich heen keek behalve naar de vrouw die bij hem was.

'Ze denken altijd dat het gras groener is aan de andere kant,' zei ze minachtend.

Nu ik dat allemaal over haar wist, kon ik haar gedrag beter accepteren. Ik zou nooit geraden hebben dat deze vrouw in therapie was omdat ze onzeker was ten opzichte van mannen, en ik was ervan overtuigd dat geen enkele man, zelfs Basil niet, dat ooit zou vermoeden.

Maar al die complicaties en tegenstrijdigheden brachten me aan het duizelen. Ze wilde dat de mannen haar apprecieerden, maar ze was wantrouwend en soms zelfs hatelijk tegen ze.

'Weet je,' ging ze verder, 'de manier waarop een man je behandelt kan je doen twijfelen aan jezelf. Daarom is het zo belangrijk dat je hun beweegredenen kent en dat je zelf sterk blijft. Ik wil niet dat het jou overkomt. Absoluut niet. Daarom vind ik het niet erg je al mijn geheimen te vertellen en daarom hoop ik uit de grond van mijn hart dat jij mij ook die van jou zult vertellen.'

Ik knikte glimlachend, maar vroeg me onwillekeurig af of haar bekentenissen ons dichter bij elkaar hadden gebracht, zoals ze hoopte, of juist verder uiteengedreven. Ik was niet zeker van het antwoord. In mijn hart wist ik dat het wel een tijdje zou duren voor ik erachter kwam.

We aten geen van beiden veel, en ik was blij toen ze opperde dat het tijd was om naar huis te gaan. Wade zou nu wel terug zijn van zijn vergadering, en we vertrokken.

Toen we eenmaal in haar auto zaten, op weg naar huis, ging ze de mannen na die zich in de bar tot haar aangetrokken hadden gevoeld, en voorspelde hoe ze stuk voor stuk zouden zijn als echtgenoot. Het leek of alles wat ze me over zichzelf verteld had – haar therapie, haar onzekerheid – in een hutkoffer was gestopt en onder oude meubels op zolder was begraven. Ze was weer de Ami die ik oorspronkelijk had leren kennen.

Toen we thuiskwamen vertelde ze Wade een heel ander verhaal over het restaurant. Daarna begon ze hem te plagen met zijn vergadering, net zoals ze de mannen aan de bar had geplaagd.

'Hebben jullie het over de nieuwste bouten en schroeven gehad? En over moderne buizen?'

Zijn gezicht werd vuurrood en Ami lachte. De gedachte kwam bij me op dat ze met Wade getrouwd was juist omdat hij zo onervaren was op het gebied van vrouwen en seks, en zelf zo intens verlegen was. Hij vormde geen bedreiging voor haar. Hoe anders was het als ze met Basil te maken had. Alleen al daarvoor had ze therapie nodig, dacht ik.

Wade en ik raakten eindelijk in gesprek over de boeken die ik moest lezen voor de Engelse les. Hij nam me mee naar zijn bibliotheek, om me een boek te geven waarvan hij dacht dat ik het mooi zou vinden, en Ami begon zich te vervelen. Toen ze naar boven ging om te gaan slapen, volgde Wade even later. Ik begon het boek te lezen dat hij me had gegeven. Voor ik het wist was er al een halfuur voorbij. Ik haalde iets kouds te drinken en liep de trap op.

Toen ik boven in de gang liep hoorde ik Ami weer zachtjes jammeren. Ik wist het zeker. Maar Wades stem klonk kwaad, en ik hoorde hem duidelijk zeggen: 'Je probeert het helemaal niet.'

Als enig antwoord bleef Ami snikken.

Plotseling ving ik een beweging op in de schaduw achter in de gang bij de slaapkamer waar Basil soms sliep. Ik hield mijn adem in toen een gedaante naar voren kwam. Het was niet Noble. Het was mevrouw Cukor.

Ik was zo verbaasd dat het leek of mijn hart stilstond. Ze liep naar me toe, en ik draaide me snel om en liep mijn kamer in, deed de deur achter me dicht en bleef staan wachten. Wat deed ze daar in het donker? Zou ze Wade en Ami vertellen dat ik had staan luisteren aan de deur van hun slaapkamer?

Als ze werkelijk langs mijn slaapkamer kwam, moest ze wel op lucht lopen, dacht ik. Ik hoorde niet één voetstap. Na nog even gewacht te hebben, ging ik naar de badkamer en maakte me gereed om naar bed te gaan. Ik kon moeilijk in slaap komen; ik lag te draaien en te woelen, luisterde gespannen of ik iemand bij de deur hoorde. Ten slotte viel ik van uitputting in een diepe slaap.

De volgende dag belde Trevor me 's ochtends vroeg, en we praatten bijna een uur. Hij dreigde stiekem ons domein binnen te dringen en na mijn pianoles over de muur naar mijn kamer te klimmen. Hij deed alsof het zo gemakkelijk en logisch was, dat ik moeite had me op mijn pianoles te concentreren. Blijkbaar had mevrouw Cukor niets over mij gezegd tegen Wade of Ami, want geen van beiden zei iets over het feit dat ik aan hun deur had geluisterd.

Ami was erbij toen ik mijn eerste les kreeg, en ook Wade kwam even kijken. Na de les vroeg Ami mevrouw McAlister om thee en koekjes.

Ik vond mijn leraar aardig. Hij zei dat hij onmiddellijk wist of een leerling mogelijkheden had, en hij verzekerde Ami en mij dat die bij mij aanwezig waren.

'Ze heeft een muzikaal gehoor,' zei hij.

'Misschien heeft ze dat geërfd,' zei Ami, met een knipoog naar mij.

'Dat is heel goed mogelijk,' zei meneer LaRuffa, en we maakten een afspraak voor twee lessen per week, waarvan een altijd op zaterdagavond. Hij begreep het zelf ook niet helemaal. 'Zo'n knap meisje heeft toch zeker afspraakjes en feestjes.'

'Niet meteen,' verzekerde Ami hem. 'Later zullen we de dagen en uren wel veranderen.'

'Zoals u wilt,' zei hij, en ging weg.

Later zaten Wade, Ami en ik samen televisie te kijken. Het was de eerste keer dat we met elkaar iets deden wat ook maar enigszins met een gezinsleven te maken had, en ik zag dat Wade ontspannen en opgewekt was. We lachten om de komedie waarnaar we keken. Voor het eerst had ik het gevoel dat ik echt deel uitmaakte van een gezin. Het was ook de eerste keer dat ik enige genegenheid zag tussen Wade en Ami. Ze zat naast hem op de bank en leunde tegen hem aan, en hij sloeg zijn arm om haar heen.

Wat kon in vredesnaam hun probleem van de vorige nacht zijn geweest? vroeg ik me af.

Toen ik naar hen keek moest ik aan Trevor denken. Ik was benieuwd of hij zich amuseerde op Waverly's feest en of Germaine Osterhout hem weer aan de haak had geslagen. Ze zou zich beslist aangemoedigd hebben gevoeld door mijn afwezigheid. Wade zag mijn trieste blik.

'Waarom krijgt ze eigenlijk pianoles op zaterdagavond?' vroeg hij aan Ami. 'Misschien wil ze met vrienden naar een film of zo.'

Ami keek naar mij, met een blik die me wilde dwingen antwoord te geven.

'Het geeft niet,' zei ik. 'Ik had geen plannen.'

'Nee, deze zaterdag misschien niet, maar volgende week?'

'Als er zich iets voordoet, maakt haar leraar wel een andere afspraak, Wade. We hebben het er al over gehad. Maak je maar niet ongerust. Zo is het toch, Celeste?'

Ik knikte.

Hij keek sceptisch, maar ging er verder niet op door. Na een minuut of tien excuseerde ik me en ging naar mijn kamer.

'Morgen ga ik met je naar de nieuwe winkels,' riep Ami me na. 'Hou er maar rekening mee.'

'Ze moet toch wel iets anders te doen hebben dan voortdurend met jou te gaan winkelen, Ami,' hoorde ik Wade zeggen. Ik bleef even staan om haar antwoord te horen.

'We gaan misschien ook naar een film,' zei Ami.

'Ik zou graag willen dat ze met kinderen van haar eigen leeftijd uitgaat,' hield hij vol.

'Dat zal ze heus wel doen. Maak je toch niet zo druk. Geef haar even de tijd om echte vrienden te maken. Ze is heel verstandig en kieskeurig,' antwoordde Ami.

Ze zwegen, dus liep ik verder de trap op naar mijn kamer. Ik ging meteen naar de badkamer, kleedde me uit en trok een van de transparante nachthemden aan die Ami voor me gekocht had. Maar plotseling realiseerde ik me dat ik eigenlijk niet moe was. Ik sloeg mijn bed open, maar in plaats van onder de dekens te kruipen, voelde ik me aangetrokken tot het maanlicht en liep naar een van mijn ramen.

Ik ging op de vensterbank zitten en staarde naar het maanverlichte grasveld en naar de bomen – zwijgende silhouetten die als trouwe schildwachten huis en tuin bewaakten. Het herinnerde me aan mijn leven op de farm voordat ik overdag naar buiten mocht. Ik voelde me nu net zo gevangen en afgezonderd van de reële wereld. Ik was weer een klein meisje, opgesloten in een luchtbel, wensend dat ik gewoon mijn raam kon openen en wegvliegen als een van die mooie vogels die ik altijd observeerde. Hoe heerlijk moest het zijn om die vrijheid te hebben, dacht ik, en herinnerde me die zware last van droefheid en zelfmedelijden die toen op mijn smalle schoudertjes rustte.

Ik was me er zelfs niet van bewust dat ik huilde, tot ik een traan voelde op mijn wang, die langzaam van mijn kin drupte. Plotseling meende ik in de ruit de weerkaatsing te zien van Noble, zag hem met een bedroefd gezicht achter me staan. Maar toen ik me met een ruk omdraaide, hoorde ik iets van hagel tegen het glas.

In een oogwenk was Nobles beeld verdwenen.

Maar ik zag iets beters, iets dat ik zelfs nog liever wilde zien, iets waar ik zo intens naar verlangd had en over gefantaseerd had, dat het werkelijkheid was geworden.

Toen ik naar buiten keek, zag ik Trevor Foley in het maanlicht staan en naar me omhoogkijken.

12. Zoete smart

Ik deed het raam open en stak mijn hoofd naar buiten.
'Wat doe jij hier?' riep ik.
'Het was een feest van niks,' zei hij. 'Ik wilde even bij jou langs-komen. Ik zag je pianoleraar weggaan en ik stond door het raam naar je te kijken, zodat ik wist wanneer je naar je kamer ging.'
'Hoe ben je door het hek gekomen?' Ik wist dat niemand hem zou binnenlaten.
'Denk je dat zo'n stom hek me kan beletten bij jou te komen?'
'Je moet weg, Trevor. Straks ziet of hoort iemand je.'
'Nou en? Heb je *Romeo en Julia* nooit gelezen? Net als Romeo ben ik bereid mijn leven op het spel te zetten. Ik ben hier gekomen om naar je balkon te klimmen.' Hij draaide zich om alsof hij werd gadegeslagen door een publiek, en riep uit: 'Maar stil! Welk licht doorstraalt het gindse raam? Het is oosterlicht en Celeste is de zon.'
'Maar ik heb geen balkon,' zei ik lachend.
'Echt niet? Nou ja, dan moet het dak van die erker maar dienst doen.' Hij begon te klimmen en hees zich op aan het dak van het erkerraam.
'Trevor, hou op. Ga terug. Dit kun je niet maken,' waarschuwde ik hem, en draaide me om teneinde me ervan te overtuigen dat nie-mand het gehoord had, niemand mijn kamer binnenkwam.
Hij kwam overeind en stond nu met zijn gezicht enkele centi-meters van het mijne verwijderd.
'Hoi,' zei hij.
'Idioot. Je brengt ons allebei in de grootste moeilijkheden. Ga weg voordat het te laat is.'
'Ik pieker er niet over om weg te gaan zonder een zoen.'
'Je bent gek.'

'Gek op jou.' Hij leunde op de vensterbank, sloot zijn ogen en tuitte zijn lippen.

'Als ik je een zoen geef, ga je dan weg?'

'Waarschijnlijk niet,' zei hij, 'maar je kunt het altijd proberen.'

Toen ik dichterbij kwam om hem te zoenen, rook ik whisky op zijn adem en trok snel mijn hoofd terug.

'Je hebt gedronken!'

'Net genoeg om me moed in te drinken.' Hij stak zijn duim en wijsvinger omhoog. 'Het kan weleens een beetje wild toegaan op Waverly's feestjes. De drank komt uit de kranen. Net een Romeinse orgie.'

'Waarom ben je dan weggegaan?'

'Het drong al heel gauw tot me door dat jij er niet was.'

'En niemand heeft geprobeerd mijn plaats in te nemen?'

'Velen hebben het geprobeerd, geen is erin geslaagd,' declameerde hij. Hij deed zijn ogen weer dicht en wankelde. Ik dacht dat hij van het smalle dak zou vallen en stak mijn hand naar hem uit.

'Trevor! Je maakt me doodzenuwachtig,' zei ik, en greep zijn arm stevig vast.

'Drink wat,' zei hij, 'om je moed te geven.' Hij stak zijn hand in zijn achterzak en haalde een kleine zilveren flacon tevoorschijn. Hij bood hem eerst mij aan, schroefde hem toen open en nam een slokje. 'Zo, nu kan ik alles en iedereen aan.' Hij maakte aanstalten om door mijn raam naar binnen te kruipen.

'Trevor!' riep ik hees fluisterend.

'Mijn zoen, alsjeblieft.' Hij was al halverwege binnen.

Snel gaf ik hem een zoen. Hij hield zijn ogen gesloten.

'Een beetje te haastig,' zei hij. 'Had geen tijd om het tot me te laten doordringen. Nog eens, alsjeblieft.'

'Mafkees,' zei ik, maar ik gaf hem weer een zoen en liet mijn lippen deze keer langer en steviger op zijn mond rusten.

Toen ik me weer terugtrok, deed hij zijn ogen open en keek me zo liefdevol en met zo'n duidelijk verlangen aan, dat ik voelde wat Ami gezegd had dat ik zou voelen: een verlies van zelfbeheersing, een gretigheid om door te gaan, een tinteling langs mijn rug die me alle voorzichtigheid deed vergeten.

'Ik zal zo stil zijn als een muis,' beloofde hij, en bleef dichterbij komen. Ik deed een stap achteruit en wachtte tot hij binnen was. Hij was al binnen in mijn hart. Ik moest lachen om zijn capriolen en zijn charme.

'Je haalt ons de grootste moeilijkheden op onze hals,' herhaalde ik, maar minder overtuigend.

'Waarlijk grootse dingen, belangrijke dingen, zijn altijd vol risico, maar meestal de moeite waard.' Hij pakte mijn hand om me dichter naar zich toe te trekken.

Ik besefte hoe dun en fragiel de stof was tussen mijn naakte lichaam en hem, toen zijn handen van mijn middel omhooggleden en mijn borsten liefkoosden, terwijl we elkaar weer zoenden, deze keer langer en inniger.

'Weet je, Celeste,' zei hij. 'Ik zou nooit tegen iemand hebben beweerd dat ik geloofde in liefde op het eerste gezicht, tot ik jou die eerste keer het leslokaal zag binnenkomen. Het was of mijn hart had geslapen in mijn borst en had gesimuleerd dat het klopte, tot het plotseling begon te bonzen alsof iemand op de deur van mijn slaapkamer stond te trommelen om me wakker te maken.

'En toen je me aankeek, me aanstaarde met die ogen van je, was ik bereid je voeten te kussen.'

'Dat zeg je alleen maar omdat je dronken bent, Trevor Foley.'

'Ik hoef niet dronken te zijn om je te kunnen zeggen wat er in mijn hart leeft,' antwoordde hij, en zoende me weer.

Al Ami's woorden en waarschuwingen zwermden rond mijn hoofd, fladderden met hun vleugels als hysterische vlinders, en probeerden wanhopig contact te krijgen met mijn kolkende brein, maar ik weigerde er aandacht aan te schenken. Ik hield hem niet tegen toen hij me achteruit duwde naar mijn bed, en ook niet toen hij me in mijn hals zoende en met zijn hand mijn nachthemd van mijn schouder schoof.

Ik zat op het bed en liet toe dat hij het nachthemd omlaagtrok tot mijn borsten bloot waren. Hij liet zich op zijn knieën vallen en staarde me even alleen maar aan. Ik bewoog me niet. De opwinding die binnen in me bijna leek te exploderen, maakte dat ik me steeds hulpelozer begon te voelen. Hij drukte zijn lippen op mijn borsten, mijn tepels, zoenend en likkend, en toen liet hij me langzaam achterover vallen, tot ik bleef liggen en hem vol verbazing in de ogen keek. Het leek zoveel op een van mijn dromen, dat ik even dacht dat hij, als ik met mijn ogen zou knipperen, verdwenen zou zijn. Het raam zou dicht zijn en alles wat er gebeurd was zou blijken een fantasie te zijn.

Het geluid van zijn riem die werd losgegespt bracht me terug in de werkelijkheid.

'Trevor,' fluisterde ik. Het klonk meer smekend om te stoppen dan uitnodigend.

Maar hij vatte het op als het laatste. Glimlachend strekte hij zich naast me uit, zoende me, omarmde me en liefkoosde me, terwijl hij mijn nachthemd uittrok. Hoe was het mogelijk dat Ami's woorden en waarschuwingen zo weinig effect hadden? Waarom sloeg ik er geen acht op? Kwam het omdat ik haar hypocriet vond sinds ze me haar diepste geheimen had ontsluierd? Of gebruikte ik dat om mijn eigen promiscue gedrag te verdedigen?

Terwijl Trevor me bleef zoenen en betasten rond die erogene zones die Ami had beschreven, bleef ik denken en met mezelf argumenteren. Het was alsof ik uit mijn lichaam was getreden en zittend op het bed dit alles gadesloeg. Misschien had ik mijn dierbare Noble vervangen.

Probeer je de verloren tijd in te halen, je gemiste romantische belevenissen? Zit het je zo dwars dat Ami je als totaal onschuldig beschouwde? Vind je het daarom nodig je zo snel en volledig aan een jongen te geven? Wat probeer je te bewijzen, Celeste Atwell? Geloof je heus dat één ervaring als deze je net zo wereldwijs zal maken als al die andere meisjes op je dure school?

Ik moest bijna hardop lachen toen ik mezelf hoorde denken. *Zul je morgenochtend respect hebben voor jezelf?*

'We moeten dit niet zo overhaast doen,' zei ik zwakjes, toen Trevor zijn lichaam verplaatste en tussen mijn benen schoof.

'Het zal niet overhaast gaan,' fluisterde hij, met zijn lippen op mijn oor. Ook dat deed een tinteling door me heen gaan.

Elke plek waar hij me aanraakte en zoende, of zelfs maar op ademde, leek op te lichten, alsof mijn lichaam gevuld was met duizenden kleine kaarsjes en hij de macht had ze te doen ontvlammen. Ik gloeide, zo helder verlicht als een ster of als het maanlicht dat me naar mijn raam had gelokt en me zo snel had gehypnotiseerd.

Ik hoorde hem iets uitpakken en wilde rechtop gaan zitten.

'Nee,' zei hij. 'Bederf het moment niet.'

'Trevor,' zei ik met trillende stem.

Hij lag weer boven op me.

'Ik hou echt van je, Celeste,' zei hij, en kwam bij me binnen. Ja, ik was nauw, en in het begin dreigde het heel pijnlijk te worden, maar dankzij de bereidheid van mijn lichaam hem te accepteren, kon ik de pijn verdragen, overwinnen. Ook het gekreun en zelfs gesnik leken van buiten mijn lichaam te komen. Ik zat erbij en sloeg alles met een bijna wetenschappelijke afstandelijkheid gade. *Wat gaat er nu gebeuren? Hoe zal ik reageren?*

Al was het niet mijn grootste zorg, toch dacht ik eraan dat ik Ami teleurstelde, haar in de steek liet en al haar adviezen en waarschuwingen in de wind sloeg. Was ik ondankbaar? Per slot was dit haar huis. Ik droeg de kleren die zij voor me had gekocht. Zij had me naar de particuliere school gestuurd, waar ik Trevor had leren kennen, en als dank lag ik hier in een intieme omhelzing met hem, recht tegenover haar kamer.

Ik deed mijn ogen open en keek naar Trevor. Hij leek in zijn eigen wereld te verkeren. Hij zoende me niet meer en fluisterde niet meer dat hij van me hield; hij hield zijn ogen gesloten en zijn hoofd achterover terwijl hij zijn lichaam bewoog om hem zoveel mogelijk genot te verschaffen. Hij gaf een korte kreet en kreunde toen hij in me klaarkwam. Toen liet hij zijn hoofd op mijn schouder vallen, spartelde even als een vis die uit het water wordt gehaald. Langzamerhand ontspande hij zich en lag stil, tot ons beider ademhaling weer regelmatiger werd.

Hij opende zijn ogen en keek me aan. De uitdrukking op mijn gezicht en de wijd open ogen waarmee ik hem aanstaarde deden hem glimlachen.

'Hallo,' zei hij. 'Wat leuk je hier te ontmoeten.'

Ik kon er niet om lachen. Het was allemaal zo gauw gegaan, en ik was zo verward en bezorgd over mijn gevoelens, dat ik niet zeker wist of het wel echt gebeurd was. Was dat alles?

'Gaat het goed?' vroeg hij.

'Je moet je aankleden en weggaan,' zei ik.

'Maar ik ben er net,' antwoordde hij lachend. Hij draaide zich om en ging weer naast me liggen. 'Lekker bed.' Hij wipte op en neer. 'Alsof je op een reusachtige marshmallow slaapt.'

'Je moet gaan, Trevor,' drong ik aan. 'Soms komt Ami langs voor ze naar bed gaat.'

'Noem me geen Trevor. Ik heet Romeo.' Hij ging op één elleboog liggen.

Met zijn linkerwijsvinger trok hij een spoor omlaag over het midden van mijn boezem en toen onder mijn borsten, alsof hij elke vorm van mijn lichaam in zijn geheugen wilde prenten.

'Je bent net zo mooi als ik had gedacht,' zei hij. 'Maar het verbaasde me een beetje om te ontdekken dat je dit nog nooit met iemand anders gedaan hebt.'

'Nou, laat dat maar,' snauwde ik en duwde zijn hand weg van mijn borsten.

'Wind je niet zo op. Het is geen kritiek.'

'Zo klonk het anders wel,' zei ik. 'Alsof ik emotioneel gehandicapt ben of zoiets, omdat ik nog nooit met een jongen naar bed ben geweest.'

Hij haalde zijn schouders op.

'Voor iedereen moet er een eerste keer zijn, en ik ben blij dat ik die eerste ben. Ze zeggen dat je elke keer dat je met een ander vrijt, hem altijd met mij zult vergelijken.'

Ik ging rechtop zitten en pakte mijn nachthemd. Zou dat waar zijn? Hij moest niet zo zelfverzekerd zijn, dacht ik. Deze omstandigheden maakten het heel waarschijnlijk dat het de volgende keer beter zou zijn, met hem of met een ander.

'Ik ben niet van plan naar een seksuele supermarkt te gaan, Trevor,' zei ik, geërgerd over zijn arrogantie en het feit dat hij nog steeds onder invloed was van de alcohol die hij had gedronken.

'Een seksuele supermarkt? Da's een goeie. Hé, kom nou, maak je niet zo van streek. Ik geef echt heel veel om je, Celeste.'

Hij keek naar me terwijl ik mijn nachthemd aantrok.

'Dat is een mooi sexy nachthemd,' zei hij. 'Ziet eruit als een van die Frederick- of Hollywoodgevalletjes.' Hij stak zijn hand weer naar me uit, maar ik ontweek hem.

'Trevor, je moet je nu echt aankleden en weggaan,' zei ik dringend, bijna smekend.

'Oké, oké.' Hij ging rechtop zitten, wreef met zijn handen over zijn gezicht en keek een ogenblik om zich heen voor hij zijn kleren pakte. Toen ging hij naar de badkamer. Ik hoorde de wc doorspoelen en toen kwam hij weer de kamer in, nog steeds niet volledig gekleed.

'Ik ga al, ik ga al,' zei hij en kleedde zich verder aan. Hij ging heel langzaam te werk. De drank, plus alles wat hij gedaan had, begon eindelijk zichtbaar te worden in zijn hangende oogleden.

Ik hoorde iemand op de trap, hoorde stemmen.

'Trevor, schiet op!' riep ik.

'Ik ga, ik ga,' zei hij, terwijl hij zijn schoenen aantrok. 'Weet je, misschien is dit een vondst. Als je nicht je blijft opsluiten, kom ik gewoon 's avonds langs. We spreken een signaal af of zo. Je weet wel, zoiets als een kaars voor je raam. In plaats van te roepen: "De Engelsen komen. De Engelsen komen," roep jij: "Trevor komt. Trevor komt."'

Ondanks mijn nervositeit moest ik lachen.

'Je bent onverbeterlijk,' zei ik.

'Wauw. Onverbeterlijk. Dat hebben ze niet meer tegen me gezegd sinds de kleuterschool.'

Hij stond op.

'Oké,' zei hij. 'Goedenacht, goedenacht, afscheid is zo'n zoete smart...'

'Ga nu maar, Trevor,' zei ik, en duwde hem naar het raam.

'Nog één zoen,' drong hij aan, terwijl hij zich naar me omdraaide. 'Ik moet het bezegelen met een kus en met me meenemen naar mijn droomfabriek.'

'Geef me dan een zoen en ga,' zei ik.

Hij lachte en bracht heel langzaam zijn lippen naar mijn mond. Zijn handen gleden aan beide kanten langs mijn zij en over mijn borsten. Ik deed een stap naar achteren.

'Je maakt het onmogelijk,' zei ik.

'De volgende keer zal het beter zijn,' zei hij. 'Ik beloof het je.'

'Als je niet heel gauw maakt dat je wegkomt, zal er nooit een tweede keer komen,' waarschuwde ik hem.

'Zeg nooit nooit,' schertste hij, raakte het puntje van mijn neus aan en begon uit het raam te klimmen.

Hij had net zijn rechtervoet op het smalle dak van het erkerraam gezet, toen de deur van mijn slaapkamer openvloog. Ik draaide me om en zag Ami staan met mevrouw Cukor naast haar. Bij het horen van Ami's schrille kreet draaide Trevor zich onhandig om, en zijn linkervoet bleef haken aan de vensterbank. Hij viel naar voren, probeerde zijn val met uitstrekte handen te breken, maar miste de rand van het dak en tuimelde eroverheen.

Ik gilde hem na.

'Trevor!'

'Ga Wade halen en zeg dat hij buiten poolshoogte moet gaan nemen,' zei Ami tegen mevrouw Cukor, die even naar mij keek en toen haastig wegliep.

Ami stormde naar binnen om uit het raam te kijken. Ze duwde me weg en stak haar hoofd naar buiten. Ik boog me voorover om over haar schouder te kijken. Ik zag Trevor niet. Ik had gehoopt hem te zien wegrennen, maar hij was nergens te bekennen.

'Hij is eraf gevallen!' kermde ik.

'Wat heb je gedaan?' vroeg Ami met opengesperde ogen. 'Hoe lang is hij hier geweest?'

Ik beet op mijn onderlip. Ik wist niet wat ik moest zeggen. Ze keek als een uitzinnige om zich heen en liet toen haar blik rusten op mijn bed. Langzaam liep ze erheen en trok het dekbed weg. Het laken vertoonde een grote bloedvlek.

'O, mijn god,' zei ze en draaide zich langzaam naar me om. 'Je bent verkracht!'

'Wat bedoel je?' Hoofdschuddend keek ik op. 'Nee.'

'Dat is precies wat het is. Hij is zonder toestemming dit huis binnengekomen. Als een inbreker is hij in je kamer geklommen, en wat hij gestolen heeft is je onschuld, je maagdelijkheid. Hij is niets meer dan een ordinaire dief.'

We hoorden opschudding beneden en keken allebei uit het raam. Ik zag Wade, mevrouw Cukor en nu ook mevrouw McAlister, maar nog steeds geen Trevor.

'Wat is er?' riep Ami naar de anderen.

Wade ging wat verderop staan zodat hij omhoog kon kijken.

'Hij heeft iets gebroken. Misschien zijn schouder,' zei hij. 'We zullen een ambulance moeten bellen. Ik weet niet hoe ik iemand met een gebroken bot moet verplaatsen. Ik wil het niet erger maken dan het al is.'

'Je moet de politie bellen,' zei Ami. 'Geen ambulance.'

'Nee!' gilde ik.

'Ik bel een ambulance, Ami. Hou het een beetje rustig daarboven.'

'Een beetje rustig,' mompelde ze en keek toen naar mij. 'Hoe heb je dit kunnen laten gebeuren, Celeste, en zo gauw nadat ik hem hier met je betrapt heb? Ik heb alles gedaan wat ik kon om dit te voorkomen. Ik vertrouwde je.'

'Het spijt me,' zei ik.

Ze dacht even na.

'Weet je of hij een voorbehoedsmiddel heeft gebruikt? Nou?' schreeuwde ze toen ik niet onmiddellijk antwoord gaf. 'Weet je het of weet je het niet?'

'Ik geloof van wel.'

'Je gelóóft het?'

'Ik weet het zeker, bedoel ik. Ik ben alleen zo in de war. Alsjeblieft.'

'O, lieve help. En ik wilde juist maandag naar mijn dokter om de pil voor je te halen. We zullen je moeten laten onderzoeken.'

'Het is in orde, Ami. Ik maak me op het ogenblik bezorgder over Trevor dan over mijzelf.'

'Je moet je over hem niet bezorgd maken. Hij hoort zich over zichzelf bezorgd te maken. Wanneer ben je voor het laatst ongesteld geweest?' vroeg ze met samengeknepen ogen.

'Het was ongeveer een maand geleden over. Ik kan het elke dag worden.'

'Goed. Ik wil dat je het me vertelt zodra je weer ongesteld wordt. Begrijp je, Celeste? Zodra het begint.' Ze liep naar de deur van mijn kamer.

'Maar ik heb je gezegd dat hij een voorbehoedsmiddel heeft gebruikt.'

'Dat is niet altijd honderd procent veilig. Er blijft altijd een klein risico. En dat wil je toch niet, neem ik aan.'

Bij de deur draaide ze zich om. 'Haal dat laken van het bed. Ik zal mevrouw Cukor naar je kamer sturen met een schoon. Ga een warm bad nemen,' beval ze. 'Goddank dat mevrouw Cukor me kwam vertellen wat er aan de hand was. Anders was dit misschien doorgegaan. Ik weet wat mannen doen als ze zich een weg naar je hart knagen. Ze lopen eroverheen tot ze het versleten hebben. Ga je wassen,' beval ze, en ging weg.

Mevrouw Cukor? dacht ik. Als ze had gezien dat Trevor op het dak klom naar mijn kamer, waarom had ze dan zo lang gewacht tot ze het Ami vertelde? Waarom was Ami niet eerder gekomen? Het leek wel of mevrouw Cukor wilde dat er eerst verschrikkelijke din-

213

gen zouden gebeuren of – nog angstaanjagender – dat ze die had voorzien.

Ik keek weer uit het raam. Ik wilde naar hem toe, maar toen bedacht ik dat ik het dan misschien nog erger zou maken voor hem. Wie weet wat hij zou zeggen, zou verraden? Versuft begon ik het bed af te halen.

Een minuut of twintig later hoorde ik de ambulance naar het hek rijden, en ik holde terug naar het raam en zag de ziekenwagen over de oprijlaan rijden en parkeren. De paramedici sprongen naar buiten en laadden een stretcher uit. Wade hoorde hen ook en rende naar hen toe. Haastig liepen ze naar de erkerramen. Ik kon Trevor nog steeds niet zien. Eindelijk tilden ze hem op de stretcher en droegen hem weg. Ik zag hoe hij zijn rechterarm vasthield, maar het was inmiddels te donker geworden om verder veel te kunnen zien. Ik zag hoe hij in de ambulance werd gedragen. Wade en mevrouw McAlister keken toe. De paramedici wisselden een paar woorden met hem, en toen stapten ze in en reden weg.

Ik plofte neer op mijn bureaustoel en staarde naar de grond.

Ami kwam mijn kamer binnengestormd.

'Waarom zit je nog niet in bad? Je hebt zelfs de kraan nog niet opengedraaid!' riep ze uit, de badkamer inspecterend. Ze liep naar binnen en liet het bad vollopen.

Mevrouw Cukor volgde haar op de hielen met een schoon laken. Ze begon mijn bed op te maken en vermeed het me aan te kijken terwijl ze aan het werk was.

'Kom hier,' beval Ami, 'en stap in het bad. Je bent een smeerpijp.'

Ik voelde me zo hulpeloos en radeloos, dat ik deed wat ze zei. Ik beklaagde me over het water en deed er wat koud water bij, terwijl zij in de deuropening stond te kijken naar mij en naar mevrouw Cukor. Eindelijk ging mevrouw Cukor weg, en Ami kwam binnen.

'Hoe kón je hem zo bij je laten binnensluipen?' vroeg ze. Haar stem klonk nu meer nieuwsgierig dan kwaad. 'Dacht je niet dat er zoiets zou kunnen gebeuren? Ben je werkelijk zo naïef, zelfs na alles wat ik je verteld heb? Ik dacht dat je slim was, een goede leerling. Hoe kon je dat doen met de eerste de beste jongen die je leerde kennen?'

Ik gaf geen antwoord. Ik zat naar mijn benen te staren. Ik had nog steeds het gevoel dat ik me buiten mijn lichaam bevond, dat dit iemand anders overkwam. Wanneer zou ik uit die droom wakker worden?

'Ik weet niet of we dit geheim kunnen houden,' zei ze. Al ijsberend dacht ze na. 'Hij is naar het ziekenhuis gebracht. Er zullen honderden vragen worden gesteld. Een paar valse roddelaarsters, jaloerse krengen, zullen waarschijnlijk zeggen dat ik een slechte invloed op je had of zoiets stoms. Ze willen niets liever dan iemand die uitblinkt moeilijkheden berokkenen. Je weet wel wat ik bedoel. Het zal je in het weeshuis ongetwijfeld vaak genoeg zijn overkomen... jaloerse meiden die van alles over je verzinnen. Afschuwelijk. Wat moeten we doen, wat moeten we doen,' mompelde ze, nog steeds heen en weer lopend.

Plotseling bleef ze staan en keek me aan. Haar ogen fonkelden toen er een idee bij haar opkwam dat haar opwond.

'Wat is er?' vroeg ik.

'Niemand hoeft te weten dat hij werkelijk in je kamer is geweest. Hij kan zijn gevallen toen hij het probeerde. Dat is het. Dat is het verhaal dat ik zal rondvertellen en waarmee jij op de proppen zult komen als de andere leerlingen op school je ernaar vragen, wat ze ongetwijfeld zullen doen. Ik zal het ook aan Wade vertellen. Hij weet nog niet precies wat er gebeurd is. Trevor lag alleen maar te kreunen en te steunen.'

Ze wees naar me met haar rechterwijsvinger.

'En ik zou maar niets anders vertellen als ik jou was,' waarschuwde ze. 'Als je dat doet, zal je enige verdediging zijn dat hij je verkracht heeft, net zoals ik zei.'

'Dat zou ik nooit doen.'

'Ik heb geen idee wat Wade zou doen als hij de waarheid wist,' ging ze verder, zonder naar me te luisteren. 'Waarschijnlijk zou hij willen dat ik je linea recta terugstuurde naar het weeshuis, zelfs al zouden we Trevor beschuldigen van inbraak en verkrachting. Wade is niet in staat huiselijke problemen op te lossen, alleen zakelijke problemen.'

Ik keek haar met een sceptische blik aan. Mijn indruk was dat Wade huiselijke problemen veel beter kon oplossen dan zij, en hij hoorde de waarheid te weten.

'Hij kan heel goed komedie spelen,' zei ze toen ze mijn twijfel zag. 'Je moet niet vergeten hoe zijn jeugd is geweest, hoe Basil hem behandelde en nog steeds behandelt. In veel opzichten is Wade onvolwassen. Zo is het, onvolwassen. Sociaal onvolwassen. Je kunt me op mijn woord geloven. Hij zou het je misschien niet laten merken, maar als hij dit zou horen, zou hij in paniek raken, zich ongerust maken over het effect dat het zou hebben op zijn dierbare loodgieterszaak. En ik zou het achter gesloten deuren te horen krijgen. Kun je eindelijk eens naar me luisteren en doen wat ik zeg?' Ze schreeuwde bijna.

Ik knikte en wendde mijn blik af.

'Goed. Zodra je hier klaar bent, ga je slapen en laat de rest aan mij over. Morgen zullen we hier rustig, als zussen, over praten.'

Ze liep naar het bad en legde haar hand op mijn hoofd, streek er zachtjes over. Verbaasd keek ik op en zag dat ze glimlachte.

'Ik verwijt het je niet zo erg als je denkt, Celeste. Ik weet hoe overtuigend en slim mannen zijn. Ik heb van begin af aan geweten dat jij een prooi zou zijn. Je bent zo mooi. Waarschijnlijk had ik tralies voor je ramen moeten laten maken. Jammer dat er geen kuisheidsgordels meer bestaan. Gedeeltelijk heeft de sociale vooruitgang vrouwen alleen maar kwetsbaarder gemaakt en heeft het in hun nadeel gewerkt.'

Toen ik haar aankeek, zag ik dat ze het heel serieus meende.

'Probeer wat te rusten,' ging ze verder. Ze bukte zich en gaf me een zoen boven op mijn hoofd voor ze wegging. 'Morgenochtend, na het ontbijt, zullen we een openhartig zusterlijk gesprek samen hebben.'

Probeer wat te rusten? Wat een onmogelijk verzoek, dacht ik. Ik stapte uit het bad, droogde me af, trok een ander nachthemd aan en kroop weer in bed. De nieuwe lakens roken naar stijfsel, maar ik ontdekte ook een vage geur van iets anders. Ik snoof en schrok terug.

Alweer knoflook! Wat had ze gedaan? Het laken ermee gevuld voordat ze het hier bracht? Hoe kon ik slapen met die stank in mijn neus? Toch kon ik moeilijk mijn beklag doen.

Er werd op mijn deur geklopt. Ami zou niet eerst kloppen, dacht ik. Ik wist zeker dat het Wade was, of misschien mevrouw Mc-Alister met een kop kruidenthee.

'Binnen,' riep ik, en Wade deed de deur open.

'Hoe gaat het ermee?'

'Oké,' zei ik. Hoe kon ik iets zeggen over het laken zonder te verraden wat hier werkelijk gebeurd was?

'Pubers. Het is een vorm van waanzin,' zei hij hoofdschuddend. 'Ik heb Chris Foley moeten bellen om hem mee te delen wat er met zijn zoon gebeurd is. De ironie van alles is dat hij me waarschijnlijk voor het gerecht zal dagen. Heb je Trevor zien vallen?'

'Ja,' bekende ik. Zou hij nog meer vragen en me dwingen hem het hele verhaal te vertellen?

'Hij boft dat hij niet meer letsel heeft opgelopen. Ik heb dit bij hem gevonden.' Hij hief de zilveren flacon met whisky op. 'Het leek me beter dat *ik* die zou vinden. Maar ik zal het zijn vader moeten vertellen,' voegde hij eraan toe. 'Misschien zal dat hem ervan weerhouden een of andere stomme juridische actie te ondernemen.'

'Het spijt me zo. Ik heb hem niet gezegd dat hij hiernaartoe moest komen,' zei ik, wat de waarheid was.

'Ach, we komen er wel overheen. Ami bedaart wel. Ik maak het in orde met de Foleys. Maak je geen zorgen. Een dezer dagen zullen we er allemaal om lachen.'

Net zoals ik gedacht had, reageerde hij er veel beter op dan Ami.

'Het spijt me,' zei ik weer.

'Probeer wat te slapen. Je zult al je kracht nodig hebben voor wat je te wachten staat. Je zult ongetwijfeld het middelpunt van de aandacht zijn morgen en vooral de dag daarop, als je teruggaat naar school. Nieuws doet snel de ronde hier, vooral dit soort nieuws.'

Ik knikte. Hij aarzelde, leek niet op zijn gemak, alsof hij nog iets meer wilde zeggen.

'Goed... welterusten,' was alles wat hij er nog aan toevoegde. Toen draaide hij zich om en ging weg, deed de deur zachtjes achter zich dicht. Ik liet mijn hoofd op het kussen vallen. Een paar ogenblikken later kon ik Ami en Wade zachtjes horen praten in de gang. Zij jammerde en snikte, en hij troostte haar. Daarna hoorde ik hun deur dichtgaan en werd alles weer rustig.

Ik voelde me ellendig omdat ik hun zoveel problemen had bezorgd – en zo gauw na mijn komst. Ik stond op het punt om weer te gaan huilen, maar dat gaf me algauw een melancholiek en eenzaam gevoel. Herinneringen kwamen boven alsof ze uit hun winterslaap werden gewekt.

Lang geleden zaten Noble en ik bij het voorraam in de zitkamer en keken naar een maanverlichte avond die niet veel verschilde van deze. Hij had me net een mooi verhaal voorgelezen over een rups die verliefd werd op een vlinder en haar beloofde dat ze, zodra hij in een vlinder veranderde, samen zouden wegvliegen. De vlinder bleef bij hem en wachtte en wachtte. De kracht van zijn liefde voor haar verhaastte zijn metamorfose, en aan het eind van het verhaal had hij prachtige nieuwe vleugels en vlogen ze samen weg, meegevoerd door een warme bries.

'Waar gingen ze naartoe?' wilde ik weten.

'Naar een plaats waar ze altijd samen zouden zijn en altijd mooi zouden blijven.'

Waar was die plaats? vroeg ik me af.

Keek hij er nu naar als hij zo intens uit ons raam staarde naar het donkere bos aan de overkant? Wachtte daar een mooie vlinder op hem en zou dat betekenen dat hij me voor eeuwig zou verlaten?

Hij zag mijn bezorgde gezicht en glimlachte.

'Wat is er?' vroeg hij.

'Jij gaat ook weg,' zei ik. Het was vlak voordat het allemaal gebeurde, en hij ging inderdaad weg.

'Nee, dat doe ik niet.'

'Jawel,' hield ik vol. 'Dat doe je wél.'

Zijn glimlach verdween. Hij schonk altijd aandacht aan alles wat ik zei. Dat herinner ik me nog. Hij gaf me het gevoel dat ik belangrijk was. Moeder ook. Nu ik erover nadacht, besefte ik dat ik niet echt wist waarom ik sommige dingen zei. Zij schenen dat beter te weten dan ik. Vreemd!

De dag waarop hij wegging dacht ik aan het verhaal over de vlinder.

In zijn hart had hij altijd geweten dat hij weg zou gaan, dacht ik. Hij had tegen me gelogen.

Misschien was ik daarom zo kwaad.

Het was het zoveelste verraad in een lange reeks die ik de rest van mijn leven achter me aan zou slepen.

Het enige wat ik wilde in de dagen die volgden was te veranderen in een vlinder, mijn vleugels uit te slaan en weg te vliegen naar de plaats waar Noble was, naar die magische plaats.

Ik zal mijn hele leven ernaar blijven zoeken, dacht ik toen ik mijn ogen sloot.

Een paar minuten later sliep ik en droomde van appelbloesems die langzaam omhoogrezen om terug te keren naar hun takken, tot ik me realiseerde dat het witte en rode vlinders waren, die door iets in beweging werden gebracht.

Wat was het? Wat bracht ze in beweging?

Ergens buiten, vlak voor de deur, wachtte het antwoord, zoals mevrouw Cukor wachtte in de schaduwen van dit vreemde mooie huis met muren die mysteries verborgen die maar beter onberoerd konden blijven – maar mysteries die mij wél zouden beroeren.

Dat wist ik zo zeker als ik mijn eigen naam kende.

Ik kon bijna voelen hoe ze rond mijn bed dwarrelden, steeds dichterbij kwamen tot...

Met een gil werd ik wakker, een wanhopige kreet om Noble.

Altijd weer Noble.

13. Besef van gevaar

Getrouw aan haar woord vroeg Ami me de volgende dag na het ontbijt om met haar naar buiten, naar het prieel bij het zwembad te gaan voor – zoals zij het noemde – haar openhartige zusterlijke gesprek. Ik dacht dat het weer een van haar lange preken zou zijn over de slechtheid van de mannen, vooral na gisteravond. Maar ze verraste me door in plaats daarvan het tweede grootste geheim van haar leven te vertellen. Het eerste had ze me al onthuld door me te vertellen dat ze in therapie was.

Ze kwam niet ontbijten, maar liet zich door mevrouw McAlister iets boven brengen. Wade, die aan mijn gezicht zag dat ik dacht dat ze ziek was geworden na wat er de vorige avond gebeurd was, zei nadrukkelijk dat ik me niet ongerust hoefde te maken.

'Ze ontbijt op zondag vaak in bed. Ze is de laatste tijd alleen beneden gekomen omdat jij nu bij ons woont. Ze zegt dat ik mijn gezicht begraaf in de krant, vooral op zondag, en dat ze liever naar de televisie kijkt dan naar de achterkant van de financiële pagina's,' zei hij schouderophalend.

Wat me opviel in Wade was zijn volkomen gebrek aan beredenering of enige poging om zich te excuseren en te rechtvaardigen. Hij was wie hij was, en dat kon hij niet ontkennen of veranderen. In wezen vertelde hij me dat hij het haar niet kwalijk nam dat ze in bed bleef om te ontbijten. Ze had gelijk. Hij negeerde haar.

Hij ging eerder weg dan de vorige keer om zich bij zijn zakenvrienden op hun club te voegen, maar zei dat ik tegen Ami moest zeggen dat hij graag met ons zou gaan eten als ze dat wilde.

Ondanks de uiterlijke schijn, bekommerde hij zich wel degelijk om haar welzijn.

Mevrouw McAlister kwam terug uit Ami's kamer om me te vertellen dat Ami me liet weten dat ze straks beneden kwam om met me te praten, en dat ik op haar moest wachten.

Toen ze beneden kwam, droeg ze nog steeds haar ochtendjas en donzige roze slippers. Ze zag eruit of ze nog minder geslapen had dan ik, maar ze leek vastbesloten dat gesprek met me te hebben en wilde dat we naar buiten gingen. Ik was bang dat ze het koud zou krijgen in die dunne ochtendjas, maar het scheen haar niet te deren. Ze leek in een soort verdoving te verkeren, alsof ze zich nog midden in een droom bevond. Ze liep als een slaapwandelaarster over het tegelpad door het gazon, terwijl ik haar met gebogen hoofd op de hielen volgde. Ik voelde me als een kind dat op het punt staat een standje te krijgen.

Een tijdlang bleef ze domweg zitten, met knipperende ogen en een zenuwtrekje om haar mond.

'Ik heb gisteravond heel lang hierover nagedacht, Celeste, en ik heb een paar serieuze en belangrijke beslissingen genomen,' begon ze. 'Ik heb geaarzeld je alles te vertellen over mijn eigen jeugd, omdat ik niet de indruk wilde wekken dat alles wat ik je gezegd heb en geprobeerd heb je te leren over de verhouding man-vrouw, voortspruit uit een afschuwelijke ervaring. Ik zou je dat inzicht hoe dan ook hebben kunnen geven. Het waren allemaal dingen die ik had geleerd voordat ik... vóór mijn traumatische ervaring. Ik hoop dat je me gelooft.' Ze haalde diep adem.

We zaten naast elkaar op de ingebouwde bank en staarden naar het zwembad, dat nu overdekt was om te voorkomen dat het vol raakte met de oranje, rode en gele herfstbladeren die door de noordenwind over het landgoed werden gejaagd. Het vroor nog lang niet, maar de lucht had die kille ondertoon die ons waarschuwde dat de winter niet ver weg was. Hij wachtte onrustig en gretig onder de steeds afnemende druk van de tijd, schudde dagen en weken van zijn schouders naarmate hij ons meer en meer insloot.

Ik kon me herinneren dat half oktober de eerste sneeuw al viel in de staat New York. De vlokken spreidden een dunne witte deken over alles uit, maar de volgende ochtend verdwenen ze in de warme zonnestralen. Toen ik klein was vond ik het iets magisch, een 'Zo zie je me, zo zie je me niet'-truc die de natuur met ons uithaalde. Het versterkte mijn geloof dat de wereld buiten mijn ramen een wereld vol illusies was, wat natuurlijk de mogelijkheid dat er geesten om ons heen rondwaarden nog aanvaardbaarder maakte.

'Ik weet dat je nu zit te denken aan wat ik je laatst vertelde in het restaurant, over mijn therapie en de redenen ervoor. Ik weet dat je waarschijnlijk denkt dat ik ga zeggen dat ik verkracht werd of te ver ging met een jongen en zwanger werd en abortus liet plegen, of zelfs dat ik het kind ter wereld bracht en afstond voor adoptie. Die verhalen zijn karakteristiek en veel te algemeen. Het komt helaas maar al te vaak voor, maar dat is niet wat er met mij is gebeurd. Dat is niet de reden waarom ik zo vaak in therapie ben geweest en op het ogenblik weer in behandeling ben bij een nieuwe arts.'

Ze sloeg haar ogen neer en toen ze opkeek, zag ik dat er tranen in die ogen stonden. Ze leken op twee glazen bolletjes onder water, en ze had haar lippen zo strakgetrokken, dat ze alle kleur hadden verloren. Haar kin trilde.

'Ami, je hoeft me niets te vertellen,' zei ik haastig. 'Ik wil je geen verdriet doen en je niet zien lijden. Het spijt me wat er gisteren is gebeurd. Het zal niet meer voorkomen, dat beloof ik je. Alsjeblieft, maak jezelf niet verdrietig ter wille van mij,' smeekte ik. De tranen sprongen in mijn eigen ogen bij het zien van haar gezicht.

'Nee, ik moet het doen,' hield ze vol. 'Ik moet je alles vertellen, zodat je niet zult denken dat ik een monster ben en niet wil dat je je amuseert en van je jeugd geniet. Je móét geloven dat ik het oprecht meen als ik je vertel dat je op je hoede dient te zijn voor alle mijnenvelden daarbuiten, en je kunt van me aannemen dat het er heel veel zijn.

'Ouders,' zei ze, plotseling kwaad. Het woord leek door haar te worden uitgespuwd in plaats van uitgesproken, 'sturen om de een of andere stupide reden hun kinderen de wereld in zonder ze te waarschuwen voor de gevaren die daar op de loer liggen, die hen wachten. Ze generen zich of zijn te verlegen om erover te praten, óf het zijn gewoon dwaze optimisten. Ze verwachten of hopen dat er niets verschrikkelijks met hun kinderen zal gebeuren. Ze stoppen hun hoofd in het zand en doen net of er geen vuiltje aan de lucht is, en mocht het wél zo zijn, dat hun kinderen er in ieder geval niets mee te maken zullen krijgen.

'Dat is wat er met mij is gebeurd,' ging ze op zachtere toon verder. 'Mijn moeder was feitelijk heel onervaren, al deed ze nog zo haar best om een mondaine indruk te maken op anderen. Het grootste deel van haar leven werd ze beschermd en verwend, en mijn vader gedroeg zich alsof seks iets was dat getrouwde mensen niet meer dan één keer met elkaar hadden, en dan alleen om een kind te maken. Hij sprak er helemaal nooit over met mij, en mijn moeder ook niet. En als ik hem iets vroeg dat in de verste verte iets te maken had met de verhouding man-vrouw, gaf hij altijd hetzelfde antwoord: "Ami, denk eraan, seks is slechts een truc om mensen bij elkaar te brengen, een truc van de natuur. Zie het voor wat het is, en dan komt alles in orde."

'Dat was zijn advies. Dat waren mijn ouders. Mijn moeder bereidde me niet eens voor op de komst van mijn eerste menstruatie. Toen ik ongesteld werd, keek ze net zo geschokt en verbaasd als ik. Het leek haast of ze vergeten was dat ik een meisje was.

'"O, hemeltje," herinner ik me dat ze zei, "we moeten zorgen dat je zo gauw mogelijk van het nodige voorzien bent."

'Van het nodige voorzien? herinner ik me dat ik dacht. Waar was ik mee bezig, met het voorbereiden op het beklimmen van een berg of het maken van een trektocht? En die krampen dan, de redenen ervoor? Moeten we afgaan op de woorden in Genesis die mijn grootmoeder zo graag citeerde: "Ik zal zeer vermeerderen de moeite uwer zwangerschap, met smart zult gij uw kinderen baren"? Werden we voor eeuwig gestraft omdat Eva de appel van de boom der kennis van goed en kwaad aan Adam gaf? Was dat de enige verklaring voor het bloed en de pijn en de misselijkheid? En moesten we het domweg als zodanig accepteren en op onze tanden bijten?

'Op mijn school hadden we geen gezondheidsleer en geen seksuele voorlichting om voor de jonge meisjes te doen wat hun ouders achterwege lieten. Iedereen moest alles zelf leren en ondervinden.

'Fatsoenlijke jonge vrouwen praatten niet over die dingen, zie je. Zo was mijn moeder opgevoed, en zo heeft ze mij opgevoed. Weet je dat ik in al die tijd dat ik bij mijn ouders woonde, mijn moeder niet één keer het woord "toilet", laat staan "wc" heb horen zeggen? Het was altijd "de badkamer". Toen ik nog klein was vroeg ik me altijd af waarom ze vond dat ze in het bad moest.

'Tot ik zindelijk was, hadden we een kindermeisje. Mijn moeder heeft nooit een luier verschoond. Kun je je dat voorstellen? Als ik waagde te zeggen dat ik moest plassen, verbeterde ze me onmiddellijk met: "Nee, je moet naar de badkamer, of zeg maar dat je je neus moet poederen." Je hebt geen idee hoe de meisjes en jongens me uitlachten als ik dat zei. Alle andere meisjes op de basisschool staken hun hand op en vroegen of ze naar het toilet mochten. Ik vroeg of ik naar de badkamer mocht. Ten slotte stopte ik daarmee, maar dat heb ik nooit tegen mijn moeder gezegd.'

Ze glimlachte.

'Eén keer werd ik erg kwaad op haar en bleef de verboden woorden opratelen: "urine, wc, penis, vagina..." Ze waste mijn mond uit met zeep.

'Maar goed,' ze zwaaide even met haar hand, 'het lijkt of ik bezig ben af te dwalen. Maar dat is niet zo. Ik probeer alleen je aan het verstand te brengen hoe jonge meisjes van jouw leeftijd aan zichzelf worden overgelaten om de ervaringen en trauma's te verwerken waarmee ze geconfronteerd zullen worden. Geen wonder dat zoveel meisjes in de problemen raken.'

Na nog eens diep adem te hebben gehaald ging ze verder. 'We zijn een samenraapsel van allerlei tegenstellingen. Daarom doen we zo vaak dingen waarover we zelf verbaasd staan. Er zijn diepe lagen van tegenstrijdige emoties in ons allemaal; in jou, Celeste, en zeker in mij.

'O, jee,' zei ze, en beet op haar onderlip. 'Ik realiseer me net dat je misschien zo zult afknappen op wat ik je ga vertellen, dat we misschien nooit close zullen kunnen worden.'

'Ami, niet doen,' begon ik, maar ze stak haar hand op en schudde heftig haar hoofd.

'Daar kan ik me nu niet druk over maken. Ik mag niet egoïstisch zijn. Als dat het gevolg hiervan zou zijn – het zij zo. In ieder geval zou ik het gevoel hebben dat ik je alles had gegeven wat ik kon, alles wat mijn moeder mij niet gaf.'

Ze richtte zich op en haalde weer diep adem. Mijn hart bonsde wild. Om ons heen kwetterden de vogels, en ergens aan de rand van het landgoed begonnen de tuinlieden gras te maaien en struiken te snoeien. Het monotone gedreun van hun elektrische apparaten leek op het gezoem van bijen.

'Ik was erg bevriend met een meisje uit mijn klas, Gail Browne. Ze was praktisch mijn enige echte vriendin. Bijna vanaf haar geboorte had ze slechte ogen, en toen ze twee was droeg ze al een bril. Ik was veel mooier dan zij. Dat was bijna elk meisje, zelfs sommige jongens. Er was geen sprake van concurrentie als het om het uiterlijk ging, ook al was ik, zoals ik je verteld heb, zelf een laatbloeier.

'Helaas leek Gail op haar vader, een zwaargebouwde man met een brede neus, een bikkelharde kaak en dikke lippen. Zo lelijk was zij natuurlijk niet, maar ze had een onaantrekkelijk, zelfs mannelijk gezicht, en achter haar bril waren haar ogen altijd tranerig en rood. Maar ze had prachtig haar, wat de andere meisjes een volkomen verspilling vonden voor iemand die zo lelijk was. Ze verzorgde haar haar zelfs niet goed, zoals de andere meisjes deden, laat staan dat ze iets aan haar slechte huid deed.

'Ze had absoluut geen verstand van cosmetica, en haar moeder gaf haar weinig of geen advies. Ze leek niet op haar gemak als ze lippenstift gebruikte en koos altijd een kleur die niet bij haar paste. En ze deed het erg slordig, over de mondhoeken heen, en besmeurde zelfs haar kin.

'Ik raakte bevriend met haar omdat ze zo goed kon leren, en ik vond het leuk zoals ze me als een jong hondje volgde door de school. Ik veronderstel dat ik in haar ogen de beroemde vriendin was, en het deed me goed dat iemand tegen me opkeek. Ik kon op haar vertrouwen om me te helpen met mijn huiswerk, en als we samen studeerden, kreeg ik betere cijfers voor mijn repetities. Niets leidde haar af van het werk, zoals zoveel dingen mij afleidden.

'Maar goed, pas in de laatste helft van ons eerste jaar op high school begon ze vrouwelijke vormen te krijgen, en toen leek het letterlijk van de ene dag op de andere te gebeuren. Ik kreeg mijn figuur tenminste geleidelijk, op een zinnige manier. Je kunt je wel voorstellen hoe het was voor een meisje als zij, met een volkomen platte boezem, om plotseling veel grotere en beter gevormde borsten te krijgen dan de meeste andere meisjes, terwijl haar achterste uitpuilde, zodat ze geen van haar broeken en shorts meer aan kon. Ik herinner me nog dat haar moeder tegen mijn moeder zei dat het zoveel kostte om haar plotseling in nieuwe kleren te moeten steken.

'De jongens merkten het natuurlijk wel, maar omdat ze zo onaantrekkelijk was, toonden ze slechts geile, wellustige belangstelling. Ze maakten obscene grapjes over haar en plaagden haar wanneer ze maar konden. Ze noemden haar een duozakker. De enige manier om seks met haar te hebben was een zak over haar gezicht te trekken en dan over dat van jezelf. Zo lelijk was ze, zeiden ze. Het was een afschuwelijke, gemene grap. Ze waren walgelijk en wreed.

'Gail geneerde zich voor haar voluptueuze nieuwe lijf, en omdat die jongens haar zo misselijk behandelden, deed ze van alles om de aandacht af te leiden, waaronder het dragen van beha's die meer op een dwangbuis leken, en te grote wijde jurken, om haar vormen te verbergen.

'Ik maakte in dezelfde tijd die moeilijke periode van twijfel aan mezelf door, en het interesseerde me hoe zij dit alles verwerkte. Het duurde niet lang of onze huiswerkuurtjes werden persoonlijker. Ze was niet zo verlegen als het leek toen we over intieme dingen begonnen te praten. Ze vertelde me dat ze niet alleen een volwassen lichaam kreeg, maar ook innerlijk in de war was over haar nieuwe gevoelens.

'Ze bekende zelfs dat ze spontane orgasmen had, soms zelfs op school. Omdat ik dat zelf niet had meegemaakt was ik natuurlijk erg nieuwsgierig, en onze discussies werden stoutmoediger, diepgaander.

'Op een avond, toen we geacht werden voor een literatuurexamen te studeren, vertelde ze me dat ze masturbeerde. Ik herinner me dat ik gefascineerd was door haar beschrijving. Ik antwoordde dat ik dat nog nooit gedaan had, en ze keek me sceptisch aan. "Je moet het doen," zei ze. "Het is niet zo onnatuurlijk als je misschien denkt." Ze ging maar door, vertelde over sommige boeken die ze had gelezen en de dingen die ze had geleerd.

'Natuurlijk was ik opgetogen. Ik hing aan Gails lippen. Je bent zoekende als je woont bij ouders als die van mij, vooral bij een moeder als die van mij, en niet zo bevriend bent met de meisjes op school als je graag zou willen, en nog nooit een echte romantische ervaring hebt gehad met een jongen.

'Eindelijk legde ze haar schrift neer en stelde voor dat ik het nu, op datzelfde moment, zou doen. Ik herinner me dat ik me voelde of ik in een gigantische pot honing was gestapt. Alleen al de suggestie dat ik zoiets zou doen deed mijn hele lijf tintelen en verwarmde mijn geheime plekjes. Ik had het gevoel dat mijn armen en benen aan elkaar geplakt waren.

226

'"Het is gewoon een experiment met jezelf," zei Gail. "Zoveel stelt het niet voor."

'Ik begon mijn hoofd te schudden, en ze zei: "Ik zal het ook doen."

'"Eerst," ging ze verder, "moeten we ons uitkleden."

'Ze stond op en begon haar kleren uit te trekken, knoopte haar blouse los, ritste haar rok open. Toen stopte ze en keek naar mij. "Nou? Waar wacht je op, Ami? Je bent toch niet bang?" zei ze tartend.

'Ik was bang, maar wilde het niet laten merken, en ik haatte mezelf omdat ik bang was. Dus begon ik me ook uit te kleden. Toen Gail haar beha uittrok, zag ik geschokt hoe zwaar ze eigenlijk was, maar ze had een platte buik en mooie heupen. Met andere woorden, het leek allemaal in elkaar te passen om haar een lichaam te geven waarnaar elk meisje op school zou verlangen, zelfs ik.

'Ik zal niet op details ingaan van hetgeen erop volgde, maar ik voelde me zo weinig op mijn gemak en zo belachelijk, dat ik ermee ophield. Vooral toen ik zag hoe ze naar me keek, me observeerde. "Waarom hou je op?" vroeg ze. Ik antwoordde dat ik me belachelijk voelde, en ze trok een bezorgd gezicht. "Daar moet je overheen komen," zei ze. Ze verviel helemaal in de rol van lerares als het om dit soort dingen ging. Het was haar manier om de baas over me te spelen, zie je.

'Ik vond het vreselijk om me zo onzeker en ontoereikend te voelen. Zelfs Gail, de duozakker, was me in dit opzicht de baas. Die gedachte ging door mijn hoofd.

'En toen...' Ami zweeg even. Ze legde haar hand op haar borst. Het leek of ze geen lucht kreeg. Ze haalde diep adem voor ze verderging.

'En toen zei Gail dat ze me zou helpen.'

Ik hield mijn adem in terwijl ik naar Ami luisterde. De wereld leek te zwijgen en werd doodstil. Zelfs de maai- en snoeiapparaten verstomden.

'En ik hield haar niet tegen,' flapte Ami er ten slotte uit. Ze zweeg om mijn reactie te zien.

Toen ik niets zei en de uitdrukking op mijn gezicht niet veranderde, dacht ze dat ik het niet begrepen had, maar ik had me het tafereel dat ze beschreef al voor de geest gehaald en was voorbereid

227

op hetgeen ze me vertelde. Dat maakte het daadwerkelijk horen van haar woorden minder traumatisch. Zo ging het altijd bij mij, en de meeste mensen interpreteerden mijn reacties als gebrek aan belangstelling terwijl ik in feite slechts vooruitdacht.

'Ik liet toe dat ze me aanraakte, me opwond,' bekende ze. 'Later bleef ze me geruststellen, me vertellen dat ik het moest beschouwen als een experiment, maar ik kon er niet omheen dat ze er net zo van genoot als ik.

'Terwijl ze mij opwond, wond ze zichzelf ook op! In feite hadden we seks met elkaar.

'Die nacht kon ik niet slapen. Ik voelde een mengeling van schuldbesef en herinnerd genot. Ik dacht dat ik Gail nooit meer in de ogen zou kunnen zien. Ik dacht zelfs dat het beter zou zijn als ik niet langer haar vriendin was.

'Maar ik keek haar wél in de ogen en ik bleef haar vriendin, een tijd lang tenminste.

'Ik wilde er niet van genieten, en ik wilde het niet doen, maar ik deed het toch. Het leek gewoon spontaan te gebeuren, en natuurlijk, als dat het geval was, deden we het. Ik kreeg depressies door mijn schuldbewustzijn, mijn slaap werd verstoord door benauwende nachtmerries. Ik was ervan overtuigd dat er nu iets heel erg mis met me was. En toen... gebeurde er iets verschrikkelijks.'

'Wat gebeurde er dan?' vroeg ik toen ze lange tijd bleef zwijgen. Ik kon voelen hoe de duisternis zich sloot rond de beelden in mijn hoofd. Ik wilde het niet horen, en toch wilde ik het weten.

'Ik was me er niet van bewust dat Gail met een ander meisje bevriend was, op dezelfde manier als met mij. Eigenlijk waren ze geen vriendinnen zoals zij en ik. Het was een jonger meisje, haar buurmeisje, Rhonda Lindsey, het veertienjarige zusje van een jongen van school, Oliver Lindsey. Ze had dezelfde seksuele dingen met haar gedaan, alleen walgde Rhonda Lindsey zo van zichzelf en zat ze zo in angst, dat ze het iemand vertelde die het weer iemand vertelde, tot het Oliver ter ore kwam, die Gail ermee confronteerde waar een heel stel van onze klasgenoten bij was. Het was een afschuwelijke scène, en ik herinner me dat Gail naar mij keek om haar te hulp te komen en haar te verdedigen, maar ik draaide me om en holde weg.

'Het was een enorm schandaal. Rhonda's ouders kwamen erachter en wierpen het haar voor de voeten. Iedereen op school praatte erover, elke dag opnieuw, en ik was doodsbang dat ze het ook van mij zouden ontdekken. Gelukkig wist niemand hoe vaak Gail bij mij thuis was geweest, maar sommige meisjes begonnen vragen te stellen omdat ze wisten hoe ze me achternaliep en adoreerde. Maar voordat het zover kon komen... nam Gail een overdosis van haar moeders slaappillen. Voordat iemand besefte wat ze had gedaan, stierf ze. Ze had de hele inhoud van het flesje ingenomen, dus bestond er geen enkele twijfel dat het opzet was. Ieders aandacht was gericht op de verschrikking ervan. Oliver Lindsey toonde geen berouw, en evenmin vonden de meeste andere kinderen op school het erg voor haar.

'Weer een voorbeeld hoe wreed mannen kunnen zijn,' mompelde ze. Ze veegde een verdwaalde traan van haar wang en zoog lucht in haar longen. 'Geen mededogen, geen begrip, alleen maar vals en laaghartig geroddel. Iedereen scheen de scherpe tanden van een vampier te hebben, knagend op de nagedachtenis van Gail. De Brownes verkochten ten slotte hun huis en vertrokken.'

'Dat vind ik heel erg,' zei ik. 'Het moet heel moeilijk voor je zijn geweest, maar ik hoop dat je het jezelf niet verweet.'

'Dat heb ik geprobeerd. Ik sloot het allemaal weg, maar werd achtervolgd door de herinnering aan onze bijeenkomsten en aan wat ik had gedaan. Ik begon me zelfs af te vragen of *ik* niet de oorzaak van alles was, of Gails zelfmoord niet het gevolg was van het feit dat ik zo'n bereidwillige partner was geweest en haar daardoor op een ander meisje had afgestuurd.'

'Maar naar wat je vertelde was jij niet degene die het initiatief nam. Dat deed zij.'

'Dat weet ik, maar ik heb haar niet afgewezen, zoals ik had moeten doen. Mijn schaamtegevoel maakte het moeilijk om een goede relatie te krijgen met een jongen. Ik was altijd bang dat als ik met iemand uitging, hij onmiddellijk zou weten wat ik gedaan had. Je hoeft de avances van een jongen maar een paar keer af te wijzen, en je wordt er onmiddellijk van beschuldigd dat je lesbisch bent. Laat niemand ooit proberen dat tegen jou te zeggen!' waarschuwde ze. 'Reken maar dat ze dat zullen doen.

'Maar toen er een tijd voorbij was gegaan, begon ik afspraakjes te maken, en ten slotte leerde ik Wade kennen. Voor je het vraagt, hij weet er alles van,' vervolgde ze. 'Maar Basil weet het natuurlijk niet. Als hij het zou weten, zou hij er iets walgelijks van fabriceren. Hij heeft zelfs bij wijze van grap voorgesteld dat ik seks zou hebben met een vrouw. Hij zei dat hij het kon regelen, als ik hem toestond om toe te kijken. Hij zei het toen hij dronken was, maar ik weet zeker dat hij het leuk zou vinden en iets dergelijks ook al gedaan heeft.

'Ze zijn zo verschillend,' ging ze verder, 'Wade en zijn vader. Soms denk ik dat het werkelijk mogelijk is dat een kind meer een kloon is dan de nakomeling van twee mensen. Natuurlijk geloof ik dat Basil vermoedt dat Wade niet zijn zoon is, al lacht hij om die gedachte. Hij zou het feit niet onder ogen kunnen zien dat zijn vrouw belangstelling had kunnen hebben voor een andere man, maar hij heeft van tijd tot tijd in een dronken bui die beschuldiging geuit. Het ergert Wade natuurlijk als hij dat doet, maar ik heb hem gezegd dat hij moet hopen dat het waar is.

'Tja,' zei ze, achteroverleunend, 'nu ken je alle familiegeheimen. Waar het op neerkomt is dat ik je wil doen inzien hoe ingrijpend en langdurig vergissingen in relaties, seksuele vergissingen, kunnen zijn.' Voor ze weer ademhaalde, voegde ze eraan toe: 'Ik wil dat je me belooft dat je Trevor Foley voortaan zult vermijden.

'Want,' ging ze verder, zich met opgeheven wijsvinger weer vooroverbuigend, 'vergis je niet in wat hij hierna zal doen. Hij zal proberen je een schuldig gevoel te geven, en dan zal hij op dat schuldgevoel inspelen en je weer verleiden.'

Ze knikte heftig toen ze dat voorspelde.

'Maak je daar niet ongerust over, Ami. Ik zal me niet schuldig voelen en ik zal zeker geen jongen toestaan seks met me te hebben omdat ik me schuldig voel,' zei ik vastberaden.

Ze nam me even onderzoekend op en glimlachte toen.

'Mooi zo. Want ik wil dat je een gelukkig mens wordt, een gezonde, gelukkige jonge vrouw.'

Ze zuchtte en keek om zich heen, maar ik kon zien dat ze naar niets in het bijzonder keek. Ze had zich in zichzelf opgesloten, luisterde naar haar eigen gedachten. Ik zag haar tranen tevoorschijn komen als gevangenen die stilletjes ontsnapten over een muur.

'Ami...'

'Je vindt me natuurlijk vreemd en eigenaardig en afschuwelijk nu je dit verhaal gehoord hebt.'

'Nee, echt niet.' Ze draaide zich om en keek me aan. Ze glimlachte toen ze zag dat ik het oprecht meende.

'O, Celeste, je bent geweldig,' zei ze en omarmde me. 'Dank je. Dank je.'

Ze maakte zich van me los alsof ze bang was dat ik iets wellustigs zou bespeuren in haar omhelzing.

Ik pakte haar hand vast.

'Bedankt dat je me je geheimen hebt toevertrouwd,' zei ik. Ze ontspande zich en lachte.

'Zo,' zei ze na een ogenblik zwijgen, 'zullen we al die narigheid en stommiteiten wegspoelen met een lunch in The Nest? Dat is een populair restaurant op zondag. Ik heb trek in een kreeftensalade en een glas wijn en misschien een chocolademousse. Ga je aankleden. Het is een te mooie dag om te verspillen aan spijtgevoelens.' Ze keek me vragend aan. 'Oké?'

Ik glimlachte.

'Oké, Ami. Graag,' zei ik, en we liepen terug naar het huis.

'Ik wil niet graag klagen vanmorgen,' ging ik verder tijdens het lopen, 'maar mevrouw Cukor...'

'Wat heeft ze nu weer?'

'Ze moet een teentje knoflook in de wasmachine hebben gestopt toen ze het laken waste dat ze gisteravond op mijn bed legde.'

Onwillekeurig moest ik even lachen toen ik het haar vertelde.

'Heus? Heeft ze dat echt gedaan?'

Ik knikte.

'O, jee. Ik zal het laten vervangen terwijl we lunchen. Waarom gaat dat mens niet bij een circus werken?'

Misschien denkt ze dat ze dat al doet, dacht ik, maar ik zei het niet hardop.

Ami schudde haar hoofd.

'Je hebt gelijk dat je erom lacht. We moeten het leven van de vrolijke kant bekijken. Eigenlijk is het heel grappig.'

Ze had het verbluffende vermogen om nare dingen te vergeten en van het ene moment op het andere vrolijk en uitbundig te worden. Ik kwam tot de conclusie dat ze een emotionele kameleon was, die zich aan elke omstandigheid kon aanpassen, waar ze ook was en wat ze ook deed. Iedereen die ons zag toen we The Nest binnenkwamen, vooral als ze haar zagen, zou denken dat de gebeurtenissen gisteravond bij ons thuis pure fictie waren. Ze kende veel mensen die hier op zondag kwamen lunchen, maar slechts één vrouw, Joy Stamford, een roodharige vrouw met een rond gezicht, had het lef haar op de man af te vragen of het verhaal dat ze die ochtend gehoord had waar was.

'Die jongen van Foley is gisteravond van je dak gevallen en heeft zijn schouder gebroken?'

Ami knipperde zelfs niet met haar ogen en haar glimlach verdween geen seconde van haar gezicht.

'Het was zo stom, Joy, het is niet de moeite om erover te praten. Ik weet zeker dat de Foleys zich zo generen dat ze een winterslaap gaan houden.'

'Wat is er dan gebeurd?' drong Joy aan. Ze speelde een spelletje voor de twee andere vrouwen aan haar tafel.

'We weten het niet precies. We hoorden tumult, en toen vond Wade hem op de grond liggen en belde een ambulance.'

Alle vrouwen keken naar mij.

Ami zag op wie ze hun aandacht richtten.

'En die arme Celeste verkeert net zo in onwetendheid als ieder ander. Misschien was hij gewoon een gluurder,' ging ze verder. 'Zijn verdiende loon. Hoe is de kreeftensalade vandaag? Ik heb er een hekel aan als hij zo vlezig is.'

'O, hij is heerlijk,' zei een van de andere vrouwen, waarna we naar onze eigen tafel gingen. Onderweg flirtte Ami net zoals ze overal deed waar ze kwam.

'Weet je,' zei ze, glimlachend en knikkend naar iedereen die naar ons keek, 'je moet nooit laten merken hoe overstuur je bent, want daar hopen ze op, dat is wat ze willen zien. Ze genieten van andermans narigheid. Je accepteert hun valse opmerkingen en leidt ze een beetje af en lacht, en op die manier frustreer je ze. Ik weet hoe ik ze aan moet pakken. Het is het kringetje van mijn moeder. Ik heb in hun wereld verkeerd en in hun land geleefd en hun taal gesproken.

'En dat zul jij ook kunnen, Celeste. Je zult er zelfs nog beter in zijn dan ik, dat weet ik zeker,' zei ze en bestelde onze kreeftensalade.

Eerder op de avond, voordat we gingen eten zoals Wade had voorgesteld, ging mijn telefoon. Maar het was niet Trevor, zoals ik verwachtte, maar Waverly.

'Hij heeft nogal pijn,' zei hij, 'en hij vroeg me jou in zijn plaats te bellen. Ze houden hem onder verdoving, maar hij wist zijn verzoek eruit te krijgen alsof het de laatste wens was van een stervende,' zei Waverly overdreven dramatisch. 'Je moet zijn gipsverband eens zien!' ging hij verder. 'Hij zal voorlopig niet kunnen rijden, en hij zal ook niet naar je kamer kunnen klimmen.'

'Zeg tegen hem dat ik hoop dat hij gauw beter wordt,' antwoordde ik.

'Oké. Als je wilt kan ik je morgen meenemen om hem te bezoeken. Hij is thuis. We kunnen meteen na school erheen gaan.'

'Ik kan niet. Ik heb rijles en daarna pianoles.'

'En overmorgen?'

'Ik kan niet,' zei ik slechts.

'Dat is niet erg aardig. Hij heeft zijn leven geriskeerd om jou te zien en bovendien heeft hij mijn feest in de steek gelaten.' Ik kon me zijn ondeugende glimlach voorstellen.

'Naar wat ik erover gehoord heb, heeft hij zijn leven geriskeerd door naar jouw feest te gaan,' kaatste ik terug, en Waverly lachte.

'Hé, ik wilde je alleen maar even laten weten dat ik bereid ben je op alle manieren van dienst te zijn. Met alles waarvan je denkt dat het je een beetje kan helpen,' zei hij met een niet te miskennen seksuele ondertoon.

'Ik zal eraan denken als ze me vragen de vuilniszak buiten te zetten. Bedankt voor je telefoontje.'

Ik hing op voor hij kon antwoorden, maar ik wist zeker dat zijn oren gloeiden.

Ondanks alles en ondanks Ami's waarschuwingen had ik medelijden met Trevor, en ik was vast van plan een manier te vinden om hem te bezoeken, als het ook maar enigszins mogelijk was. Ik wist niet zeker hoe zijn ouders gereageerd hadden en wie ze de schuld gaven. Ik wilde het niet nog moeilijker maken dat het al was, vooral niet voor Wade, maar onwillekeurig vroeg ik me af wat voor verhalen er nu over mij verzonnen zouden worden.

Alsof ze mijn gedachten kon horen, belde Lynette Firestone een paar minuten later. Ik was net aan mijn huiswerk begonnen.

'Hoi,' zei ze, en voor ik zelfs maar hallo kon zeggen, ging ze verder. 'Iedereen praat over wat er gisteravond bij jullie huis met Trevor gebeurd is. Was hij dronken? Heb je hem binnengelaten of is hij gevallen toen hij probeerde in je kamer te komen? Had je hem uitgenodigd?' Ze zweeg geen moment en vroeg in één adem door.

'Hoe kom je aan mijn telefoonnummer?' vroeg ik. Ik wist zeker dat Trevor het haar niet gegeven had, en vroeg me af of Waverly bij wijze van grap mijn telefoonnummer aan iedereen uitdeelde.

'Je nicht heeft het aan mijn moeder gegeven,' antwoordde ze. 'Ze wilde dat we vriendschap zouden sluiten, dat je een vriendin nodig zou hebben, vooral nu.'

Waarom vond Ami het zo belangrijk dat ik bevriend raakte met Lynette Firestone, een van de minst populaire meisjes op school?

'Dus vertel het me maar. Wat is er nu echt gebeurd?' drong ze aan.

'Ik heb vanmorgen pas gehoord dat er iets gebeurd is. Ik heb die hele tijd geslapen. Bedankt voor je telefoontje.'

'Hè?' hoorde ik nog toen ik ophing.

Even later kwam Ami me waarschuwen dat ik me moest kleden voor het diner. Ze had Wade overgehaald met ons naar een van de duurste in steak gespecialiseerde restaurants te gaan.

'Vanavond heb ik vlees nodig,' verklaarde ze. 'Ik moet even aansterken.' Ze deed of ze haar biceps spande, lachte, en ging zich toen zelf aankleden.

Toen we samen de trap afliepen, kwam Wade uit de zitkamer, en tot onze verbazing zagen we zijn vader naast hem.

'Pa heeft besloten vanavond met ons mee te gaan,' zei Wade. De uitdrukking op zijn gezicht en de toon waarop hij het zei lieten duidelijk blijken dat het uitsluitend Basils idee was.

Ami verstarde en haar lippen verstrakten.

'Geen discussie over wat er gisteravond hier gebeurd is, Basil. Dat is afgedaan.'

'Daar ben ik van overtuigd.' Hij glimlachte naar haar, maar richtte zijn ogen snel op mij, en zijn glimlach vertelde me precies wat hij dacht.

Voor de eerste keer sinds mijn komst hier voelde ik dat er gevaar dreigde.

14. Rijlessen

Basil stond erop als mijn escorte te worden beschouwd.

'Celeste is vanavond mijn gezelschap,' zei hij, en verwees Ami naar de voorbank, zodat hij en ik achterin konden zitten. Voor we bij het restaurant waren hield hij mijn hand vast en praatte als een tiener, schepte op over zijn skiprestaties en zijn reis naar Europa afgelopen winter, en beweerde dat hij altijd een groot atleet was geweest, wat hem, zoals hij zei, jong hield.

Hoewel Ami had verboden over de gebeurtenissen van de vorige avond te praten, plaagde hij ons allebei ermee, zei dat onze slotmuren waren beklommen en de schone kasteelvrouwe groot gevaar liep.

'Ik merk dat ik meer tijd in het huis zal moeten doorbrengen zolang deze jeugdige schoonheid binnen onze muren en hekken leeft,' zei hij.

'Dat is of je de vos in het kippenhok zet,' was Wades commentaar, en tot mijn verbazing bulderde Basil van het lachen in plaats van beledigd te zijn.

Toen we in het restaurant kwamen, deed hij zijn best om charmant te zijn, hield deuren voor me open, gaf me een arm toen we binnenkwamen, schoof mijn stoel voor me aan, verklaarde en becommentarieerde de beste gerechten op het menu, en beval me aan wat bij hem het meest in de smaak viel. Hij praatte over andere landen en plaatsen die hij had gezien sinds de dood van zijn vrouw, gaf een beschrijving van zijn reizen naar Azië en Afrika, waar hij op safari was geweest, van hun voedsel en wijn en landschap. Soms leek het of er niemand anders aan tafel zat dan hij en ik. Wade en Ami werden beiden buiten het gesprek gehouden. 'Niets verrijkt meer dan reizen, Celeste,' zei hij. 'En reizen in stijl.'

'Ja, nou ja, daar heb je geld voor nodig,' mompelde Wade, zijn vader ten slotte in de rede vallend. Basil draaide zich langzaam om en antwoordde weloverwogen en met krachtige stem.

'En dat zal ze hebben. Dat weet ik zeker.' Hij gaf mij een knipoog. 'Ik kan de winners van de losers onderscheiden, Wade, en *winner* staat dit meisje op het lijf geschreven.' Hij boog zich naar me toe en fluisterde: 'Over het hele lijf.'

Ik voelde dat ik bloosde.

Onze maaltijden werden geserveerd. Mijn eten was even verrukkelijk als Basil had voorspeld. Ik kreeg een glas wijn uit de fles die ook door hem was uitgezocht. Terwijl we aten ging Basil maar door over de fantastische restaurants die hij had bezocht, en sarde Wade voortdurend met zijn onvermogen om van het leven te genieten. De enige plaatsen waar Wade was geweest waren de plaatsen waar Wade door zijn vader mee naartoe was genomen als kind en als jonge tiener.

'Iemand moet op de zaak passen,' verdedigde Wade zich.

'Ja, doe dat maar, Wade. Let jij op de zaak terwijl ik en Celeste ons amuseren, niet, Celeste?'

Ik gaf geen antwoord en hij lachte. Nu en dan keek ik naar Ami om te zien of zij zich ergerde aan Basils geflirt en uitsluitende aandacht voor mij, maar ze leek verdiept in haar eigen gedachten. Ten slotte vroeg Wade of het goed met haar ging, en ze antwoordde dat ze zich wat vermoeider voelde dan ze verwacht had.

'We moeten trouwens toch vroeg naar huis,' zei Wade. 'Morgen moet Celeste naar school en ik heb veel te doen op de zaak, pa. Je weet dat die zending uit Burlington helemaal fout binnenkwam. Er is zoveel incompetentie tegenwoordig. Ik moet de facturen regel voor regel nagaan.'

'Goed, goed,' zei Basil, zwaaiend in de lucht alsof hij Wades woorden als vliegen verjaagde. 'Herinner je je niet meer wat je moeder altijd tegen me zei?' ging hij verder, zich naar Wade toebuigend. 'Nooit zaken bespreken aan tafel. Dat is niet beleefd. Dan vervelen de vrouwen zich. Ik kan me niet voorstellen dat deze jonge vrouw ook maar enige belangstelling kan opbrengen voor die buizen van je.' Zijn woorden vielen als klappen op Wades nu rood aangelopen gezicht.

Basil knipoogde weer naar me, alsof hij en ik hadden samengespannen in deze aanval op Wade. Ik had medelijden met Wade en

236

wilde hem verdedigen, maar ik hield mijn scherpe opmerkingen voor me. Ik had het gevoel dat we op een kruitvat zaten, en er maar één woord voor nodig was om het door Basil te laten ontploffen. Ik wilde beslist niet degene zijn die de lont aanstak.

Maar plotseling begon Ami te lachen, een nerveuze, schelle lach, die uit het niets leek te komen en ieders aandacht trok.

'Basil,' zei ze, 'je bent onmogelijk. Je duldt niet dat iemand je ooit tegenspreekt.'

'Ik hoop van niet,' antwoordde hij. Hij kneep zijn ogen halfdicht; zijn kwajongensachtige en flirtende glimlach was plotseling verdwenen en maakte plaats voor een geërgerde, bijna dreigende uitdrukking.

Ami keek alsof ze naar adem snakte. Ze bracht haar hand naar haar keel en wendde snel haar blik af. De spanning die ik voelde tussen haar en Basil bracht me even in de war. Herinneringen aan oude schaduwen die zich ontpopten als gebalde vuisten, gingen door mijn hoofd. Ik hoorde weer de stemmen die waarschuwingen fluisterden, en herinnerde me de muren van de boerderij die pulseerden als de wanden van een bonzend hart. Duisternis sijpelde onder de deuren door naar binnen. Mama lag te slapen in haar kamer en werd met een gil wakker. De uilen verstijfden op hun takken en de maan glipte achter een wolk.

In mijn herinnering huilde ik en riep ik om Noble, maar die was toen al weg, en mijn gevoel van eenzaamheid werd slechts overtroffen door het gevoel van de dood die naast me lag, me kietelde en plaagde met zijn koude vingers. Het anonieme kleine graf op het familiekerkhof opende zich in mijn nachtmerries. Er kwam iemand aan, een weerzinwekkend iemand.

'Voel je je wel goed?' vroeg Wade plotseling aan mij. 'Je ziet een beetje bleek, Celeste.'

Nu waren alle ogen op mij gericht.

Ik knikte zwakjes.

'Niks aan de hand.'

'Laat het kind met rust, Wade,' zei Basil. 'Ik weet niet hoe of waarom je zo'n angsthaas bent geworden.'

'Ja, dat is een groot mysterie, pa. Laten we naar huis gaan.' Hij wenkte de serveerster. 'Ze heeft een traumatische ervaring achter de rug. We hadden rustig thuis moeten blijven.'

'Onzin,' zei Basil. 'Ze is te jong om dat een traumatische ervaring te noemen. Het gaat uitstekend met haar. Alles is in orde, Celeste. Je hoeft je nergens zorgen over te maken. Als mijn zoon hier je niet beschermt, kun je ervan op aan dat ik er zal zijn,' zei hij tegen mij en ging toen weer verder tegen Wade. 'Ze heeft alleen behoefte aan een paar leuke dingen in haar leven. Waarom heb je nog geen auto voor haar gekocht?' Zijn plotselinge vraag overrompelde Wade en zeker mij.

'Een auto gekocht? Ze heeft nog niet eens haar rijbewijs, pa. Ze is net begonnen met haar lessen.'

'Lessen,' mompelde hij. 'Tegenwoordig nemen jonge mensen zelfs les in hoe ze moeten eten. Te gek voor woorden. Mijn vader zette me in onze oude truck en zei: Ga je gang en rij nergens tegenop, anders krijg je een oplawaai van hier tot ginder, en in de veertig jaar dat ik achter het stuur zit, heb ik nog nooit een ongeluk gehad. Wat is er voor ingewikkelds aan, vooral tegenwoordig, nu je niet eens meer hoeft te schakelen? Je kijkt vooruit, richt, en gaat ervandoor. Luister, Celeste, ik kom morgen langs als je thuiskomt uit school, en dan zal ik je een rijles geven die je binnen een uur rijvaardig maakt.'

'Maar dan komt de rij-instructeur, pa,' zei Wade bijna jammerend.

'De pot op met rij-instructeurs. Die kerels rekken het zo lang mogelijk om meer geld aan je te verdienen. Stuur hem de laan uit. Ik geef dat kind les, en dan neem ik haar mee naar haar rijexamen. Ik ken trouwens iedereen van die instelling. Ze zijn me nog een paar wederdiensten schuldig.'

Ik keek naar Ami in afwachting van haar protest, maar ze glimlachte slechts.

'Wees maar niet bang, Wade. De elementaire dingen van het rijden kent ze al. En je weet net zo goed als ik dat het in deze wereld maar al te vaak gaat om *wie* je kent en niet *wat* je kent.'

Wade wilde protesteren, maar Basil reikte over de tafel heen en plukte de rekening uit zijn hand die de serveerster hem had gegeven. Wade werd erdoor verrast, en het antwoord bleef in zijn keel steken voor hij de woorden eruit kon krijgen.

'Ik kan er net zo goed zelf voor tekenen,' zei Basil. 'Ik betaal het toch allemaal.'

Ik had het gevoel dat hij het ter wille van mij deed, pochend als een puber. Wades gezicht zag zo rood als een kreeft.

Ami lachte weer, diezelfde schrille, nerveuze lach.

Wade richtte zijn ogen op mij. Er lag een wanhopig trieste uitdrukking in. Ik veinsde belangstelling voor iets dat zich elders afspeelde, zodat hij zich niet beschaamd hoefde te voelen.

Op weg naar huis hoorden we weer een van Basils preken over de harde leerschool.

'Je kunt je hele leven in klaslokalen doorbrengen en nog niet de helft leren van wat je in de reële wereld leert.' Hij bulderde bijna. 'Man tegen man, oog in oog bij belangrijke beslissingen, weten hoe je iemand eronder kunt krijgen en wanneer je moet manoeuvreren en manipuleren, daar gaat het om. Als je onderhandelt over duur grondbezit bijvoorbeeld, doet het er niet toe of je grammatica wel perfect is, Celeste. Wat je moet weten is hoe wanhopig graag de ander de verkoop wil sluiten. Dat is het geheim van alles: erachter komen hoe wanhopig de ander is, wat zijn wensen en behoeften zijn, en dan in actie komen. Zolang je in de positie verkeert om iets voor een ander te kunnen doen, krijg je wat je wilt in dit leven.

'Dat is toch zo, nietwaar, Ami?'

Ze keek of ze net gestoken was door een bij. Een seconde lang bleef ze verward zwijgen, toen zei ze haastig: 'Ja.'

'Ja,' herhaalde Basil knikkend.

Wade zei niets, maar ik kon zien aan de manier waarop zijn nek zich spande, dat hij woedend was. Toen we bij het huis waren, stopten we naast Basils auto, zodat hij kon uitstappen voor we de garage inreden. Ik voelde dat het Wades manier was om te zorgen dat hij vertrok en niet met ons mee naar binnen ging.

Basil pakte mijn handen stevig in de zijne en herhaalde zijn aanbod om me de volgende dag te leren rijden.

'Ik zal je rijexamen zelf opstellen,' voegde hij eraan toe. 'Zie je morgen na school.'

Hij boog zich voorover en zoende me zo snel op mijn mond, dat ik geen tijd had hem in plaats daarvan mijn wang toe te keren. Hij lachte om mijn verbazing.

Toen gaf hij Wade een klap op zijn schouder, nogal hard, vond ik.

'Ga slapen, Wade. Je hebt morgen een drukke dag voor de boeg als je al die facturen regel voor regel wilt nagaan, en ik verwacht dat de winst dit jaar zal stijgen, gezien het tempo waarin ik geld uitgeef. Droom zacht, Ami,' zei hij en blies haar een kus toe.

'Welterusten, Basil.'

Hij stapte uit, liep naar zijn auto en reed weg, terwijl wij zwijgend doorreden naar de garage.

'Ik krijg er genoeg van om me voor hem te verontschuldigen,' hoorde ik Wade tegen Ami zeggen toen we door de gang liepen.

'Doe dat dan niet,' antwoordde ze en liep voor hem uit.

'Welterusten, Celeste,' zei Wade boven aan de trap. Hij keek niet achterom. Hij liep met hangende schouders en gebogen hoofd. Ik wilde dat ik iets kon zeggen dat hem een beetje zou opvrolijken, maar ik kwam niet verder dan 'Welterusten'.

Hij ging naar hun slaapkamer. Ami bleef naast me staan, keek hem na en draaide zich toen om naar mij.

'Maak je geen zorgen over Basils aanbod, Celeste. Hij meent wat hij zegt. Hij zal een auto voor je kopen. Laat hem je leren hoe je moet rijden. Je zult in een mum van tijd je rijbewijs hebben, en ik weet hoe belangrijk het voor je is om onafhankelijk te zijn. Heb gewoon geduld met hem. Hij is echt niet zo gevaarlijk, en hij vindt het prachtig om zich belangrijk te voelen. Het kan nooit kwaad om de man met de bankrekening een aai te geven. Weiger nooit een gunst van Basil Emerson. Dat is mijn motto.'

Ze omhelsde me en gaf me een zoen op mijn wang.

'Morgen wordt alles beter. Dat doet het altijd,' zei ze.

Voor ik nog een woord kon zeggen of iets vragen ging ze naar haar kamer en deed zachtjes de deur dicht.

Tot mijn opluchting merkte ik dat mijn lakens verschoond waren en de knoflookstank verdwenen was. Uitgeput viel ik in slaap zodra mijn hoofd het kussen raakte.

Zoals gebruikelijk tegenwoordig werd ik gewekt door Wades telefoontje. Ik nam een douche en kleedde me aan en liep snel de trap af om met hem te gaan ontbijten. Ik wilde hem vertellen dat ik me geen rijles zou laten geven door zijn vader als hij het niet goedvond, maar Wade dacht er anders over.

'Ik zei gisteravond dat ik me niet langer zou verontschuldigen voor mijn vader, maar dat doe ik toch. Het spijt me dat hij gisteravond zo aanstootgevend was. Ik kan hem beletten hier te komen om je rijles te geven als je liever hebt dat hij dat niet doet.'

240

Of ik dat liever had? Hij zou mij gebruiken als de reden om zijn vader tegen te werken.

'Het is niet zo belangrijk, Wade,' zei ik. Het laatste wat ik wilde was de oorzaak te zijn van een tweedracht tussen Wade en Basil, vooral na wat er gisteren met Trevor was gebeurd. Dan zou ik me zeker voelen als degene die het boze oog in huis had gebracht, precies zoals mevrouw Cukor had gezegd.

'Vind je het echt niet erg? Weet je het zeker?'

'Het is oké,' verzekerde ik hem.

'Ik zou het zelf wel doen, maar ik kan alleen in de weekends. Pa heeft een overvloed aan vrije tijd,' mompelde hij. 'Eerlijk gezegd, heeft hij de zaak nooit zo goed beheerd als ik.'

'Het is oké,' zei ik.

'Ik veronderstel dat ik blij moet zijn dat hij iets nuttigs doet met zijn tijd. Dan ben ík even van hem af.' Toen keek hij me glimlachend aan. 'Hij heeft mij leren rijden. Hij was niet de meest geduldige instructeur, maar we hebben het overleefd. Ik weet zeker dat hij tegen jou aardiger zal zijn dan tegen mij. Hij was ook aardiger tegen mijn zus.'

Het was de eerste keer dat hij ooit een zinspeling op haar maakte, dacht ik. Er lagen allerlei vragen op mijn tong, maar ik slikte ze in.

'Als je het ook maar enigszins onprettig vindt, aarzel dan niet om –'

'Het zal echt wel goed gaan,' zei ik wat zelfverzekerder.

Hij knikte.

'Ongetwijfeld.'

Ami kwam pas beneden toen Wade en ik op het punt stonden te vertrekken. Toen we dichter bij de school kwamen, zag ik dat hij zich zenuwachtiger maakte dan ik over de reactie van de andere leerlingen.

'Laat het me weten als de Foleys verhalen over je hebben verzonnen,' zei hij. 'Chris Foley weet dat zijn zoon had gedronken; het was volkomen zijn fout. Laat het me weten,' herhaalde hij toen we het schoolplein opreden.

Toen ik het verzamellokaal binnenkwam, zag ik aan de gezichten van de andere leerlingen dat ze over mij en Trevor hadden geroddeld. Lynette Firestone pruilde en Germaine Osterhout glunderde.

'Ik geloof dat Trevor aan je voeten ligt,' zei Waverly hatelijk.

'Toen hij bij je wegging was hij te duizelig om op de been te kunnen blijven.'

De jongens lachten wellustig, en de meisjes keken me grijnzend aan.

'Als je me in vertrouwen had genomen, had ik je kunnen helpen,' zei Lynette toen de bel was gegaan en we naar ons eerste leslokaal gingen.

'Helpen waarmee?' vroeg ik.

Na alles wat ik in mijn leven had doorgemaakt, haalde ik mijn schouders op over hun puberale humor. Het was gemakkelijk ze te negeren, door ze heen te kijken en hun woorden op me te laten afketsen.

'Ze zullen je reputatie verwoesten,' zei Lynette, 'en denk maar niet dat Trevor Foley je later te hulp zal komen. Je zult het zien. Het is één clan.'

Misschien is dat waar, dacht ik, maar waarom was dat eigenlijk zo belangrijk? Plotseling leek mijn tijd hier, het wonen bij de Emersons, die dure school, minder begerenswaardig dan ik gedacht had. In het weeshuis droomde ik over de tijd dat ik achttien zou zijn en zelfstandig. Ik voelde me als iemand die een gevangenisstraf uitzit en de dagen tot de vrijheid aftelt. Mijn huidige leven werd verondersteld het begin te zijn van die vrijheid – kijk maar eens naar alles waarmee ik al omringd was – maar op een manier zoals ik me nooit had kunnen voorstellen, voelde ik me nu nog meer opgesloten dan in het weeshuis.

Was dit mijn lot, altijd op de een of andere manier gevangen te zijn, altijd aan onzichtbare ketenen gekluisterd? Wanneer zou ik vrij zijn? Wanneer zou ik echt vrij kunnen ademhalen?

Ami was er aan het eind van de schooldag, natuurlijk razend nieuwsgierig hoe de andere leerlingen me hadden behandeld.

'Het spijt me dat ik niet vroeg genoeg op was om met je te praten voor je vandaag naar school ging. Ik had je willen waarschuwen dat sommige meisjes ontzettend vals kunnen zijn. Wat voor gemene dingen hebben ze gezegd? Heeft Lynette je geholpen? Hebben ze lelijke roddels over je verzonnen?'

'Ik heb ze genegeerd.'

'Maar wat hebben ze gezegd?' drong ze aan. Ze wilde alle details weten.

'Ik weet het echt niet, Ami. Ik heb niet geluisterd.'

242

'Maar –'

'Ik heb hun zelfvoldane lachjes en gefluister gewoon genegeerd en me geconcentreerd op mijn lessen. Ik had een onverwachte wiskunderepetitie, en ik ben bezig met een project voor maatschappijleer, dus bracht ik het lunchuur en de vrije tijd in de bibliotheek door. O,' ging ik verder, op een toon alsof het een prestatie was, 'mevrouw Grossbard denkt niet dat ze me in het team kan plaatsen. Ze heeft mijn golfspel beoordeeld, en ze vindt niet dat ik er goed in ben.'

Ik glimlachte om te tonen hoe onbelangrijk ik het vond.

Ami's mond ging open en dicht.

'O, dat is... hoe... ik zal er met mevrouw Brentwood over praten,' beloofde ze.

'Het kan me niet schelen. Ik vind het best. Het interesseert me niet of ik lid word van het team of niet. Maar ik heb een belangrijke opdracht voor de krant. Ik ga alle boekenrecensies doen. En ik ben benoemd tot literair redactrice.'

Haar mondhoeken gingen omlaag.

Ze hoefde niets te zeggen. Haar ogen vertelden me wat ze dacht: *saai.*

'O,' bracht ze er eindelijk uit, 'als je dat graag wilt. Ik bedoel, als je je daardoor gelukkig voelt hier.'

'Dat doet het,' zei ik en ze knikte.

Toen we de bocht maakten naar het huis, ging ze langzamer rijden en stopte tot mijn verbazing achter een geparkeerde Mercedes sportwagen.

'Basil wacht op je,' zei ze met een knikje naar de auto.

Ik boog me naar voren en zag dat hij uitstapte en zwaaide.

'Rijles, weet je nog? Ik heb de rij-instructeur al afgezegd.'

'O, ja.' Een nerveuze bal rolde rond in mijn maag en werd steeds groter.

'Toe dan,' drong Ami aan. 'En wees aardig tegen hem. Je hebt iemand nodig die je een gunst kan bewijzen, Celeste, nog meer dan ik,' ging ze verder met een lichte droefheid in haar stem. 'Ik zal je boeken naar je kamer brengen.'

Ze leunde uit het raam en zwaaide terug naar Basil.

'Kom, Celeste,' riep hij, haar negerend. 'We hebben een hoop te doen.'

Ik stapte uit en liep naar hem toe. Hij droeg een gebreide trui en jeans en zag er knap uit met zijn losjes geföhnde haar. Hij lachte en gaf me een hand, waarna hij het portier iets verder opendeed, zodat ik achter het stuur kon gaan zitten.

'Lasten we eerst eens zien wat je kunt en wat die rij-instructeur je geleerd heeft.'

Hij deed het portier dicht en liep om de auto heen. Ami bleef achter ons staan kijken. Basil keek nauwelijks in haar richting. Hij ging naast me zitten en sloot het portier aan zijn kant.

'Dit is geen slechte wagen om het in te leren,' zei hij. 'Soepel en snel reagerend. Het is een wagen met veel vermogen, dus doe het kalm aan met de versnelling. Ga je gang. Laat maar eens zien wat je geleerd hebt en wat je eerst moet doen,' daagde hij me uit. Hij sloeg zijn armen over elkaar en leunde achterover.

Ik deed alles wat me geleerd was, zette mijn stoel in de juiste stand, stelde de spiegels bij om goed zicht te hebben. Snel controleerde ik de schakeling, de rem, de lichten en de claxon. Toen deed ik mijn riem om.

'Je ziet er goed uit achter dat stuur, Celeste,' zei hij. 'Dit soort auto is voor je gemaakt. Weet je hoeveel hij kost?'

Ik schudde mijn hoofd.

'Meer dan honderdduizend dollar,' zei hij. 'Ik denk erover een nieuwe aan te schaffen. Misschien geef ik jou deze dan in bruikleen,' ging hij lachend verder.

Was dat serieus bedoeld? Zou hij me zomaar zo'n dure auto in bruikleen geven?

'Kom, start de motor en laten we gaan.'

Hij keek achterom naar Ami, die nog steeds achter ons geparkeerd stond. Ik zag dat hij zijn ogen geërgerd samenkneep.

'Waar wacht ze verdomme nog op? Vooruit, we gaan,' beval hij op ferme toon.

Ik startte de motor, keek in mijn spiegel, gaf een signaal en schakelde. Hij had gelijk wat de gevoeligheid van de wagen betrof vergeleken met de veel goedkopere auto van de rij-instructeur. We schoten zo snel naar voren, dat ik op de rem trapte.

Basil lachte toen we met een schok naar voren gingen en toen stopten.

'Sorry,' zei ik.

'Wees maar niet bang. Je raakt er gauw genoeg aan gewend.'

Deze keer voorzichtig, schakelde ik en reed de weg op. Hij kwam dichter bij me zitten en legde zijn linkerarm op de rugleuning van mijn stoel. Ik rook zijn eau de toilette en aftershave.

'Rustig,' zei hij. 'Let goed op iedereen om je heen. Ik kijk altijd in mijn achteruitkijkspiegel om te zien hoe dicht de idioot die achter me rijdt, me op de hielen zit. Mensen rijden als gekken bumper aan bumper. Autorijden is defensief tegenwoordig. Je moet er gewoon op voorbereid zijn dat de andere iets stoms doet, en meestal doet hij dat ook.'

Mijn bonkende hart kwam tot bedaren tijdens het rijden. Het was een fantastische auto om te besturen, en ik begon me volkomen op mijn gemak te voelen. Hij vertelde me waar ik moest draaien.

'Je doet het voortreffelijk,' zei hij. 'Ik ben onder de indruk. Dit wordt een fluitje van een cent. Ik heb misschien niet eens een gunst nodig van het bureau rijvaardigheidsbewijzen.'

Ik bedankte hem, maar hield mijn ogen strak op de weg gericht, al voelde ik die van hem voortdurend op mij gericht. Nu en dan beroerden zijn vingers mijn hals en dan voelde ik een rilling door me heengaan, omdat ik bang was dat de aanraking langer zou duren of langs mijn hals naar mijn schouders zou gaan.

We oefenden het parkeren. Tot mijn verbazing was hij geen slechte instructeur. Hij had verstand van alles, bochten, snelheid, hoe ver je het stuur precies moest draaien en wanneer je moest stoppen.

'Perfect,' zei hij na mijn vierde poging om file te parkeren. 'Nog eens. Als ik klaar ben met je, kun je het met gesloten ogen.'

Hij gaf me zelfvertrouwen en aan het eind van de les voelde ik me helemaal op mijn gemak. Hij moest erom lachen.

'Hé, misschien benoem ik je wel tot mijn chauffeur,' zei hij, en voor het eerst lachte ik.

'Dank u.'

'Graag gedaan. Eerlijk gezegd heb ik me enorm geamuseerd met naar jou te kijken. Ik heb mijn vrouw vroeger ook leren rijden. Dat weet Wade niet eens, maar het is zo. Je doet me in sommige opzichten aan haar denken. Vooral de manier waarop je je concentreert, die ogen van je strak op iets gericht houdt. Ik zei altijd tegen haar dat ze gaten kon boren met die ogen van haar.'

We reden door het open hek naar het huis.

'Waarom wilt u hier niet permanent wonen?' vroeg ik.

'Te veel herinneringen. Bovendien is het een huis voor een gezin, niet voor een weduwnaar. Ik verwacht een gezin hier, kinderen die overal rondhollen, Emersons. Ik wil een kleinzoon voordat ik te oud ben om hem rijles te geven,' voegde hij eraan toe, en ik dacht aan Ami en haar onwil om zwanger te worden. Ik vroeg me af of hij daar enig idee van had.

'Ik ga even mee naar binnen,' zei hij toen we geparkeerd hadden. 'Ik heb behoefte aan een borrel. Niet omdat jij niet zo goed zou rijden,' ging hij snel verder, 'maar ik drink elke dag om deze tijd een borrel.'

Zodra we binnenshuis waren, kwam Wade uit de zitkamer om ons te begroeten. Bezorgd keek hij me onderzoekend aan.

'Ze is verdomde goed,' bulderde Basil. 'Dat verschoppelingetje kan beter rijden dan jij, Wade, en na maar een paar lessen.'

'Hou daar toch mee op, pa. Zo heb ik haar nooit genoemd.'

'Hou daar toch eens mee op, pa,' bootste Basil hem spottend na, en lachte toen hij langs Wade heen naar de bar liep.

'Ging het goed?' vroeg Wade snel aan mij.

'O, ja. Hij is een goede leraar.'

Wade keek even sceptisch.

'Waar is Ami?' vroeg ik.

'Ze had hoofdpijn en is even gaan liggen. Ze heeft nu en dan last van migraine. Het gaat weer over, maar misschien komt ze niet beneden eten.'

'O, dat wist ik niet.'

'Het is oké.'

'Wat doe jij daar verdomme, Wade? Kom hier en vertel me hoeveel geld ik vandaag verdiend heb,' riep Basil in de deuropening.

'Ik moet aan mijn huiswerk,' zei ik. 'Nogmaals bedankt, meneer Emerson.'

'Noem me geen meneer Emerson. Noem hém maar meneer Emerson. Ik ben Basil,' zei hij.

Ik schudde mijn hoofd, keek even naar een meesmuilende Wade en liep toen haastig de trap op.

De telefoon ging bijna op hetzelfde moment dat ik binnenkwam. Ik dacht dat het Waverly misschien weer zou zijn, om me te plagen, maar het was Trevor.

'Ik heb je de hele middag gebeld,' zei hij. 'Waar was je? Vertel me niet dat je nu alweer een nieuw vriendje hebt.'

'Rijles,' antwoordde ik.

'O, ja. Ik was bang dat je telefoon was afgesloten of zo.'

'Hoe gaat het met je?'

'Beter, maar dat gipsverband is een ramp. Ik zie eruit als iets uit een horrorfilm. En ik kan er moeilijk mee slapen. Maar ik ben blij dat je rijles hebt. Ik zal voorlopig niet kunnen rijden en ik moet een lift hebben naar huis, dus zorg dat je gauw je rijbewijs krijgt.'

Ik zei niets. Het leek me allemaal zo onmogelijk, alsof we het hadden over een reis naar de maan.

'Zijn je ouders niet overstuur door wat er gebeurd is?' vroeg ik.

'Ja, maar ze komen altijd gauw over iets heen,' zei hij. 'Mijn vader hield een van zijn preken, bekort tot vijf minuten met zijn gebruikelijke inleiding: "Ik ben ook jong geweest, dus ik weet wat je doormaakt." Waarom denken ze toch altijd dat we klonen zijn of braaf hun voetspoor volgen?' vroeg hij zich hardop af. 'Zijn jouw ouders ook zo?'

Ik had bijna gezegd dat ik het me niet kon herinneren, maar slikte de waarheid net op tijd in, voor hij naar buiten kon komen.

'Ja,' zei ik.

'Ik heb gehoord dat je een hoop geplaag hebt moeten aanhoren op school. Typisch Waverly.'

'Ik had er geen last van.'

'Mooi. Want ik ga morgen weer naar school. Natuurlijk kan ik voorlopig geen aantekeningen of repetities maken, maar jij kunt me de aantekeningen geven.' Hij zweeg omdat ik bleef zwijgen, en vroeg toen: 'Ben je kwaad op me?'

'Ik ben kwaad op mezelf.'

'Goed, want ik zou er niet tegen kunnen als je kwaad op míj was. Ik wil dat jij als eerste iets op mijn gips schrijft, bijvoorbeeld: "Geen pijn, geen succes".' Hij lachte. 'Oké?'

'Ik weet het niet. Ik moet ophangen. Ik moet mijn huiswerk nog maken.'

'Oké, slaap lekker in dat grote bed van je, en denk maar niet dat dit gipsverband me zal beletten achter je aan te gaan.' Hij lachte weer.

'Tot morgen,' zei ik. 'Dag.'

'Hé!'

'Wat is er?'

'We komen hier overheen. Maak je geen zorgen.'

'Dat doe ik niet.'

Het was niet mijn bedoeling zo achteloos te klinken, maar hoe kon ik hem uitleggen dat ik veel traumatischer gebeurtenissen in mijn leven had meegemaakt, toen ik bovendien nog veel jonger was en er minder tegen opgewassen was?

'Nou, maak je in ieder geval een klein beetje bezorgd. Dan voel ik me belangrijker voor je. Ik bén toch belangrijk voor je, hè?'

'Ja, Trevor, maar het is allemaal zo gauw gegaan nadat ik hier ben komen wonen. Je moet ook begrijpen wat *ik* doormaak.'

'Ja, je hebt gelijk. Sorry. Ik zal het kalm aan doen. Ook als het me moeilijk valt. Ik meen het.'

'Dank je. Tot morgen.'

'Tot morgen,' antwoordde hij, en we hingen op.

Nog nooit had het woord *morgen* zo'n onheilspellende klank voor me gehad. Zou het meer of minder moeilijkheden geven als Trevor en ik voortdurend samen waren op school? Ami zou het natuurlijk te weten komen. Wat moest ik doen? Over migraine gesproken – mijn hoofd tolde. Ik beging de fout om te gaan liggen en mijn ogen dicht te doen. Minuten later viel ik in slaap en werd pas wakker toen ik een por kreeg.

Ami stond met een bezorgd gezicht naast me. Ze was in haar ochtendjas.

'Wat is er aan de hand? Waarom slaap je? Wade belde naar mijn kamer om te zeggen dat je niet was komen eten en de telefoon niet opnam toen hij belde.'

'Is de telefoon gegaan?' Ik ging rechtop zitten en keek naar het toestel. 'Ik heb hem niet gehoord.' Ik wreef de slaap uit mijn ogen en haalde diep adem.

'Is er iets gebeurd in de auto met Basil?' vroeg ze.

'Gebeurd? Nee. Wat zou er kunnen gebeuren? Hij was erg aardig.'

Ze ontspande zich enigszins, maar keek me nog steeds aan met de argwanende blik van een dokter, zoekend naar symptomen.

'Volgende week gaan we naar mijn dokter. Ik wil je eens goed laten onderzoeken. Ik wed dat je in het weeshuis geen grondig me-

248

disch onderzoek hebt gehad. Hoe zou dat ook kunnen?' ging ze verder voor ik iets kon zeggen.

'Ik ben nooit ernstig ziek geweest,' zei ik. 'Alleen nu en dan een verkoudheid, niets ergs. Ik had geen dokter nodig.'

Ze knikte.

'Ja, dat weet ik, maar toch... ik ben niet helemaal gerust. Ik maak een afspraak. En denk eraan, ik wil weten wanneer je ongesteld wordt. Onmiddellijk.' Toen dacht ze even na. 'Je bent het toch nog niet, hè?'

'Nee, Ami.'

'Oké. Vergeet het niet. Goed. Ik wilde niet beneden gaan eten vanavond, maar ik trek wel iets aan. We zijn onder ons. Basil is weggegaan. Poets even je tanden en borstel je haar. Voor Wade hoeven we ons niet op te tutten. Ik ben over tien minuten bij je.'

Er hing een sombere sfeer aan tafel. Wade keek nauwelijks op van zijn bord, en Ami keek of ze nog steeds onder haar migraine leed.

'Je moet toch echt eens naar de dokter, Ami, met al die migraines die je de laatste tijd hebt,' zei Wade ten slotte.

'Ik gá naar de dokter. We gaan allebei,' antwoordde ze.

'Allebei?'

'Celeste en ik. Voor een algeheel onderzoek. Morgen maak ik de afspraak.'

Hij keek naar mij.

'Voel je je niet goed?'

'Daar gaat het niet om, Wade. We hebben je niet alles verteld. Ze is fysiek aangevallen.'

'Aangevallen? Hoor eens, Ami —'

'We willen zeker weten dat alles in orde is, hè, Celeste?'

'Ja,' zei ik.

'Dus bemoei je niet met vrouwenzaken, Wade,' zei Ami.

Hij schudde zijn hoofd en sloeg zijn ogen neer.

'Als je zo'n verhaal gaat verspreiden, krijgen we juridische problemen,' mompelde hij.

'Niemand gaat verhalen verspreiden. Celeste heeft nooit een goed lichamelijk onderzoek gehad. Het is alleen maar goed als ze er een krijgt.'

'Zoals je wilt,' zei Wade.

Niemand had trek in een dessert. Wade excuseerde zich en ging naar zijn kantoor, en Ami ging weer naar bed.

Toen ik de trap opliep naar mijn kamer, zag ik mevrouw Cukor in de deuropening van mijn zitkamer staan. Ze keek naar me, maar niet dreigend of kwaad.

Ze glimlachte.

Maar het was de glimlach van iemand die wist dat ze binnenkort haar gelijk zou krijgen.

En dat verkilde mijn hart meer dan iets wat ze ooit had gedaan of gezegd.

15. De alarmsignalen komen terug

De volgende dag op weg naar school was Wade zwijgzamer dan anders. Ik probeerde een gesprek te beginnen over mijn boekrecensies voor de krant. Hij luisterde beleefd, maar zonder het enthousiasme dat hij vroeger toonde als ik over boeken en mijn studie en mijn werk praatte. Hij leek er niet bij met zijn gedachten. Ik dacht dat hij zich misschien zorgen maakte over Ami's hoofdpijn. Toen ik het vroeg, zei hij niet meer dan dat het goed zou gaan met haar, maar met een ondertoon van verbittering die heviger was dan ik ooit in zijn stem had gehoord. Ik deed net of ik verdiept was in mijn aantekeningen voor een repetitie in het eerste lesuur.

Trevor was op school, zoals hij had gezegd. Zijn gipsverband bedekte zijn schouder en bovenarm, zodat hij zijn arm enigszins gestrekt moest houden. Het was heel indrukwekkend en hij was het middelpunt van de aandacht. Veel van zijn vrienden signeerden het en schreven er maffe dingen op. Tijdens de lunch liet hij het me zien. Hij had Waverly's woorden doorgestreept.

'Te walgelijk,' zei hij toen ik hem vroeg waarom hij dat had gedaan. 'Wanneer schrijf jij er wat op?'

'Ik heb nog niets weten te bedenken,' antwoordde ik. Hij keek teleurgesteld.

Telkens als we met elkaar praatten of samen in de gang liepen, en vooral als we naast elkaar zaten in de kantine, klonk het gemompel om ons heen enkele decibellen luider. Ik aarzelde of ik afstand moest houden of juist bij hem moest blijven, hem helpen. Ik schreef mijn aantekeningen voor hem over, maar ik wist dat ons veelvuldige samenzijn de roddels aanmoedigden en dat die roddels Ami ter ore zouden komen.

'Ik moet je vanavond spreken over de wiskundeles,' zei hij. 'Ik neem nog steeds pijnstillers, en ik heb niet zo goed opgelet.'

'Alleen over wiskunde?'

'Misschien alleen over vermenigvuldiging,' zei hij schertsend.

Ik lachte ook. Ik kon niet anders dan hem aardig vinden, wat voor ideeën Ami ook in mijn hoofd had geplant. Hij was knap en geestig. Misschien zal dit alles voorbijgaan, durfde ik te denken. Misschien zouden we mettertijd net zo zijn als andere jonge koppels. Maar het was duidelijk dat zelfs de leerkrachten hadden gehoord en gesproken over ons incident. Ik voelde hoe ze naar ons keken als ze ons samen in de gang zagen lopen of naast elkaar zagen zitten in de klas, en het gaf me een nog onbehaaglijker gevoel. Mevrouw Brentwood staarde me afkeurend aan, en later, toen ze me vóór het einde van de dag uit het meisjestoilet zag komen, liep ze door de gang naar me toe om met me te praten.

'Ik zie dat je hier al alle aandacht op je hebt weten te vestigen, Celeste,' zei ze. 'Ik zou je aanraden je op school geen moeilijkheden op je hals te halen.'

'Waarom zou ik dat doen, mevrouw Brentwood? Ik ben veel te dankbaar dat ik hier mag zijn,' zei ik ironisch. Ik keek haar strak in de ogen, zoals ik jaren geleden, toen ik nog een kind was, Madam Annjill had aangekeken.

Mevrouw Brentwood gaf zich gewonnen.

'Zorg er gewoon voor dat je onze regels en voorschriften gehoorzaamt.'

'Bedankt dat u me eraan herinnert,' zei ik koel, waarop ze zich omdraaide en terugging naar haar kantoor.

Ik ben een vreemde in een vreemd land, dacht ik. Het maakte dat ik de hele dag melancholiek bleef. Aan het eind van de dag zou Waverly Trevor naar huis rijden.

Hij vroeg of ik mee wilde.

'Een andere keer,' antwoordde ik.

Bovendien nam ik aan dat Ami op me zou wachten toen ik uit het schoolgebouw kwam.

Maar er stond me een verrassing te verwachten. In plaats van Ami stond Basil er, leunend tegen zijn fraaie Mercedes sportwagen. Hij zwaaide en lachte naar me.

'Wauw,' zei Waverly plagend. 'Ze wordt in stijl thuisgebracht.'

'Ik spreek je later wel,' zei ik tegen Trevor en liep snel naar Basil toe. 'Waarom kom jij in plaats van Ami?' Ik vroeg me af of ze misschien nog zieker was geworden.

'Ach, ik dacht: waarom zouden we tijd verspillen? Ga maar achter het stuur zitten.'

Ik keek achterom en zag dat Trevor en Waverly en nog een paar anderen stonden te kijken. Ik hoorde Waverly fluiten toen ik in de auto stapte. Basil glimlachte naar hen en stapte eveneens in.

'Die met dat monsterlijke gipsverband is die jongen van Foley, hè?' vroeg hij, met een knikje in Trevors richting.

'Ja.'

'Hij schijnt echt iets in je te zien,' zei hij lachend.

Onwillekeurig moest ik even lachen.

'Ik geloof van wel, ja,' zei ik.

'Laten we gaan,' zei hij. 'Bewijs me maar dat gisteren geen stom geluk was.'

Het was echt opwindend om in zijn auto te rijden, en weer vertelde hij me dat hij overwoog een nieuwe te kopen en deze auto thuis achter te laten voor mij.

'Hij is perfect ingereden. Zonde om dat te verspillen,' zei hij.

Hij liet me over verschillende wegen rijden en nam me mee naar een buitenwijk om me een stuk land te laten zien dat hij vier jaar geleden gekocht had.

'Ik bezit hier zestien hectare. Ik kan daar op die heuvel op een goede dag een huis zien staan. Natuurlijk niet voor mij. Ik ben te oud en ik trouw nooit meer. Je weet wat ze zeggen: "Huwelijk is geen woord. Het is een vonnis."'

Hij lachte.

'Dat hoeft het niet te zijn,' merkte ik op.

'Misschien zal het dat niet zijn voor jou. Hoe zou je het vinden om hier op een dag te wonen?'

'Ik heb een farm die ik heb geërfd. Daar wil ik later weer naar terug.'

'Ja. Ami heeft me daarover verteld. Dat terrein in die staat stelt niet veel voor. Je zult er niet veel voor krijgen. Maar hier is grond goud waard.'

'Hoe zou ik hier trouwens ooit kunnen wonen? Het is uw land.'

'Je weet maar nooit.'

Ik keek hoe laat het was.

'Ik heb een hoop huiswerk,' zei ik. 'En ik moet een verslag schrijven voor de schoolkrant.'

'Maak een perfecte U-bocht,' beval hij, en ik deed het.

'Uitstekend. Je rijdt alsof je die auto al jarenlang hebt, Celeste. Ik zal onmiddellijk je rijexamen aanvragen. We kunnen vóór die tijd nog een paar lessen inlassen, al denk ik niet dat je ze nodig hebt.'

Toen ik door het hek naar het huis reed, maakte hij het handschoenenkastje open en haalde er een paar gloednieuwe roodleren autohandschoenen uit.

'Voor jou,' zei hij. 'Als je in een auto als deze rijdt, dien je er goed uit te zien. Al zou jij er nooit anders uit kunnen zien.'

'Dank u,' zei ik en nam ze aan. Ze waren van zacht glacéleer.

'Graag gedaan. Tot morgen, dan hoor je de datum van je rijexamen.' Hij stapte samen met mij uit, pakte mijn boeken en liep om de auto heen naar mij om ze me te overhandigen.

'Dank u,' zei ik.

'Geen probleem, liefje.' Hij gaf me een zoen op mijn wang en stapte in de auto. Toen maakte hij het raam open. 'Ik geloof dat ik eerder met mijn autodealer zal moeten praten dan ik dacht,' zei hij.

Ik staarde hem na toen hij wegreed. Hij maakt gekheid, dat kan niet anders, dacht ik. Hij wil me zomaar een auto geven die meer dan honderdduizend dollar kost? Ik schudde ongelovig mijn hoofd.

Toen ik me omdraaide naar het huis, zag ik een gordijn dichtschuiven, maar ving nog net het gezicht op van mevrouw Cukor, dat gloeide als een doodshoofd in het late zonlicht, voordat ze verdween. Toen ik binnenkwam, was er niemand te zien, dus ging ik meteen naar mijn kamer om mijn huiswerk te maken. Nog geen tien minuten later verscheen Ami om me te vertellen dat ze voor overmorgen een afspraak had gemaakt met de dokter.

'Ik zal het Basil laten weten,' zei ze, 'voor het geval hij van plan is je morgen na school weer rijles te geven.'

'Hij zei dat hij binnenkort mijn rijexamen zal aanvragen.'

Ze knikte.

'Hij heeft autohandschoenen voor me gekocht.' Ik liet ze haar zien.

'Mooi. Zulke mooie handschoenen heb ík zelfs niet,' merkte ze op. Ze draaide ze rond in haar handen en gaf ze toen aan me terug.

'Ami, ik weet niet of hij het meent of dat het een grapje van hem is, maar hij heeft me al een paar keer verteld dat hij mij deze auto in bruikleen wil geven en zelf een nieuwe kopen.'

'Waarom zou hij het niet menen?' antwoordde ze achteloos. 'Ik heb je beloofd dat je hier gelukkig zou zijn, en dat zul je ook.' Haar stem klonk overtuigder dan ooit. 'En vergeet niet dat het enige wat ik voor je wil is dat je heel, heel gelukkig zult zijn. Dat wil ik trouwens voor ons allemaal,' voegde ze er zachtjes aan toe. Even leek ze in tranen te zullen uitbarsten. Toen glimlachte ze en ging weg, mij achterlatend in een wereld vol verbazing en verwarring.

Wade at die avond niet met ons mee. Hij liet weten dat hij het te druk had op zijn werk en pas veel later ergens een hapje zou gaan eten. Ami maakte zich geen zorgen. Te oordelen naar de klank van haar stem toen ze het me vertelde, was het niets ongewoons.

'Dat is de reden waarom ik uiteindelijk zelf maar naar een van die restaurants ga waar ik jou mee naartoe heb genomen,' zei ze.

Ik probeerde me hen voor te stellen, allebei alleen etend te midden van vreemden. Het diner was altijd heilig geweest toen ik nog heel klein was, herinnerde ik me, en het was altijd een bijzonder moment van de dag in de weeshuizen. We fantaseerden allemaal over eten in een gezin, aan tafel zitten met mensen die je lief waren, als iedereen zijn of haar belevenissen van die dag vertelde. Het was de lijm die ons zou hechten aan welk nieuw gezin we ook zouden vinden. In onze gedachten was het een bijna religieuze gebeurtenis, een sessie van stille dankgebeden. Voor alle weeskinderen was het avondeten een waar Thanksgiving-diner.

Dat het zo achteloos werd afgedaan maakte me tegelijk bedroefd en kwaad.

De volgende middag wachtte Basil op me om me weer een rijles te geven. Hij liet me alle mogelijke handelingen verrichten; hij leek dat rijbewijs nog belangrijker te vinden dan ik. Toen ik er een opmerking over maakte, zei hij dat hij zeker wilde weten dat hij zijn auto in goede handen achterliet.

De volgende dag na school was Ami er om me mee te nemen naar haar dokter, een vrouwelijke arts, dr. Bloomfield. Ze onderwierp me aan een grondig onderzoek, inclusief een bloedonderzoek en röntgenfoto's. En zelfs een gynaecologisch onderzoek. Hoewel nog niet alle resultaten van het bloedonderzoek binnen waren, vertelde ze Ami dat ik volmaakt gezond was.

'Er is niets met haar aan de hand? Er is niets gebeurd als gevolg van...' begon Ami.

'Nee, niets,' antwoordde de dokter. 'Ze maakt het prima. Op een dag zal ze prachtige, gezonde kinderen hebben, daar ben ik van overtuigd. Maakt u zich geen zorgen, mevrouw Emerson.'

Ami keek enorm opgelucht. Ik was er geen seconde bang voor geweest en had geen ander antwoord verwacht.

'Wanneer word je onderzocht voor je hoofdpijn?' vroeg ik toen we uit de spreekkamer kwamen.

'Dat is al gebeurd. Het is niets,' zei ze snel.

Twee dagen later nam Basil me na schooltijd mee voor mijn rij-examen. Hij scheen inderdaad mensen van het bureau te kennen. Toen ik terugkwam met de examinator, werd me onmiddellijk mee-gedeeld dat ik was geslaagd en kreeg ik een voorlopig rijbewijs.

'We vieren het vanavond,' verklaarde hij toen hij me vóór het huis afzette. 'Zeg tegen Ami dat ik een tafel zal reserveren in de Fishers Lobsters Pot.'

Ik dacht aan al mijn huiswerk, maar hij was zo opgetogen en ik was zo duizelig van geluk, dat ik het niet durfde te zeggen. Ik zou het gewoon later doen, dacht ik. Ami was dolblij voor me, en toen Wade thuiskwam uit zijn werk, feliciteerde ook hij me enthousiast, zij het natuurlijk wat ingetogener. Later, toen ik bezig was me aan te kleden om uit te gaan, kreeg ik kramp en constateerde dat mijn menstruatie was begonnen. Zodra Ami binnenkwam om te zien hoever ik was, vertelde ik het haar.

Ze klapte in haar handen.

'Goddank,' zei ze.

'Ik heb je gezegd dat je niet bang hoefde te zijn, Ami. Ondanks wat er gebeurd is, is Trevor een heel verantwoordelijke jongeman.'

'Dat is een oxymoron,' zei ze. 'Je weet wel, een schijnbare te-genspraak? Een jongeman kan per definitie niet verantwoordelijk zijn.'

'Dat kan niet voor allemaal opgaan, Ami, nee toch?' vroeg ik ge-frustreerd.

Ze staarde me even aan en glimlachte toen.

'Nee, waarschijnlijk niet. Je hebt gelijk. Ik moet je niet opzade-len met al mijn vooroordelen. Je hebt het recht je eigen opinie te vormen. Ik wil alleen dat je voorzichtig bent en niet alles bederft nu je zo'n veelbelovend begin hebt gemaakt. Beloof het me.'

'Ik beloof het, Ami,' zei ik, al wist ik niet helemaal zeker wát ik precies beloofde.

'Goed, laten we nu dan gaan en het vieren tot de Emersons erbij neervallen,' zei ze lachend.

Ze was plotseling weer blij en vrolijk. De migraine was verdwenen, alsof mijn menstruatie de oplossing was voor al haar problemen.

Ik kon niet vermoeden dat het het begin zou zijn van mijn eigen moeilijkheden, maar ik kon nooit iets voorspellen voor mijzelf, alleen voor anderen.

Dat bleek vooral toen ik naar Wade keek. Het beviel me niet wat ik die avond zag in zijn gezicht, in zijn ogen, hoorde in zijn stem. Hoe meer Basil aanbood voor me te doen, hoe meer hij zich voor mij verheugde en hoe enthousiaster hij werd om me dingen te laten zien, hoe somberder Wade werd. Ik vroeg me af of er sprake kon zijn van jaloezie. Maakte hij zich van streek omdat zijn vader zoveel belangstelling voor me toonde, of stoorde het hem dat zijn vader meer voor mij deed dan voor zijn eigen kleinkinderen en dochter? Al die mogelijkheden tolden door mijn hoofd.

Basil verraste mij en Wade toen hij tijdens het diner voorstelde geld opzij te leggen om mij naar een van de goede universiteiten te sturen.

'Ami vertelde me dat de geslaagde leerlingen van haar school door de beste universiteiten worden geaccepteerd. We kunnen haar niet in haar ontwikkeling belemmeren door een kleinigheid als schoolgeld. We hebben het besproken.'

'Sinds wanneer is voor jou de ene universiteit beter dan de andere, pa?' vroeg Wade. Hij keek even naar mij. 'Ik bedoel, dat ben ik altijd van mening geweest, maar –'

'Ze is een heel intelligente jonge vrouw. We willen toch niet dat ze haar talent en capaciteiten verspilt aan een middelmatige opleiding, wel?' zei Basil. 'Nee toch, Ami?'

'Wat? O, nee. Natuurlijk niet.'

'Nou, waarom trek je dan zo'n lang gezicht, Wade? Wil je geen goede dingen voor je verschoppelingetje?'

Wade schudde zijn hoofd en wendde zijn gezicht af. Hij dronk meer dan gewoonlijk en zei de hele avond weinig. Basil stond erop dat ik iedereen naar huis zou rijden en dirigeerde Wade en Ami naar de achterbank van hun eigen auto.

'Niet slecht, hè?' zei hij, opscheppend over mijn rijkunst. 'De ouwe kan nog steeds wonderen verrichten, hè, Wade?'

'Waar bestaat dat wonder uit?' antwoordde Wade. Hij klonk een beetje dronken. 'Je hebt ons de hele avond zitten vertellen hoe talentvol ze is.'

'Ho-ho, moet je hém horen. Ondanks alles heeft iemand nog altijd een goede leraar, een leidende hand nodig in deze wereld. Vergeet dat niet, jongen. Ga niet naast je schoenen lopen.'

'Daar is weinig kans op,' mompelde Wade.

Basil keek even naar Ami en draaide Wade zijn rug toe tijdens de rest van de rit naar huis.

Hij droeg zijn auto niet meteen aan me over, maar drie dagen later kwam hij me van school halen en overhandigde me de sleutels. Ik wist niet dat het als een definitieve overdracht bedoeld was, tot we bij het huis waren en ik een splinternieuwe Mercedes geparkeerd zag staan.

'Dat is mijn nieuwe wagen,' zei hij. 'Hierin liggen alle autopapieren, het telefoonnummer van de servicedienst, alles wat je nodig hebt.' Hij maakte het handschoenenkastje open.

'Geeft u me werkelijk deze auto in bruikleen?'

'Geniet ervan, liefje.' Hij gaf me een zoen precies op mijn mondhoek. 'Ik zal tegen Wade zeggen dat hij plaats moet maken in de garage. Hij hoort blij te zijn. Nu hoeft hij je niet iedere ochtend meer naar school te brengen, en Ami hoeft je niet af te halen. Veel plezier ermee,' zei hij en stapte uit.

Ik bleef nog even zitten en liet mijn handen over het leer en het hout glijden. De auto was voor mij, ik kon erin rijden wanneer ik maar wilde. Nog niet zo lang geleden had ik twee kleine koffers met kleren en het eigendomsrecht op een oude farm, waar ik in jaren en jaren niet meer geweest was. Nu had ik een kast vol designkleren en schoenen, waardevolle sieraden, een mooie grote slaapkamer met mijn eigen telefoon, toilettafel en make-up. Ik ging naar een dure particuliere school, naar dure restaurants, en kreeg wekelijks zakgeld dat evenveel bedroeg als alles wat ik in een jaar in het weeshuis had weten te vergaren. Ik kreeg pianoles en rijles, en nu had ik een auto van meer dan honderdduizend dollar tot mijn beschikking.

Mijn verlangen om terug te keren naar de farm en een beperkt en geïsoleerd bestaan te leiden begon snel af te nemen. Nog nooit hadden mijn herinneringen aan Noble en mijn familiegeesten, aan alle wonderen van mijn prille jeugd, zo vaag geleken als nu. Waarom zou ik niet naar een vooraanstaande universiteit gaan en carrière maken in de zakenwereld? Waarom zou ik niet reizen zoals Basil reisde en mensen ontmoeten, heerlijke nieuwe gerechten eten en prachtige landschappen bewonderen? Waarom zou ik niet zo mondain en wereldwijs zijn als de snobistische meisjes op school, en vooral, waarom zou ik niet een geweldige man leren kennen met wie ik mijn leven kon delen? Waarom zouden die andere meisjes dat wel krijgen en ik niet? Waarom had ik gevangengezeten in weeshuizen en hadden ze me het gevoel gegeven dat ik geen gezin en geen thuis waard was?

Te opgewonden om naar binnen te gaan en mijn huiswerk te maken, startte ik de motor en reed weg. Ik had geen speciaal doel voor ogen. Ik reed door zijstraten en bevond me toen plotseling op de weg die naar Basils perceel voerde. Ik stopte aan de kant van de weg en staarde naar het prachtige terrein. Ik kon een huis zien op die heuvel, dacht ik, een groot, elegant huis met alle toeters en bellen van hekken en zwembaden en tennisbanen. Ik zou Ami kunnen zijn, maar gelukkiger dan zij is. Was dat arrogant van me?

De zon ging snel onder. De dagen waren nu veel korter en de winter wachtte vlak achter de horizon, de koudere winden en grauwere wolken kwamen langzaam naar voren om zijn naderende komst aan te kondigen. Toen de schaduwen donkerder werden, meende ik een gestalte naar de top van de heuvel te zien lopen, naar de plek waar Basil en nu ik een huis voor ons zagen. Het leek Noble wel. Hij draaide zich naar me om en verdween toen over de top.

'Je verbeeldt je maar wat,' zei ik hardop tegen mezelf, haalde mijn voet van de rem en reed snel weg om afstand te scheppen tussen mij en de illusie. Ik zette de radio aan om alle waarschuwingen of duistere gedachten te overstemmen, en zong mee terwijl ik leek te zweven over de snelweg tot ik bij het huis kwam en naar de garage reed. Iedereen die me zag zou me waarschijnlijk voor een idiote puber houden.

'Waar heb jij uitgehangen?' vroeg Ami zodra ik binnenkwam. Ik neuriede nog het laatste liedje dat ik op de radio had gehoord. Ze had in de zitkamer op me gewacht en kwam naar buiten zodra ik de voordeur opendeed.

'Basil heeft me zijn auto gegeven!' riep ik uit. 'Ik móést gewoon voor het eerst in mijn eentje een eindje rijden. Ik heb gewoon maar wat rondgereden.'

Ami's harde blik verzachtte.

'O, geweldig. Ik ben zo blij voor je, Celeste. Maar laat me voortaan, vooral nu je een auto ter beschikking hebt, alsjeblieft weten waar je bent en hoe laat je thuiskomt, oké? Ik wil niet zo'n sombere piet lijken als Wade, geen zwartkijker of zo, maar het is belangrijk.'

'Natuurlijk. Het spijt me, Ami. Ik had het je moeten vertellen. Ik had je mee moeten nemen.'

'We zullen nog vaak genoeg ergens heengaan in jouw auto,' zei ze lachend. 'Wees maar niet bang. Kom mee naar boven.' Ze gaf me een arm. 'Ik moet je de nieuwe winterjas laten zien die ik voor je gekocht heb. Hij heeft een bontkraag.'

'Een nieuwe jas!'

Het leek werkelijk of de hemel me met geschenken overlaadde. Hopelijk komt er nooit een eind aan, dacht ik, en liep haastig met haar de trap op.

Natuurlijk kon ze niet een nieuwe jas voor me kopen zonder nieuwe handschoenen, nieuwe laarzen en een broek met een bijpassende sweater. Alles lag uitgespreid op mijn bed. Ik paste alles snel aan en paradeerde door de kamer, showde het voor haar. We moesten zo erg lachen en giechelen, dat we Wade niet boven hoorden komen en naar mijn kamer lopen. Hij klopte op de halfopen deur.

'Is pa hier?' vroeg hij, nieuwsgierig naar ons kijkend.

'Nee,' zei Ami. 'Tenzij hij na ons boven is gekomen.'

'Zijn auto staat voor de deur, dus dacht ik...'

Ami keek met een blik van verstandhouding naar mij en draaide zich toen om naar hem.

'Het is zijn auto niet meer, Wade. Hij heeft zijn belofte aan Celeste gehouden. Hij heeft hem aan haar gegeven.'

'Haar zijn auto gegeven?' vroeg hij duidelijk geschokt.

'In bruikleen,' zei ik. 'Ik geloof niet dat hij op mijn naam is overgeschreven,' zei ik met een blik op Ami. 'Ik heb de papieren niet bekeken.'

'Ik zou maar niet verbaasd opkijken als hij dat wél heeft gedaan,' zei ze.

Ik keek naar Wade, verwachtend dat hij over zijn verbazing heen zou zijn en blij zou zijn voor me, maar in plaats daarvan keek hij peinzend en bezorgd.

'Wat is dat allemaal?' vroeg hij, gebarend naar de kleren op het bed.

'We moeten een begin maken met haar wintergarderobe,' antwoordde Ami, alsof het de meest logische zaak ter wereld was.

Hij knikte.

'Ik ben blij voor je, Celeste,' zei hij. 'Maar wees voorzichtig.'

'Voorzichtig?' vroeg Ami uitdagend.

'Als je in de auto rijdt,' legde hij uit, en liet ons alleen.

'Ik zei je toch dat die man een pessimist is,' zei Ami, terwijl ze hem nawuifde. 'Laat die mooie dag niet door hem bederven.'

Gelukkig deden de uitdrukking op Wades gezicht en de toon van zijn stem geen afbreuk aan mijn vrolijke, opgetogen stemming. Ami's ongedurige, zorgeloze houding sloeg op mij over. Eigenlijk genoot ik ervan. Ik wilde alles vergeten, de sombere gezichten, de blikken die mevrouw Cukor me toewierp, het trieste en zure gezicht van mevrouw McAlister, en het zelfs aan tafel nog stoïcijnse en onheil voorspellende gedrag van Wade. Ami en ik bleven lachen en giechelen. Ik liet me door haar verleiden met haar plannen voor onze uitstapjes. We zouden naar New York City rijden om de kerstversiering te bewonderen, en we zouden een reis plannen voor de vakantie. Ze waarschuwde Wade dat hij niet met een zakelijke reden moest aankomen om onze plannen te verijdelen of uit te stellen. Ik was zo opgewonden die avond, dat ik wist dat ik moeite zou hebben om in slaap te vallen. Later belde ik Trevor en vertelde hem het goede nieuws.

'Heeft hij je echt die auto gegeven? Dat geloof ik niet,' zei hij.

'Ik ook niet.'

'Maar dat is fantastisch. Wil je me morgen uit school naar huis brengen?'

'Natuurlijk.'

Ik beschreef een paar van de plannen die Ami voor ons aan het maken was en vertelde hem over de nieuwe kleren. Ik had nog nooit zo aan één stuk door zitten kletsen aan een telefoon. Natuurlijk had ik ook nog nooit iemand als Trevor gehad om aan de telefoon mee te praten. Wij begonnen ook plannen te maken voor de toekomst, praatten over komende evenementen van school, feestjes, en uitstapjes die we samen zouden maken.

'Maar voorlopig,' zei ik, een beetje ontnuchterend, 'moeten we het even rustig aan doen. Ik moet Ami nog bewerken en haar ervan overtuigen dat je niet Jack de Raper, Jack de verkrachter, bent.'

Hij lachte.

'En als ik dat eens wél ben?'

'Kan me niet schelen,' zei ik roekeloos, en we moesten weer lachen. Ik was nu eenmaal in een rare stemming, en ik wilde niet dat daar een eind aan kwam. Het was een natuurlijke euforie, die net zo goed was als die ten gevolge van drugs of alcohol, dacht ik.

Toen ik eindelijk moe genoeg was om te gaan slapen, besefte ik dat ik een deel van mijn huiswerk verwaarloosd had, en dat ik zelfs nog niet begonnen was aan de opdracht voor de krant.

Op de een of andere manier lukt het me wel, sprak ik me moed in.

Misschien kon ik een van de vele excuses gebruiken van de andere leerlingen als ze hun werk niet af hadden. Over het algemeen zagen de docenten het door de vingers.

Geld regeert de wereld, dacht ik, en toen: Nou en? Ik zal het ook voor mij laten regeren.

Ik was teleurgesteld toen ik de volgende ochtend zag dat het regende. Het was een harde, koude regen, die tegen de ramen sloeg met druppels die wel hagel leken. Wade stond erop dat hij me naar school zou rijden.

'De straten zullen vreselijk glad zijn,' zei hij.

'Maar ik moet onder alle weersomstandigheden leren rijden,' jammerde ik.

'Maar niet meteen. Met jouw gebrek aan rijervaring zou het onverantwoordelijk van me zijn als ik dat toestond.' Hij was zo onverbiddelijk, dat ik het niet waagde hem tegen te spreken. Ami lag nog in bed, dus was ze er niet om een goed woordje voor me te doen.

Trevor was natuurlijk teleurgesteld. Hij moest weer naar huis met Waverly. Tegen de middag hield het op met regenen, maar de lucht bleef grauw en dreigend. Ami kwam me halen. Ze zag dat ik afscheid nam van Trevor, hem gauw een zoen gaf, maar ze zei er niets over, beklaagde zich alleen over Wades overbezorgde gedrag.

'Waarschijnlijk kun jij beter rijden dan hij,' zei ze.

'Het geeft niet. Hij was alleen maar bezorgd voor me.'

Ik had de teleurstelling over het feit dat ik mijn werk niet had gedaan in het gezicht gezien van mijn docenten, en speciaal van mijn studiebegeleider voor de krant, meneer Feldman, en ging derhalve meteen aan het werk toen ik thuiskwam. Eerder op de avond had Trevor me gebeld en verteld dat het weerbericht voor de volgende dag goed was.

'Adieu, Waverly,' zei hij lachend. 'Ik heb er altijd naar verlangd dat ik door een mooi meisje in een dure auto zou worden rondgereden.'

Zodra ik de volgende dag wakker werd, zag ik dat het een prachtige dag was. Alle wolken waren naar het zuiden gedreven en de lucht had die zachte turkooizen glans die de paar resterende wolkjes transparant maakte. Het was nog fris, reden genoeg om mijn nieuwe jas aan te trekken. Pas toen ik uit de douche kwam, drong het tot me door dat Wade me voor het eerst niet gewekt had.

Maar wat me het meest verbaasde, en me natuurlijk deed beseffen dat ik zelf naar school mocht rijden, was dat Wade al weg was toen ik beneden kwam om te ontbijten. Zijn bord was al afgeruimd. Even dacht ik dat hij nog niet was opgestaan. Ik vroeg het aan mevrouw McAlister.

Ze richtte zich in haar volle lengte op en tuitte haar lippen.

'Hij is op ongeveer dezelfde tijd weggegaan als vroeger, voordat jij kwam,' zei ze, insinuerend dat mijn komst hier een slechte invloed had. 'Hij staat graag vroeg op.'

Ik hoorde mevrouw Cukor stofzuigen in de gang. Meestal wachtte ze tot het ontbijt was afgelopen voor ze zo dicht bij de eetkamer ging schoonmaken, maar nu alleen ik hier was, vormde dat geen probleem voor haar. Ik kon mijn eigen gedachten nauwelijks horen, dus at ik snel en vertrok.

Op school waren de docenten tevreden over mijn werk. Ik beantwoordde enthousiast alle vragen die in de les gesteld werden. Meneer Feldman gaf me een complimentje voor mijn boekrecensie, en zelfs mevrouw Grossbard loofde mijn inzet bij het volley-bal.

'Misschien moet je er eens over denken om lid te worden van ons skiteam,' opperde ze. Weer moest ik haar vertellen dat ik nog nooit een van de sporten beoefend had die zij op de Dickinson School coachte. 'Nog nooit geskied?' vroeg ze ongelovig. Ik schudde mijn hoofd. Ze keek sceptisch en beet op haar onderlip, alsof ze dacht dat ik jokte, alleen om onder het skiën uit te komen. Ik begon me af te vragen of Ami's verzinsels over mij wel zo'n goed idee waren. Het lag altijd op het puntje van mijn tong om Trevor de waarheid te vertellen, en een paar keer had ik bijna mijn mond voorbijgepraat toen hij me vragen stelde over mijn verleden.

Je raakt verstrikt in leugens, dacht ik. Uiteindelijk zou ik erover struikelen en zou de waarheid bovenkomen. Ik wist het zeker. Ik had geen idee hoe Trevor zou reageren als hij het wist, maar voor-lopig leek het me beter het maar zo te houden. Eigenlijk, als ik eer-lijk was, moest ik toegeven dat ik zijn attenties niet wilde missen.

Eindelijk zou onze wens vervuld worden. Ik zou hem aan het eind van de dag naar huis kunnen brengen. Waverly stond naar ons te kijken met zijn gebruikelijke sluwe grijns, fluisterde met de an-dere jongens en lachte om ons.

'Hoe kan hij in vredesnaam een vriend van je zijn?' vroeg ik aan Trevor. 'Hij is zo'n... zo'n...'

'Zo'n eikel?'

'Ja.'

Hij haalde zijn schouders op.

'Ik denk omdat hij me aan het lachen maakt. Maar ik kan hem ge-makkelijk links laten liggen om mijn tijd met jou door te brengen.'

'Ik hoop het,' zei ik lachend. 'Anders zou *jij* een eikel zijn.'

'Hé, je begint een beetje al te slim te worden,' zei hij gekssche-rend. Toen keek hij naar het dashboard. 'Het is echt een prachtige auto. Hij is zo goed onderhouden dat hij er als nieuw uitziet. Het verbaast me nog steeds dat hij deze aan jou heeft gegeven en zelf een nieuwe heeft gekocht.'

'Ik heb altijd geleerd dat je een gegeven paard niet in de bek moet kijken,' zei ik, en reed achteruit de parkeerplaats af.

'Ja, maar dit is meer dan een gegeven paard. Neven zijn meest-al niet zo royaal voor familieleden.'

264

Iets in de atmosfeer, toen hij dat heel kalm zei, deed een alarm in me afgaan. Snel legde ik het het zwijgen op. Ik was niet in de stemming om ernaar te luisteren.

Maar toen we wegreden van school, keek ik in mijn zijspiegel en wist zeker dat ik Ami onopvallend achter een truck geparkeerd zag staan om me te zien wegrijden. Ze was gekomen om me te bespioneren, dacht ik. Ik wist zeker dat ze kwaad zou zijn en later weer met haar wijsheden over mannen zou komen. Maar wat ik zag verbaasde me. Ik ving maar een korte glimp op van haar gezicht, maar ze keek eerder bang dan kwaad.

En mijn instinct zei me dat ze meer bevreesd was voor zichzelf dan voor mij.

Ik kon me niet voorstellen waarom, maar het alarm ging weer af.

En deze keer kon ik het niet negeren.

16. Mooie dromen

Trevors huis was een mooi onregelmatig gebouwd huis in de stijl van een ranch, met een donkergrijze stenen gevel en grote ramen, een huis dat leek of het uit een pagina van een duur bouwkundig tijdschrift was gelicht. Er waren twee stenen schoorstenen voor open haarden in een lichtere tint grijs. Hoewel er geen 'vorstelijke' hekken waren om door te rijden en de oprijlaan niet zo lang was als die van de Emersons, was hij veel langer en breder dan die van de naburige huizen.

Het huis zelf lag achteraan op een stuk grond van bijna een hectare en had een prachtig aangelegde tuin met een paar oude treurwilgen, een niervormig zwembad, en voor het huis twee grote identieke fonteinen in een komvormig bassin, met kleinere bassins erboven waaruit het water omlaag stroomde. Het land werd afgebakend door indrukwekkende veldstenen muren, waar iemand misschien meer dan honderd jaar geleden heel lang over had gedaan om ze te bouwen. De garage was op zo'n manier aan het huis gebouwd dat het huis langer leek, omdat de deuren zich aan de achterkant bevonden en de van luiken voorziene ramen van de garage leken op extra kamers. Ik stopte bij het mauvekleurige tegelpad aan de voorkant.

'Wat een beeldig huis, Trevor.'

'Kun je even binnenkomen?'

Het beeld van Ami in haar auto achter de truck bij school flitste door mijn hoofd. Ik zag haar gebogen over het stuur zitten en ingespannen naar me kijken.

'Ik heb een enorme hoop werk te doen, Trevor. Volgende keer misschien.'

'Mijn ouders zijn niet thuis, als je je daarover zorgen maakt. Mijn vader is op zijn werk, en mijn moeder is met een paar vriendinnen naar een modeshow. Kom nou even binnen. Ik wil je tenminste mijn kamer laten zien. Hij is natuurlijk niet zo groot als die van jou, en ik heb maar een queensize bed.'

'Ik moet er echt vandoor.'

'Een kwartiertje kan er toch wel af,' drong hij aan.

Ik kwam in de verleiding hem over Ami te vertellen, ik vond het zo raar dat ze me bespioneerde, dat ik dacht dat hij het ook gek zou vinden. Mijn zenuwen trilden als gespannen snaren. Ze kon ons best gevolgd zijn en controleren hoe lang ik hier binnen bleef.

'Onmogelijk,' zei ik en wendde mijn blik af.

'Onmogelijk? Ik zal je vertellen wat onmogelijk is. Je kunt een hulpeloos mens niet zomaar alleen achterlaten,' kermde hij.

Ik lachte.

'Je bent niet hulpeloos, Trevor.'

'Nou ja, één ding is zeker. Ik kan geen misbruik van je maken. Niet in deze conditie. Jij zult misbruik moeten maken van mij. Kom.' Hij stak zijn hand naar me uit. 'Even maar. We zijn nog niet echt samen geweest sinds ik weer naar school ga. Overal waar we zijn op school worden we geobserveerd. Het is geen pretje om beroemd te zijn,' grapte hij.

Ik zei niets, maar innerlijk stond ik voor een dilemma.

'Ik ben rechtshandig, weet je, en ik kan mijn rechterarm niet gebruiken met dit gips.' Hij werkte op mijn medeleven. 'Ik moet die boeken naar binnen brengen, de deur openmaken, worstelen om andere kleren aan te trekken. Zelfs Waverly helpt me om naar binnen te gaan!'

Ik liet me vermurwen. 'Goed dan. Ik zal je naar binnen helpen, maar ik blijf niet.'

Hij stak zijn hand op als iemand die een eed aflegt. 'Dat is alles wat ik vraag.'

'En alles wat je krijgt,' antwoordde ik, en zette de motor af.

Toen stapte ik uit, liep om de auto heen en maakte zijn portier open.

'Uwe Majesteit,' zei ik buigend.

'Dank u, mylady.'

Ik pakte zijn linkerhand en hielp hem overeind te komen en uit te stappen. Hij deed net of hij struikelend in mijn armen viel en zoende me.

'Beschouw dat maar als een fooi.'

'Dank je. Wat ben je weer royaal.'

'Hé!' riep hij quasi-beledigd uit. 'Er zijn hopen meisjes die dankbaar zouden zijn. Hoop ik.'

Ik duwde hem voorzichtig opzij en pakte zijn boeken uit de auto. Glimlachend liep hij naar de voordeur en haalde zijn sleutels uit zijn linkerzak. Ik keek achterom naar de oprit of ik Ami's auto op de weg zag staan, maar ik zag niets.

'Kun jij dat voor me doen?' vroeg hij, de sleutels omhooghoudend.

Ik schudde mijn hoofd over zoveel voorgewende hulpeloosheid, maar pakte de sleutels aan en opende de deur. Hij duwde hem open en we liepen naar binnen. Ik hoorde muziek.

'Er is iemand thuis,' zei ik.

'Nee, nee. Mijn moeder laat altijd muziek aanstaan. Ze denkt dat het potentiële dieven afschrikt. Wil je wat drinken?'

'Nee, Trevor. Ik blijf niet. Dat heb ik je gezegd.'

'Oké, oké. Kom alleen even naar mijn kamer kijken. Hij is hier beneden.' Hij liep de hal door.

Met tegenzin deed ik een stap naar voren, maar ik was nieuwsgierig naar het huis. De hal had een stenen vloer, net zoals de vloer in Wades werkkamer, maar in de zit- en eetkamer lag vast tapijt. De keuken was zelfs iets groter dan de keuken in het huis van de Emersons, en helderder dankzij de dakramen en lichtere kleur van de tegels, het behang en het aanrecht. Trevors vader had een prachtig kantoor, zij het half zo groot als dat van Wade. Ik vond de inrichting van de kamer van Trevors vader mooier. Het meubilair zag er zachter, comfortabeler uit.

Het huis was niet zo luxueus en groot als dat van de Emersons, maar het was heel mooi ingericht, met een kalme ingetogenheid... wat ik apprecieerde. Het gaf je een warm gevoel, meer als een thuis. We wierpen een korte blik in de slaapkamer van zijn ouders. Het was een grote kamer, maar had niet zoveel zitruimte als die van Ami en Wade.

Ik verbaasde me dat Trevors kamer zo netjes was. Ik zag geen rondslingerende kleren, geen halfopen laden, geen rommel op de grond. Hij bestudeerde mijn gezicht terwijl ik om me heen keek.

'Wat vind je ervan?'

'Het is een mooie kamer, Trevor. Ben jij zo netjes, of heb je iemand die voor je opruimt?'

'Mijn moeder heeft een obsessie voor opruimen en schoonmaken. Mijn vader maakt altijd een grapje dat als hij 's nachts naar de wc gaat, zij het bed opmaakt.'

Ik bleef in de deuropening staan. Ik wist dat als ik de kamer binnenging, ik in moeilijkheden zou komen.

'Hé,' zei hij. 'Niet zo zenuwachtig. Ontspan je een beetje. Hij stak zijn hand naar me uit, maar ik ging niet naar voren. 'Kom nou, Celeste. Je weet wat ik voor je voel, en ik weet dat je me graag mag. Laten we van deze gelegenheid profiteren,' zei hij oprecht.

Ik wilde bij hem blijven. Ik wilde met hem zoenen en vrijen. Mijn hart klopte vol verwachting, maar het alarm liet zich niet tot zwijgen brengen. Ik besefte dat ik geen keus had. Ik moest eerlijk zijn.

'Ik wilde het je niet vertellen, omdat ik niet wilde dat je mijn nicht een raar mens zou vinden of dat ik een beetje maf was of zo, maar toen we uit school kwamen, stond Ami aan de overkant geparkeerd.'

'Wát zeg je?' Hij deed een stap naar achteren. 'Bedoel je dat ze je bespioneerde?'

'Ja,' zei ik. 'Ik ben zelfs bang dat ze ons hiernaartoe gevolgd is. Ze zou Basil kunnen overhalen de auto terug te nemen of zo.'

Hij dacht even na.

'Man, ze is gek!'

'Zo denkt zij, of Wade, er misschien niet over. Vergeet niet dat wat er gebeurd is een hele schok was voor iedereen, en zij zijn tot mijn achttiende verantwoordelijk voor me. Laten we het langzaamaan doen. Ik moet hier wonen en zij zijn formeel gezien mijn voogden.'

Hij keek om zich heen in zijn kamer en zuchtte.

'Wat een verspilling,' zei hij.

'Nee, dat is het niet. Als je me later belt, kan ik me precies voorstellen waar je bent.' Hij glimlachte, en deed een stap naar voren om me te zoenen en hield me met zijn linkerhand vast, terwijl zijn rechter vooruitschoot in dat reusachtige gipsverband dat nu bezaaid was met stomme opmerkingen en handtekeningen van onze klasgenoten. Lester Hodes, een van de beste tekenleerlingen, had een tekening gemaakt van een aapje dat op de rug van een geit zat.

Ik moest onwillekeurig lachen om het beeld van ons beiden in zijn passpiegel. 'Wat een romantisch plaatje,' zei ik.

'Ja, maar denk maar niet dat een kleinigheid als dit of zelfs je paranoïde nicht me zal beletten van je te houden, Celeste.' Zijn gezicht stond ernstig.

'Dat zal ik niet doen,' beloofde ik, kuste hem weer en wilde weggaan.

Hij volgde me naar de deur en we zoenden elkaar nog een keer voor ik naar de auto liep. Met een gefrustreerde uitdrukking op zijn knappe gezicht keek hij me na toen ik wegreed. Toen ik van de oprit afboog, keek ik weer of ik Ami's auto zag, maar die was nergens te bekennen. Zo ver was ze tenminste niet gegaan, dacht ik, maar ik bereidde me voor op de strenge terechtwijzing die me ongetwijfeld te wachten stond als ik thuiskwam.

Maar tot mijn verbazing liep het allemaal heel anders. Ze was in een van haar vrolijke buien en kwam naar mijn kamer met een tas van een van haar favoriete boetieks. Ze wilde me een nieuwe blouse laten zien die ze niet had kunnen laten liggen en voor me móést kopen.

'Zodra ik hem zag, wist ik hoe hij je zou staan,' zei ze en hield hem tegen me aan. 'Hij doet de kleur van je ogen goed uitkomen. Ja, absoluut. En je kunt hem nu al dragen. Het is een warme stof.'

'Dank je, Ami.'

'Is het niet geweldig om je eigen auto te hebben en te kunnen komen en gaan wanneer je maar wilt?'

'Ja,' zei ik en hield mijn adem in terwijl ik wachtte op de komende berisping.

'Dat zei ik je toch,' zei ze in plaats daarvan. 'Wacht maar tot het tot die andere meisjes op school doordringt. Ze zullen de deur platlopen om je beste vriendin te worden. Maar goed, ga maar gauw je huiswerk maken. Ik moet met mevrouw McAlister praten over het eten vanavond. Basil komt. Hij wil alles horen over je eerste dagen in de auto. Ik zweer je dat hij zich de laatste tijd zelf als een tiener gedraagt.

'O,' ging ze verder toen ze op de drempel stond, 'Wade komt vanavond weer niet eten. Het schijnt dat de vrouw van zijn manager een auto-ongeluk heeft gehad en haar man haar naar een ziekenhuis in New York City moet brengen. Ernstig rugletsel of zoiets. Dus moet Wade natuurlijk in deze noodsituatie op de zaak blijven om alles op te vangen. Ik geloof dat hij leeft van die zakelijke crises. Als een vampier,' voegde ze er met een kort, schamper lachje aan toe, en ging weg.

Ik bleef zenuwachtig, ondanks Ami's opgewekte stemming. Ik wist dat ze gezien had dat ik Trevor naar huis had gebracht. Misschien had ze besloten om niet al te negatief te zijn. Misschien hoopte ze dat ik zelf mijn conclusies zou trekken als zij zich er niet mee bemoeide.

Ik begon meteen aan mijn huiswerk. Ruim een uur voor het eten kwam Ami terug, tot mijn verbazing met een van haar jurken.

'Ik dacht dat je het misschien leuk zou vinden deze vanavond te dragen,' zei ze terwijl ze hem op mijn bed legde. 'Ik draag hem bijna nooit meer omdat ik zoveel andere jurken heb die erop lijken. Hij is praktisch nieuw.'

Hij leek niet veel groter dan een badhanddoek.

'Maar ik heb nu zelf zoveel mooie dingen om aan te trekken, Ami.'

'Basil vond het prachtig als ik deze jurk droeg,' zei ze met een koel glimlachje. 'Hij zal jou er ook in bewonderen, en we willen hem graag een plezier doen na alles wat hij voor jou heeft gedaan, ja toch?' Ze deed net of hij alles wat hij voor mij had gedaan, ook voor haar had gedaan. 'Het is maar een kleinigheid,' ging ze verder, 'maar soms doe je een man het grootste genoegen met de kleinste dingen.'

Ik bekeek de jurk wat nauwkeuriger. Het was een zwart, nauwsluitend jurkje met korte mouwen en een heel korte, klokkende minirok, en een laag uitgesneden decolleté met een smal bandje om de buste bijeen te houden. Het was wel een erg mini-minirokje.

'Hij zal jou beter passen en beter staan dan mij,' vervolgde ze. 'Jij hebt stevigere, grotere borsten dan ik, en je heupen zijn ook breder. Toe dan, trek hem aan. En vergeet niet dat parfum waar Basil zo van houdt. Mevrouw McAlister heeft een van Basils lievelingsgerechten klaargemaakt. Lamsschouder. Heerlijk.'

Ze kwam naar voren om mijn pony een beetje recht te schikken en bekeek me toen met een trots die meer op die van een moeder leek dan op die van een vriendin of zus, dacht ik.

'Je bent heel mooi. Daar mag je je nooit voor schamen. Nooit,' vermaande ze, alsof ze bang was dat ik behept was met te veel bescheidenheid.

Ze keek op haar horloge. 'We gaan vanavond op tijd naar beneden. Dat zal hij op prijs stellen,' zei ze.

Toen ze weg was, paste ik de jurk aan. Hij zat een beetje te strak en liet weinig te raden over van mijn lichaam. Ik voelde me ingesnoerd, bang om me te bewegen, te bukken. Een groot deel van mijn boezem was bloot en mijn tepels tekenden zich duidelijk af onder de dunne stof. Ik overlegde bij mezelf. Het maakt me ordinair, dacht ik. Ik was niet preuts, maar dit aantrekken voor een familie-etentje? Aan de andere kant had Ami benadrukt dat het belangrijk was Basil een plezier te doen en me dankbaar te tonen. Was er geen betere manier? Was een oprecht dankjewel niet voldoende? Ik had niet gevraagd om de dingen die hij me gaf. Ik was er enorm blij mee, maar er bestond ook zoiets als te ver gaan.

'Trek uit die jurk,' zei een stem die op de stem van Noble leek. 'Hij is hoerig. Te nauw en te kort. Je ziet er belachelijk in uit, als een karikatuur van een sexy jong meisje. Dat ben jij niet, Celeste, en vindt Basil je niet aardig om wat je echt bent? Vergeleek hij je niet met zijn vrouw toen ze jonger was? Ami heeft het mis.'

Aan de andere kant is ze tegenwoordig zo wispelturig, dacht ik. Haar stemmingen wisselen voortdurend. Haar ongehoorzaam zijn, weigeren haar zin te doen, zou haar gedeprimeerd kunnen maken, en dan zouden het diner en de avond bedorven zijn. Ze zou een van haar migraines kunnen krijgen. Jij zou de oorzaak zijn van nieuwe moeilijkheden. Neem geen risico, dacht ik. Draag die stomme jurk, doe wat parfum op en worstel je door de avond heen.

Dat was uiteindelijk mijn beslissing. En natuurlijk, toen Ami me zag, riep ze uit dat ze gelijk had gehad.

'Ik wist gewoon dat je onweerstaanbaar zou zijn in die jurk. Je zou gemakkelijk voor een filmster kunnen doorgaan. Heel wat anders dan dat simpele, verwaarloosde kind in het weeshuis! Ze maakten je seksloos en namen je je zelfvertrouwen af. Nu heb je dat weer terug, en hoe!'

Dat was niet zoals ik me onze eerste ontmoeting herinnerde, dacht ik. Ze had me het gevoel gegeven dat we zusters konden zijn, dat ik een mooi en aantrekkelijk gezicht had, en dat ik slim en mooi en domweg perfect was.

Ik glimlachte, maar het viel me op dat zij een veel conservatievere jurk droeg, met driekwart mouwen en een rok tot op haar enkels.

We liepen samen de trap af.

'Wade mist een heel bijzondere avond,' zei ze. 'Hij is een idioot om zo op te gaan in die zaak. Hij zegt dat hij het vreselijk vindt, maar probeer maar eens hem er overdag vandaan te krijgen. Probeer maar eens met hem te gaan lunchen of naar een matinee te gaan of zo. Hij gedraagt zich alsof het een doodzonde zou zijn om zijn dierbare buizen en pijpen in de steek te laten.'

'Misschien probeert hij alleen net als wij het zijn vader naar de zin te maken,' opperde ik. Ze bleef op de trap staan alsof ik aan haar haren had getrokken. Het was niet mijn bedoeling geweest sarcastisch te zijn.

Ze keek me aan en glimlachte toen.

'We zijn gewoon mooie, erkentelijke jonge vrouwen, Celeste. We zijn er niet op uit het iemand meer naar de zin te maken dan hij verdient.'

'Ik bedoelde niet –'

'Zo, daar zijn jullie,' riep Basil in de gang. Hij droeg een zwart sportjasje, rode das en zwarte broek met sportief uitziende zwartleren loafers. 'Jullie tweeën laten mijn hart zo snel kloppen als het hart van een Olympische hardloper. Die vrouw heeft wonderen met je verricht, Celeste. Je zult de wereld veroveren,' riep hij uit. Zijn uitbundigheid bracht een glimlach om mijn onwillige, verlegen lippen. 'Laten we gaan eten. Ik rammel. Het ruikt hier als een gourmetparadijs.'

Toen we in de eetkamer kwamen, zag ik een klein, fraai verpakt doosje naast mijn bord liggen. Ik keek naar Ami, die met een glimlach van verstandhouding terugkeek.

'Wat is dat?' vroeg ik.

'Een cadeautje omdat je geslaagd bent,' zei Basil.

'Geslaagd? Ik ben nergens voor geslaagd.'

'O, jawel, dat ben je wél, jongedame,' zei hij streng. 'Je bent geslaagd voor je overgang uit de wereld van de onfortuinlijken naar ons kleine koninkrijk van geluk. Je bent onafhankelijk en zelfverzekerd geworden en een zelfbewuste jongedame, een jongedame die is opgewassen tegen elke concurrentie van de meisjes van je school of waar dan ook, hoe ze ook zijn grootgebracht of hoeveel geld hun ouders ook hebben.

'Hé,' zei hij op minder lovende toon, 'jij bent mijn eerste volledige succes in lange tijd. Met mijn eigen kinderen heb ik het niet altijd zo goed gedaan. Jij geeft me het gevoel dat ik twintig jaar jonger ben. Maak dat pakje maar open,' drong hij aan.

Ik ging zitten en begon het smalle lintje los te peuteren. Toen haalde ik keurig het papier eraf en maakte het doosje open. Er lag een gouden sleutelketting in met de sleutel van de Mercedes er al aan bevestigd. Bovendien stond mijn naam in de sleutel gegraveerd.

'Prachtig,' zei ik, en haalde de ketting eruit om hem te bewonderen.

'Mooie dingen voor mijn mooie dames,' verklaarde Basil.

'Dank je, Basil.'

De aanblik ervan deed de tranen in mijn ogen springen. Hij lachte, en Ami ook. Ze omhelsde me, en toen kwam hij naar me toe om me een zoen op mijn wang te geven. Hij bracht zijn gezicht vlak bij het mijne, met zijn ogen gesloten, alsof hij zo mijn hele wezen kon opsnuiven. Ik rook de sterke mannelijke geur van zijn aftershave en zijn mannelijke eau de toilette. Toen deed hij een stap terug en riep: 'Laten we de wijn inschenken.'

Hij vulde onze glazen en bracht een toast uit.

'Op Celeste. Dat dit het begin moge zijn van heel veel succesvolle prestaties,' zei hij.

We dronken. Ik vond het erg jammer dat Wade er niet was om hiervan mee te genieten. Het beloofde een heel speciaal diner te worden. Er was geen sprake van de spanning die er heerste als Wade aanwezig was. Misschien had Ami gelijk, dacht ik. Als Basil zich gelukkig voelde, leek het huis lichter en vol van de echo's van vrolijk gelach.

Mevrouw Cukor kwam uit de keuken om het diner op te dienen. Hoewel ze naar me keek met dezelfde sombere blik vol waarschuwing voor naderend onheil, leek ze niet agressief of kwaad. Maar daar was ik niet blij om, want ze keek nu meer verslagen, fatalistisch. Er hing een sfeer van noodlot en verderf om haar heen, alsof er dreigende, donkere wolken boven haar hoofd dreven, die haar volgden in de eetkamer, naar de keuken, en weer terug, die haar nooit verlieten, maar constant dreigden met een tragisch onweer. Ze bewoog zich bijna lusteloos, zette schalen neer, diende zwijgend aardappels en groenten op. Ze scheen niets te horen van Basils lach en vrolijke stem, Ami's ijle kristalheldere gegiechel of mijn eigen blijmoedige protesten tegen Basils eindeloze reeks complimentjes voor mijn leercapaciteiten, mijn rijkunst, mijn beleefdheid en volwassen optreden.

'Toen ze je pas naar dit huis hadden gebracht,' zei hij op serieuzere toon, terwijl hij zijn handen vouwde en vooroverleunde, 'dacht ik: wat dwaas om een tiener hier haar intrek te laten nemen, en dan nog voor zo korte tijd. Natuurlijk,' ging hij verder met een knikje naar Ami, 'vond ik het heel lovenswaardig van mijn kinderen om edelmoedige dingen te doen, maar ik wist maar al te goed hoe moeilijk jonge mensen kunnen zijn. Waarom zou je nog meer opschudding veroorzaken in je leven? Geef dat weeshuis of wat dan ook een donatie. Andere mensen zijn er beter voor geschikt.

'Ik kon moeilijk weten dat Ami zo'n verfijnde en talentvolle jongedame in ons leven zou brengen. Ik heb al gehoord over de complimentjes van je pianoleraar. En je prestaties op school natuurlijk, wat de reden is waarom ik zei dat ik je zou helpen je studie voort te zetten.

'Ami is onze inkoopster,' ging hij verder met een glimlach naar haar. 'Ze koopt altijd de juiste dingen, zorgt voor de juiste dingen voor Wade, voor het huis, voor alles. Het zou me niets verbazen als ze erop uit was gegaan om haar huiswerk te doen, zodat ze precies zou weten wat het juiste meisje zou zijn om in huis te nemen. Gefeliciteerd, Ami.'

Ze glimlachte, keek even naar mij en sloeg haar ogen neer, niet uit bescheidenheid maar uit droefheid, dacht ik, wat een wanklank leek.

Basil klapte in zijn handen voor ik er verder over na kon denken.

'Geen toespraken meer, eten!' beval hij, en mevrouw Cukor bracht de lamsschouder binnen, voor zich uit starend, vond ik, alsof ze een beul assisteerde en haar slachtoffer haar galgenmaal bracht.

Later ontdekte ik dat mevrouw McAlister voor het dessert een chocoladetaart had gebakken waarop ze met slagroom 'Gefeliciteerd, Celeste' had gespoten.

Onder het eten vroeg Basil of ik nog vragen had over de auto en hoe hij me tot dusver beviel. Ik keek naar Ami om te zien of haar gezicht zou verraden wat ze wist – dat ik Trevor na schooltijd naar huis had gebracht – maar nu keek ze geamuseerd en blij, met een permanent glimlachje om haar mond.

Ik vroeg me af waarom Wade nog niet thuis was, en hoopte dat hij tenminste op tijd zou zijn voor het dessert. Alsof mijn gedachten de gebeurtenissen konden beïnvloeden, werd Basil een paar minuten later aan de telefoon geroepen. Hij kwam terug om ons mee te delen dat er een ongeluk was gebeurd in het pakhuis. Een van de werklieden was getroffen door vallende buizen en naar het ziekenhuis gebracht.

'Een ongeluksdag,' zei hij, zinspelend op het ongeluk van de vrouw van de manager.

Mevrouw Cukor mompelde: 'Een ongeluk komt altijd in drieën.'

'Alsjeblieft,' kermde Ami. 'We hoeven het niet nog erger te maken met sombere voorspellingen.'

Mevrouw Cukor liet zich niet uit het veld slaan en keek met een strenge blik naar mij voor ze wegging.

'Wat doet Wade?' vroeg Ami aan Basil.

'Hij is naar het ziekenhuis,' antwoordde hij. Even keek hij peinzend. 'Ik ben eens op bijna dezelfde manier een man kwijtgeraakt. Een ander lette niet op en de buis trof hem op zijn rechterslaap. Hij was op slag dood. Dat was twee jaar nadat ik met de zaak begonnen was. Wade neemt het allemaal te persoonlijk op,' besloot hij. 'Ongelukken kunnen overal gebeuren. Maar,' riep hij, 'we mogen ons feest hierdoor niet laten bederven.'

Basil besloot dat we allemaal behoefte hadden aan een drankje na het eten, dus gingen we naar de zitkamer voor wat hij noemde 'onze laatste toast van de avond'.

Het was een vrij zoete, maar sterke cognac, die me een beetje duizelig maakte.

Zodra we de cognac hadden gedronken, zei Basil dat hij naar het ziekenhuis moest.

'Mijn naam is nog steeds verbonden aan alles wat daar gebeurt,' legde hij uit. 'Het is een familiezaak en zal dat altijd blijven.'

Hij kuste me en ik dankte hem weer voor de gouden sleutelketting. Ami liet hem uit en ik ging terug naar mijn kamer om mijn huiswerk af te maken en aan een nieuwe opdracht voor de krant te beginnen. Maar omdat ik me een beetje licht in mijn hoofd voelde door alle wijn en de cognac, leek het me beter om morgenochtend wat vroeger op te staan en de rest van mijn huiswerk af te maken voor ik ging ontbijten.

Net toen ik me had uitgekleed en op het punt stond naar bed te gaan, klopte Ami op mijn deur.

'Heb je iets van Wade gehoord?' vroeg ik onmiddellijk. 'Hoe het met die werknemer gaat?'

'Nee, hij heeft nog niet gebeld. Maak je geen zorgen. Ik weet zeker dat ze alles zullen doen wat ze kunnen. De Emersons zorgen altijd voor hun mensen. Daarom hebben ze zoveel succes,' voegde ze eraan toe, waarmee ze Wade eindelijk een fatsoenlijk compliment gaf.

Ze aarzelde even en hield haar ogen neergeslagen.

'Is er verder nog iets mis?' vroeg ik.

Ze keek me aan met tranen in haar ogen.

'Ik ben zo blij voor je, blij voor ons allemaal. Maar –'

'Maar wat?'

'Ik weet,' ging ze verder, 'dat jonge liefde vaak blind en meedogenloos is. Het ligt in het karakter van de jeugd om hun eigen fouten te willen maken. Mijn vader zei altijd dat wijsheid verspild is aan de ouderdom. Ik weet dat je nog steeds iets hebt met Trevor Foley, en ik heb al gezien hoe diep die genegenheid is.'

'Ami, ik heb hem alleen maar thuisgebracht. Er is verder niets gebeurd.'

'Ik geloof je. We hebben gisteren geen recept gekregen voor de pil, maar ik zou graag willen dat je hiermee begon.' Ze gaf me een klein wit pilletje. Aan één kant ervan stond iets geschreven, maar mijn blik was te troebel om veel meer te lezen van de kleine lettertjes dan de R aan het begin van het woord dat erin gegraveerd stond. Aan de andere kant zag ik een omcirkelde 2.

Ik besefte dat Ami niet weg zou gaan voor ik dat pilletje had ingenomen, dus haalde ik wat water en slikte het in waar ze bij was. Ze keek opgelucht.

'Ik geloof echt niet dat het nodig was, Ami,' zei ik.

Ze glimlachte naar me.

'O, het wás nodig,' zei ze met vreemde overtuiging.

Ik haalde mijn schouders op.

Nou ja, dacht ik.

'Heerlijk, zoals Basil je in zijn hart gesloten heeft, Celeste. Hij zal fantastische dingen voor je doen. Laat hem maar. Het doet hem zoveel plezier. Je weet dat zijn eigen dochter niets van hem wil aannemen.'

'Maar je zei dat ze dat niet wil uit wrok om wat hij heeft gedaan toen haar moeder nog leefde.'

'Ja, ja,' zei ze, zwaaiend met haar hand. 'Maar je zou toch denken dat kinderen vergevensgezinder zouden zijn jegens hun ouders.'

'Je had me verteld –' Wat had ze me verteld? Het was allemaal zo ingewikkeld.

'We moeten met de stroom meegaan, malle. We moeten alles doen wat het leven opgewekter en gemakkelijker voor ons maakt. Dat is wat ik je geleerd heb.

'Pieker er maar niet over,' zei ze, terwijl ze mijn schoolboeken en schriften dichtklapte. 'Dat kun je later doen.'

'Ik weet het. Ik –'

Ze sloeg de deken op mijn bed open.

'Vooruit, ga slapen. Je hebt een spannende dag en een spannende avond achter de rug. Kom, malle,' drong ze aan, en ik lachte en stapte in bed. Ze stopte mijn deken in. 'Droom zacht, Celeste.' Ze streelde mijn haar. 'Je bent altijd in mijn dromen. Al een tijdlang. Zelfs al voordat ik je gezien had.' Het was een opmerking waar ik niets van begreep.

Maar ik begreep zoveel niet. Ik begon te denken aan wat er gebeurd was tijdens het diner, aan wat er gezegd was, maar alles tolde door elkaar. Ik voelde dat ze me een zoen gaf op mijn wang, weer over mijn haar streek, en toen hoorde ik haar naar buiten lopen en het licht uitdraaien, terwijl ze zachtjes de slaapkamerdeur dichtdeed.

Even later had ik het gevoel dat de kamer om me heen draaide. Ik sloot mijn ogen en raakte even bewusteloos, maar niet lang. Ik deed mijn ogen weer open en probeerde mijn armen te bewegen, maar die leken los te zijn van mijn lichaam. Hetzelfde gold voor mijn benen. Een ogenblik later zonk ik steeds dieper weg. Ik deed mijn ogen open en dicht, maar er veranderde niets.

Het leek alsof ik sliep en toch wakker was. Ik hoorde een stem en rook een mannelijk geurtje, het parfum van Basil. Was dat zo verankerd in mijn geheugen na het vanavond geroken te hebben? Vaag vermoedde ik het. Ik dacht dat ik mijn armen bewoog, mijn benen bewoog, maar het leek te veel op een droom. Ik zonk weer weg. Mijn lichaam schokte en leek omhoog en omlaag te gaan, alsof ik langs een hobbelige heuvel omlaag gleed, door warme en toen koude plaatsen. Dat gevoel duurde heel lang, en toen leek het of alle lichten uit waren en ik in een pikdonkere put viel.

Toen ik wakker werd, scheen het daglicht door mijn ramen naar binnen. Ik was helemaal in de war. Een tijdlang kon ik me niet herinneren waar ik was. Was ik weer terug in het weeshuis? Het leek of alle gebeurtenissen van de laatste tijd een droom waren. Ik kreunde, bewoog me en ging rechtop zitten, en onmiddellijk werd ik misselijk. Ik dacht dat ik moest overgeven, maar het ging voorbij en ik liet mijn hoofd weer op het kussen vallen. Langzamerhand herinnerde ik me weer waar ik was. Toen ik op de klok op mijn nachtkastje keek, zag ik tot mijn schrik dat het bijna elf uur was.

Elf uur!

Had ik zo lang geslapen?

Ik bekeek mezelf en besefte dat ik naakt was. Hoe was dat gekomen? Ik was toch in mijn nachthemd gaan slapen? Waar was mijn nachthemd?

Ik ging weer rechtop zitten en zocht om me heen. Eindelijk zag ik het verfomfaaid naast mijn bed liggen. Weer drong er een vleug van Basils parfum in mijn neus, zo sterk dat ik opkeek en naar de badkamer staarde, om te zien of hij hier was.

Wat was er aan de hand? Het laatste wat ik me herinnerde... wat was het laatste wat ik me herinnerde?

Was Ami niet hier geweest?

Waar was ze nu? Waarom had niemand me wakker gemaakt voor school?

Ik zat op de rand van het bed en probeerde bij mijn positieven te komen, een helder hoofd te krijgen, maar het duizelen hield niet op en de misselijkheid kwam terug. Wat was er mis met me? Ik was net bezig op te staan toen de telefoon ging. Ik pakte hem langzaam op. Mijn arm leek ineengeschoven te worden in mijn elleboog. Ik ben aan het hallucineren, dacht ik, toen de muren van de kamer pulseerden als de wanden van een hart.

'Celeste?' hoorde ik. Ik denk dat ik de telefoon aan mijn oor had gehouden, maar secondelang niets had gezegd.

'Ja?'

'Met Trevor. Waarom ben je niet op school?'

'Op school? O, dat weet ik niet.'

'Hè? Wat bedoel je, je weet het niet? Ben je ziek of zo?'

'Ik weet het niet. Ja. Misschien ben ik ziek.'

'Misschien? Heb je koorts? Wat mankeer je?'

'Ik weet het niet. Misschien.'

'Je praat onzin.'

'Dat weet ik,' zei ik. 'Ik bedoel... ik ben moe. Ik zie je later, oké?'

'Wat bedoel je?'

Ik hing op. Neem een douche, dacht ik. Neem een koude douche. Mijn lichaam beefde toen ik opstond. Ik had het niet zo koud, maar wankelde op mijn benen. De kamer draaide weer, en ik moest op het bed gaan zitten om te wachten tot het draaien ophield.

Plotseling hoorde ik mijn deur opengaan en toen ik me omdraaide zag ik dat Ami geeuwend binnenkwam en naar me keek.

'Ik dacht al dat je nog hier was. Ik meende de telefoon te horen.'

'Ik heb me verslapen,' zei ik.

'Kennelijk.'

'Ik weet niet wat er met me gebeurd is. Ik weet niet waarom mijn nachthemd op de grond ligt. Ik weet niet waarom ik... me zo vreemd voel. Ik heb voortdurend visioenen.'

'O, ik weet zeker dat het allemaal een droom was,' zei ze glimlachend. 'Dus je hebt je verslapen. Nou, en, wat dan nog? Ik wou dat ik een dollar had voor elke dag dat ik niet naar school ging. Ik zal mevrouw McAlister vragen een laat ontbijt voor ons klaar te maken. Ga je wassen en kleed je aan. Ik zie je beneden, oké?'

Ik staarde haar aan en knikte toen.

'Je hebt gewoon gedroomd,' hield ze vol. 'Maak je geen zorgen. We hebben allebei een beetje te veel gedronken gisteravond, maar het was gezellig, hè?'

'Ja,' zei ik, hoewel de vorige avond heel vaag bleef in mijn gedachten.

Ze knikte en ging weg. Ik bleef even zitten, deed mijn best om na te denken, me alles te herinneren. Er zat me iets heel erg dwars, iets afschuwelijks.

Ik staarde naar mijn naakte lichaam en zag duidelijk blauwe plekken op mijn dijen. Ik raakte ze aan, en ze deden pijn. Het leek of er heel hard in geknepen was, alsof... alsof iemand mijn benen had beetgepakt.

Beelden van handen op mijn borsten, op mijn buik, zweefden voor mijn ogen. Ik voelde lippen op mijn mond, mijn hals, mijn borsten en mijn buik.

Wat was er met me gebeurd? Wat kon ik me niet herinneren?

Als verdoofd liep ik naar de badkamer en bekeek me in de spiegel. Ik had rode vlekken in mijn hals en op mijn borsten. Ik deed mijn ogen dicht. Basils eau de toilette drong weer in mijn neus en ik deed mijn ogen weer open en keek snel om me heen. Ik had hem bijna geroepen.

Visioenen wisselden elkaar af in de spiegel. Ik werd omhelsd, vastgehouden, omgedraaid en opgetild. Wat ze suggereerden gaf me zo'n schok, dat ik een brok ijs in mijn maag voelde. Een kilte omsloot mijn hart. Langzaam liep ik terug naar het bed en trok de deken weg. Toen rook ik aan het laken. Basils eau de toilette.

Mijn hoofd viel achterover en ik hijgde naar adem.

Wat was er met me gebeurd? Wat had hij gedaan?

Ik wilde gillen. Paniek beving me, deed me verstijven. Ik bleef staan, met mijn armen om me heen geslagen. Mijn mond ging open in een stomme schreeuw. Ik beefde over mijn hele lichaam.

En zo vond Ami me, bijna twintig minuten later.

17. Allemaal wezen

'Wat is er aan de hand met je, Celeste?' vroeg Ami. Haar gezicht vertrok zo hevig, dat het leek of het van rubber was gemaakt. Ik stond te zwaaien op mijn benen, alsof ik op het dek van een schip stond dat in een storm op zee heen en weer werd geslingerd.

'Ik... ik denk... is Basil gisteravond nog teruggekomen?'

'Basil? Nee, natuurlijk niet. Hij ging naar het ziekenhuis. Weet je nog? Het ongeluk in het pakhuis? Wat is er? Waarom vraag je dat over Basil?'

Ja, waarom vraag ik dat? vroeg ik me af en toen herinnerde ik het me weer.

'Ruik maar aan mijn bed, mijn lakens, mijn deken,' zei ik.

'Waarom? Heeft mevrouw Cukor er weer knoflook in gedaan?'

'Nee, het is iets ergers. Het heeft niets te maken met mevrouw Cukor.'

Haar lippen verstrakten en ze liet haar kin zakken.

'Ben je nog dronken?'

'Ruik dan!' riep ik uit.

'Ik denk er niet aan. Dat is het stomste... Ga douchen en kom beneden om te ontbijten en hou onmiddellijk op met die onzin,' beval ze. Toen glimlachte ze. 'Later op de dag gaan we samen iets ondernemen, een gezellig ritje maken, misschien naar het winkelcentrum dat net geopend is.'

'Kijk eens naar mijn hals, mijn borsten. Kijk naar mijn dijen!' zei ik op eisende toon.

'En?'

'Ik heb rode vlekken, en ik zit onder de blauwe plekken op mijn dijbenen,' zei ik, ernaar wijzend.

'O, daar heb ik zelf ook vaak last van. Dat heeft niks te betekenen. Misschien ben je allergisch voor iets.'

'Ik ben niet allergisch. Ik ben...'

Ja, wat? Waarom kon ik me niet precies herinneren wat er gebeurd was? Was het een droom geweest? Hoe kon dat?

'Wát ben je, Celeste?'

'Waarom was ik naakt toen ik wakker werd?'

'Hoe moet *ik* dat weten? Waarschijnlijk heb je het erg warm gekregen door al die drank en heb je je nachthemd uitgetrokken. Toen ging je hallucineren en nu ben je totaal in de war. Het geeft niet. Dat kan iedereen overkomen die te veel drinkt. Je bent niet gewend aan wijn en cognac. Het is niet erg. Neem een douche. Kleed je aan. Eet iets, dan gaat het wel over, dat zul je zien,' beloofde ze. 'Schiet een beetje op. Ik heb honger.'

Ik schudde mijn hoofd. Ik kon er zelf geen wijs uit worden. Hoe moest ik het haar dan duidelijk maken?

Ik knikte en ging terug naar mijn kamer om te douchen. Zelfs daarna voelde ik me nog lusteloos en suf. Ik at heel weinig en sukkelde voortdurend in slaap. Ik zag dat mevrouw Cukor me belangstellend opnam, maar ze zei of deed niets. Na het ontbijt ging Ami naar boven om zich aan te kleden voor ons ritje. Ze zei dat ik dat ook moest doen, maar toen ik terugkwam in mijn kamer ging ik even liggen, en toen ik mijn ogen weer opendeed was het halfvijf.

Deze keer voelde ik me iets beter toen ik wakker werd. Ik spatte wat koud water op mijn gezicht en ging op zoek naar Ami. Mevrouw McAlister zei dat ze de deur uit was, maar een boodschap voor me had achtergelaten dat ze bij me was komen kijken, gezien had dat ik sliep en besloten had me met rust te laten.

'Ze zei dat ze naar je toe komt zodra ze thuis is,' ging mevrouw McAlister verder, geërgerd dat ze me een boodschap over moest brengen.

Ik voelde me nu schuldig dat ik een schooldag gemist had, dus ging ik terug naar mijn kamer en belde Trevor.

'Ik durfde je niet weer te bellen,' zei hij meteen. 'Je klonk zo vreemd vanmorgen.'

'Ik weet het. Ik bedoel, ik kan het me voorstellen. Ik herinner me niet veel van vanmorgen. Ik dacht dat wij met elkaar hadden gesproken, maar ik wist niet zeker of het geen droom was.'

'Wauw, wat heb je gedronken gisteravond?'

'We vierden het dat ik geslaagd was voor mijn rijbewijs. Basil

kwam eten, en ik heb te veel wijn en cognac gedronken, denk ik.'
Enkele details begonnen bij me terug te komen. 'Maar er zijn ook
twee ongelukken gebeurd, een met de vrouw van de manager van
de zaak en een met een employé. Ik heb Wade nog niet gezien, dus
ik weet niet hoe het met iedereen gaat.'

'O,' zei hij, zonder veel belangstelling. 'En hoe voel je je nu?'

'Beter, geloof ik. Wat heb ik gemist op school?'

'Niet veel. Een onverwachte wiskunderepetitie. Lynette Firestone was razend nieuwsgierig waarom je niet op school was. Ze
was niet de enige die naar je informeerde. Je zou denken dat sommige kinderen geen eigen leven hebben.'

'Misschien hebben ze dat ook niet,' zei ik.

'Kom je morgen op school?'

'Natuurlijk.'

'Oké. Het zal je niet veel moeite kosten om het in te halen.'

Ik hoorde op mijn deur kloppen.

'Ik bel je later terug,' zei ik. 'Ik geloof dat Ami er is.'

Juist toen ik ophing, kwam ze binnen.

'Hoe gaat het?' vroeg ze.

'Beter, geloof ik. Ik voel me nog steeds in de war.'

'O, het komt best in orde met je. Sorry dat ik je alleen heb gelaten, maar je lag zo diep te slapen, dat ik het niet over mijn hart
kon verkrijgen je wakker te maken. En raad eens? Wade komt vanavond weer niet thuis eten. Er is grote opschudding op de zaak. Het
ongeluk was misschien geen ongeluk.'

'Waarom niet?'

'Het schijnt dat twee werknemers erg kwaad waren op elkaar,
en de een kan het ongeluk van de ander hebben veroorzaakt. De
politie is er de hele dag geweest om het te onderzoeken. De kran-
ten hebben er al lucht van gekregen. Wade is over zijn toeren. Basil
is er ook de hele dag geweest. Niets gaat meer gemakkelijk.' Ik was
verbaasd dat van haar te horen. Voor zover ik wist, vond Ami alles
gemakkelijk.

'Wat erg.'

'We zijn weer met z'n tweeën.'

'Weer? Basil was er toch bij gisteravond?' Ze bracht me zelfs
daarover aan het twijfelen.

'O, ja, maar ik bedoelde Wade. In ieder geval gaan we samen

lekker eten en ons ontspannen tot hij thuiskomt met zijn verhalen.'

Ze ging weg en ik concentreerde me op het huiswerk dat ik de vorige dag niet had afgemaakt. Later aten we samen, zoals ze gezegd had. Mevrouw Cukor was er niet om te serveren; mevrouw McAlister moest alles alleen doen. Ik had wat meer eetlust, maar veel minder dan anders, terwijl Ami juist uitgehongerd leek. Ondanks alle beroering om ons heen borrelde ze over van de energie en was ze heel spraakzaam. Het duizelde me toen ze van het ene onderwerp overging op het andere, babbelde over nieuwe kleren, een nieuw restaurant, een show die we in New York moesten zien, mannen die met haar flirtten in het winkelcentrum en een kassier in de bank die het lef had zich hardop af te vragen waarom ze zoveel contant geld opnam. Ik geloof dat er nog geen twee woorden tot me doordrongen.

We gingen naar de zitkamer om televisie te kijken en op Wade te wachten. Ami zei dat ik steeds weer indommelde en het waarschijnlijk beter zou zijn als ik vroeg naar bed ging. Ik dacht dat ze gelijk had, dus ging ik naar boven naar mijn kamer en kleedde me uit. Tien minuten later kwam ze binnengestormd.

'O, het spijt me zo,' zei ze. 'Ik verwaarloos je.'

'Hoe bedoel je?'

'Ik ben de hele dag zo egoïstisch geweest, heb gewinkeld, met vrienden gepraat, en toen ben ik vergeten naar de dokter te gaan voor de pil. Ik beloof je dat ik het morgen zal doen.'

'Daar maak ik me echt niet bezorgd over.'

'Je begrijpt het niet, Celeste. Het werkt niet na één pil. Je kunt niet één pilletje nemen en er dan mee stoppen. Je moet een regime volgen. Hier.' Ze overhandigde me weer een klein wit tabletje. 'Neem er nog een van mij, tot je je eigen pillen hebt. Toe dan. Anders is de eerste verspild.'

Ik pakte het aan en bekeek het.

'Wat betekent dit?' vroeg ik.

'Wat?'

'Roche?'

'O, dat is de naam van de farmaceutische firma. Hier.' Ze liep naar de badkamer om een glas water voor me te halen.

Ik aarzelde even en toen, terwijl ze ongeduldig naast me stond te wachten, nam ik het pilletje in.

'Goed. Ga nu lekker slapen.' Met die woorden ging ze weg.

Kort nadat ik naar bed ging, begon ik me weer slap te voelen, maar het was geen onaangenaam gevoel, meer alsof ik zweefde, in een aangename roes verkeerde. Zelfs met open ogen lag ik te dromen, drijvend op een wolk. Ik wist niet zeker hoeveel tijd er verstreken was voor ik echt sliep, maar de geluiden die ik om me heen hoorde klonken steeds verder weg. Toen werd ik me plotseling ervan bewust dat ik seksueel geprikkeld werd. Vingers betastten mijn tepels, en ik voelde een warmte tussen mijn benen die steeds hoger kroop. Ik kreunde en deed mijn best de snel stijgende opwinding binnen in me te vertragen, maar weer was het of mijn lichaam me niet toebehoorde. Het gehoorzaamde niet, het leek op klei die door andere handen geboetseerd werd.

De geluiden werden verward. Ik hoorde gegrom en gekreun, het laatste misschien uit mijn eigen keel. Ik hoorde het gesmak van lippen, het naar binnen zuigen van lucht, en voelde iets warms en vochtigs op mijn hals en gezicht. Ik moest lachen, want het voelde aan als een tong. De seksuele opwinding explodeerde in me. Ik dacht dat ik schreeuwde, maar ik wist het niet zeker. Kort daarna kreeg ik een black-out en zonk langzaam weg in de duistere poel van dromen en visioenen, felle lichten en gesnik, bloemen, Nobles gezicht, een paar ogen waarin kaarsen brandden.

Ik werd wakker bij het horen van mijn eigen stem, die riep: 'Mammie!'

Toen ik opkeek wist ik zeker dat ik de rug van een man zag die stilletjes mijn kamer verliet. De deur ging open, hij draaide zich om en het licht van de ganglamp viel op zijn gezicht.

Het was Basil.

Ik droomde niet.

Ik kon me niet beheersen, ik begon te huilen. Ik huilde zo hard, dat mijn buik pijn deed.

En toen gilde ik echt. De inspanning putte me uit. Hijgend viel ik achterover op mijn kussen. Ik wilde weer gillen, of opstaan, maar ik had de energie er niet voor.

Enkele ogenblikken later sliep ik, maar deze keer werd ik vlak voordat het licht werd wakker. Het raam was wazig verlicht. Ik worstelde om overeind te komen en haalde een paar keer diep adem.

Ik stak mijn hand uit om de lamp op mijn nachtkastje aan te doen, en toen ik dat deed, ontsnapte me weer een zachte kreet. In de schaduw, starend naar mij, zat Ami. Ze droeg een nachthemd en slippers.

'Wat doe jij hier?' vroeg ik luid fluisterend.

'Ik hoorde je gillen, daarom ben ik naar je toegekomen,' zei ze. 'Gelukkig is Wade compleet van de wereld. Hij heeft niets gehoord. Hij heeft zijn slaap hard nodig, Hij heeft zich een ongeluk gewerkt en kwam pas heel laat thuis.'

'Je hebt me horen gillen?'

'Ja.'

Dus ik heb het me niet verbeeld, dacht ik. Ik heb me niets ervan verbeeld.

'Ami,' zei ik. 'Ik geloof... ik geloof dat ik verkracht ben.'

'Ik weet het,' zei ze. 'Ik vond het niet prettig om het op deze manier te doen, maar het leek hem beter het aan het begin te doen.'

'Aan het begin? Aan het begin van wat?'

'Van je ovulatie. Het spijt me dat je dit hebt moeten doormaken, maar je moet het doen voor ons allebei, voor jou en voor mij,' zei ze met wanhoop in haar stem.

Ik schudde mijn hoofd. Droomde ik nog? Zat ze daar werkelijk? Praatte ik echt met haar?

'Wat moet ik doen voor ons allebei?'

'Je moet een Emerson-baby krijgen. Ik kan het niet. Ik heb er problemen mee.'

Nu was zij degene die klonk alsof ze in haar slaap praatte, niet ik. Haar ogen waren donker. Zelfs in het gedempte licht leken ze leeg, glazig. Ze zat stijf rechtop, met haar handen tegen haar borst geklemd.

'Problemen?'

'Dat is werkelijk de reden waarom ik in therapie ben. Wade heeft geduld met me gehad, om een aantal redenen. Maar Basil... Basil denkt dat zijn tijd beperkt is, en hij wil zijn kleinkind zien, een Emerson-kind.'

'Maar waarom... hoe kan hij je dwingen zoiets te doen?'

'Ik heb je niet alles verteld over mijn familie, mijn huwelijk. Ik schaam me ervoor, als je de waarheid wilt weten. Mijn ouders zaten diep in de schulden. Mijn vader was een slechte zakenman, mijn moeder dacht dat zuinigheid een smerig woord was. Ze leefden ver boven hun stand, en we zouden alles kwijtraken in de tijd dat ik Wade leerde kennen.

'Basil ergerde zich aan hem. Ik overdreef niet toen ik zei dat hij vóór mij geen echte vriendinnen had gehad, en in de korte tijd dat je bij ons bent en het weinige contact dat je met hem hebt gehad, zul je wel gemerkt hebben dat hij niet bepaald een charmeur is. Eerlijk gezegd geloof ik dat hij ook een probleem heeft met seks, man-vrouwseks. Ik koester nu argwaan omdat hij het zo zelden zelfs maar geprobeerd heeft, en soms geeft Basil het praktisch toe.'

'Wat geeft hij toe?'

Ik kon er geen touw aan vastknopen. Mijn hoofd was nog vol watten.

'Wades gebrek aan belangstelling voor vrouwen. De schaamte die Basil voelt omdat hij zo'n zoon heeft, is meer dan hij kan verwerken. Hij vat het persoonlijk op, hij voelt het als een aanval op zijn eigen viriliteit.

'In ieder geval, hij betaalde de schulden van mijn ouders en bood me dit schitterende, rijke leven.' Ze lachte, een kort, ijl, bijna krankzinnig lachje. 'De waarheid, Celeste, is dat Basil me eerst een aanzoek deed. Niet om zíjn vrouw te worden, maar Wades vrouw. Toen deed Wade een aanzoek, onder druk van Basil, dat weet ik zeker. Basil was in die tijd de baas over alles en iedereen. Hij liet zelfs onze huwelijksvoorwaarden opstellen. Ik beloofde hem binnen vijf jaar voor een kleinkind te zorgen. Toen het duidelijk was dat het binnen die tijd niet zou gebeuren, werd ik wanhopig. Ik kwam op het idee, en Basil accepteerde het.'

'Wat was dat idee?' vroeg ik. Mijn hart bonsde zo hard, dat ik bang was dat ik weer zou flauwvallen.

'Ik heb je opgespoord. O, niet speciaal jou. Een tijdlang heb ik iemand gezocht zoals jij. Ik had bijna een meisje gekozen uit een ander weeshuis, maar toen ik navraag deed, bleek dat ze heel promiscue was. Ik kon het risico met haar niet lopen, zie je. Als ze eens zwanger werd voordat... voordat Basil zijn kleinkind kreeg. Het zou allemaal voor niets zijn geweest. Daarom maakte ik me zo ongerust over je rendez-vous met Trevor Foley.

'Toen ik over jou hoorde, je zag, wist ik dat ik de perfecte jonge vrouw had gevonden. Je was nog maagd en mooi en intelligent.

Je zou een prachtig kind ter wereld brengen als ik je kon beschermen.'

'Je bedoelt dat je me van begin af aan hierheen hebt gebracht met de bedoeling om dit te doen, me drugs te geven om een soort draagmoeder te worden?'

'Zou je erin hebben toegestemd een draagmoeder te worden?'

'Nee,' zei ik fel. 'Nooit.'

'Dat wist ik. Maar ik hoopte dat als je had gezien wat voor leven je kon hebben, de voordelen, de luxe, je je er minder tegen zou verzetten. Misschien zou ik je kunnen overhalen een draagmoeder te worden. En toen –'

'Wat gebeurde er toen? '

'Basil werd verliefd op je en besloot dat hij je op de ouderwetse manier wilde bevruchten.' Ze liet weer dat korte, idiote lachje horen. 'Natuurlijk wist hij dat je daarin ook niet zou toestemmen, dus –'

'Dus gaf je me een drug.'

'Dat heet tegenwoordig de date-rape-pil,' gaf ze toe. 'We wachtten tot de ovulatie begonnen was, maar ik dacht niet dat ik je die avond aan avond kon toedienen, dus stemde ik in met twee, misschien drie keer, maar toen ik je hoorde gillen... het zou gemakkelijker zijn als je nu gewoon zou willen meewerken.'

Ik staarde haar ongelovig aan.

'Meewerken? Je bedoelt, elke avond hier op hem liggen wachten?'

'Ja. Luister naar me. Kijk eens wat hij je al gegeven heeft, wat je hebt en wat hij je zal geven. Je zult op een dag toch zwanger worden. Stem in met deze kleinigheid, en de rest van je leven –'

'Kleinigheid? Noem je dit een kleinigheid?'

Ik voelde de misselijkheid, de duizelingen terugkomen.

'Waarom doe jij het niet, als het zo'n kleinigheid is?' snauwde ik. 'Als je problemen hebt met seks, waarom laat je een dokter dan niet Wades of Basils sperma in je planten?'

'Dat hebben Wade en ik een keer geprobeerd, maar mijn lichaam stootte het af. Toen Wade dat aan Basil vertelde, werd Basil steeds vastberadener en agressiever. Hij kwam zelf naar me toe, in de hoop dat ik me door hem zou laten verleiden. Hij probeerde het zelfs op een avond toen jij hier was, omdat hij niet dacht dat we het met jou zouden kunnen klaarspelen. Maar ik kon niet met hem samen zijn, en hij werd zo kwaad en hij was zo vol afkeer, dat ik dacht dat hij aan alles een eind zou maken, ook aan die geweldige kansen voor jou.'

'Geweldige kansen? Dus daarom kleedde je me zo sexy voor hem, om hem te verleiden? Je wilde van hem af.'

'Maar je valt bij hem in de smaak! Meer dan ik.'

'Alsof dat een prestatie is! De kleren, de sieraden, de school, de auto! Dat was allemaal omkoperij?'

'Geniet je er niet van? Wil je het niet de rest van je leven zo houden? Je wilt toch zeker niet terug naar dat leven dat je had in het weeshuis? Zelfs dat oude huis met dat land van je kan hier niet bij in de schaduw staan. Ik heb je geleerd hoe je de goede dingen in het leven op prijs moet stellen, ja toch? Je krijgt er iets prachtigs voor terug. Op een dag zul je naar een van de beste universiteiten gaan.'

'En ze vonden *mijn* familie gek,' mompelde ik. 'Je kunt mensen niet op deze manier gebruiken. Dat is weerzinwekkend.'

'Wil je daarmee zeggen dat je bereid bent dit alles op te geven?'

'Natuurlijk zeg ik dat, Ami.'

'Je gebruikt je hersens niet,' hield ze vol. Ze stond op en glimlachte. 'Je hebt nog last van die pillen; die tasten je denkvermogen aan. Na wat rust, als je alles goed overdacht hebt –'

'Ik zal nooit in iets dergelijks toestemmen,' zei ik zo ferm mogelijk.

Mijn hoofd bonsde. Met mijn duim en vingers drukte ik tegen mijn slapen.

'Ik ben moe. Ik moet wat slapen,' zei ik.

'Natuurlijk. Alles zal er anders uitzien als je uitgerust bent.'

Ik schudde mijn hoofd.

'Ik heb echt medelijden met je,' zei ik en legde mijn hoofd op het kussen.

Ze liep naar het bed toe.

'Ik wil je geen kwaad doen. Echt niet. Ik zorg ervoor dat je van alles het beste krijgt. Geloof me alsjeblieft,' zei ze.

'Ik geloof je. Ik geloof dat je dat werkelijk denkt.'

Ze begreep me verkeerd en glimlachte.

Ik schudde weer mijn hoofd en likte langs mijn lippen. Ze waren zo droog dat ze elk moment leken te kunnen barsten.

'Ik heb dorst,' zei ik en stak mijn hand uit naar mijn glas water. Ze gaf het me gretig aan.

Een ogenblik wantrouwde ik zelfs dat, en eerst rook ik aan het water. Ik rook niets, dus dronk ik. Ik realiseerde me niet hoe uitgedroogd ik was. Ik dronk het glas bijna leeg, en toen pakte ze het uit mijn hand en zette het op de tafel.

'Ik doe alleen maar wat voor ons allebei het beste is,' zei ze. 'Je zult me moeten vertrouwen.'

De manier waarop ze dat zei beviel me niet. Ik keek naar het waterglas. Ze zou het toch niet wagen me weer een pil te geven? Dat zou ze niet doen, dacht ik.

Maar het was al te laat.

Het effect was onmiddellijk voelbaar, omdat iets van de vorige doses die ik had geslikt, nog werkzaam was. Ik voelde dat ze mijn haar borstelde en toen mijn nachthemd omhoogschoof tot mijn middel en mijn deken omvouwde tot hij onder mijn knieën lag, alsof ze me gereedmaakte om te worden geofferd in een ritueel uit de oudheid.

Ik probeerde te schreeuwen om hulp, maar het lukte niet. De schreeuw haperde en zakte terug in mijn keel. Ik zwaaide met mijn armen en schopte met mijn benen, maar ik had er geen beheersing over, niet over de manier waarop en de richting waarin ze zich bewogen. Mijn hele lichaam was in beroering, in een vrije val. Ik was als een piloot die de controle over zijn instrumenten heeft verloren en alleen maar kan blijven zitten en toekijken hoe het vliegtuig door de wind naar een ramp wordt gevoerd. Ik voelde me net zo gevangen en hulpeloos in mijn eigen lichaam.

Een tijdje nadat Ami de kamer had verlaten – ik had geen idee hoe lang – voelde ik dat ik opgetild werd en was ik me er vaag van bewust dat mijn voeten de grond raakten. Een sterke arm lag om mijn middel. Mijn hele lichaam was slap, maar liggend tegen iemand die zo sterk was, droomde ik dat ik tegen een boom leunde. Toen voelde ik geen grond meer onder mijn voeten, en ik besefte dat ik werd gedragen. Ik verzette me niet. Ik herinner me dat ik dacht: Het is toch mijn lichaam niet meer. Vergeet het maar. Het verwijdert zich van je. Laat hem ermee doen wat hij wil. Het doet er niet toe.

Ik zweefde weg in een diepe slaap terwijl ik werd voortbewogen.

Toen ik wakker werd, was ik net zo verward als toen ik de eerste keer was bedwelmd, misschien nog wel meer. De omgeving was zo onbekend, dat ik dacht dat ik nog slief en het een droom was.

Ik bevond me in een veel kleinere kamer met twee kleine ramen met dichtgetrokken gordijnen, die echter dun genoeg waren om wat daglicht door te laten. Het verspreidde een spookachtig licht in de halfduistere kamer.

Er stond een donkere houten ladekast met een grote, flakkerende zwarte kaars erop. Rechts van de kast stond een kleine grijze sofa. Het bed waarin ik lag was een kwart zo groot als het bed in mijn eigen kamer. Een crèmekleurig dekbed was tot aan mijn kin opgetrokken. Boven mijn hoofd draaide een plafondventilator langzaam rond. Ik deed mijn ogen dicht en weer open om te zien of alles verdwenen zou zijn. Dat was niet het geval. Toen draaide ik me heel langzaam om en keek naar links. Ik voelde een paar ogen op me gericht.

Mevrouw Cukor zat naast me en staarde me aan.

'Waar ben ik?' vroeg ik haar.

'In mijn kamer,' antwoordde ze.

'Hoe ben ik hier gekomen?'

'Ik heb je hiernaartoe gebracht. Je bent hier de hele nacht geweest.'

'Hoe laat is het?'

'Bijna één uur.'

Het eerste wat me onmiddellijk aan haar opviel was dat er geen sprake was van die sombere, onheilspellende klank in haar stem. Ze sprak nu veel zachter.

'Wees maar niet bang,' ging ze verder. 'Ze hebben geen idee dat je hier bent. Ze denken dat je op de een of andere manier het huis uit bent gedwaald. De voordeur stond open. Misschien is je geest al vertrokken. Je zult hem moeten inhalen.'

'Waar hebt u het over?' Ik worstelde om overeind te komen en voelde me duizelig.

Ze reikte opzij en gaf me een glas met een vreemd gekleurde vloeistof.

'Drink dit op,' zei ze.

Mijn gezicht vertrok.

'Je zult het herkennen,' zei ze zelfverzekerd.

Ik pakte het glas aan en bracht het langzaam naar mijn lippen en rook eraan. Het waren vertrouwde geuren.

'Het is een kruidenmengsel uit de Oude Wereld. Klimop, jeneverbessen, knoflook natuurlijk, en een paar van mijn eigen ingrediënten. Drink snel op, het is bloedzuiverend.'

Herinneringen aan mama's drankjes kwamen terug en gaven me het geloof en vertrouwen dat ik nodig had. Haastig dronk ik het glas leeg. Het verwarmde mijn borst en mijn maag.

'Blijf maar even rusten,' zei ze, en spoorde me aan weer te gaan liggen.

'Waarom hebt u me hierheen gebracht?'

Ze glimlachte slechts.

'Je weet waarom,' zei ze.

Mijn hoofd zat nog steeds vol watten, maar ik begon me mijn gesprek met Ami te herinneren en alles wat er gebeurd was. Ik moest huilen als ik eraan dacht, en onwillekeurig begon ik te snikken.

'Nee, nee,' zei ze. 'Je moet nu sterker zijn, niet zwakker. Later kun je huilen als je wilt.'

'Maar waarom helpt u me plotseling? Ik dacht dat u me haatte.'

'Ik haatte jou niet, ik haatte wat hier met jou binnenkwam, of wat hier terugkwam door jou.'

'U hebt van begin af aan geweten wat ze met me wilden doen?'

'Nee, niet precies, maar het duurde niet lang tot het...'

'Tot wat?'

'Tot het me verteld werd.'

'Verteld? Wie heeft het u verteld?'

Ze glimlachte weer.

'Dat weet je. Jij stopte met luisteren naar de stemmen, maar ik niet.'

Was het mogelijk? Zou ik het vragen?

'Was het... Noble?'

'Ik ken geen namen. Ik hoorde een stem die elke avond in mijn oor fluisterde en me zei dat ik waakzaam moest zijn. Daarom heb ik gedaan wat ik kon.'

'En daarom legde u die dingen in mijn bed, hing ze aan mijn deur?'

'En nog meer waar je niets van weet. Het was niet krachtig genoeg. Het spijt me. Daarom heb ik je nu hiernaartoe gebracht.'

'Ze zullen heel kwaad op u zijn,' zei ik.

Ze schudde haar hoofd.

'Dat is niet belangrijk. Ze kunnen me geen kwaad doen.'

'Waarom zijn ze zo bang voor u?'

'Mevrouw Emerson is bang voor haar eigen schaduw. Ze is boven in haar kamer, verdoofd. Ik heb haar zelf de pillen gebracht. Ze zal het grootste deel van de dag slapen.'

'En Wade?'

'Hij is vanmorgen heel vroeg naar zijn werk gegaan. Hij weet nog niets.'

'Maar Basil... waarom zou hij u laten blijven als hij weet wat u gedaan hebt?'

Haar gezicht kreeg een ijskoude uitdrukking, haar ogen zo hard als knikkers keerden zich naar binnen, naar haar geheugen. Toen ze sprak, leek het of iemand van de andere wereld via haar sprak. Haar stem klonk totaal anders.

'Er zijn zoveel verschillende manieren om je ziel aan de duivel te verkopen,' zei ze. 'Als je een grote leugen inslikt, gaat hij etteren en vreet hij aan je geest. Dat gebeurde met de eerste mevrouw Emerson. Ik heb ook met haar mijn uiterste best gedaan, maar het was een te groot, duister geheim dat ze in zich had opgesloten. Ik zag haar in de loop van de tijd steeds meer verzwakken.'

Ze zuchtte en haar stem klonk weer zachter.

Ze werd gekweld door haar eigen kracht om lief te hebben.

'Van wie ze hield was niet van haarzelf,' zei ze. 'Het moet een kwelling voor haar zijn geweest om te kijken naar wat van haarzelf had moeten zijn en de dood te betreuren van een nooit geboren kind. Ik stond erbij en zag haar inwendig huilen als ze glimlachte of Wade knuffelde of een zoen op zijn wang gaf.'

'U bedoelt dat Wade niet haar zoon was?'

Ze schudde haar hoofd.

'Hij is de zoon van meneer Emerson, maar het was niet zijn vrouw die hem baarde in dit huis. Ik heb zelf geholpen hem ter wereld te brengen.'

'Waar is zijn echte moeder?'

'In haar eigen hel, vermoed ik. Ik weet niet waar ze is. Ze gaven haar geld en stuurden haar weg. Ze was een hulpeloos jong meisje, niet veel ouder dan jij nu. De eerste mevrouw Emerson deed haar uiterste best de mensen ervan te overtuigen dat het haar eigen baby was, ze isoleerde zich van de buitenwereld, wendde een zwangerschap voor waar ze zelf zo wanhopig naar verlangde.

'Waarom deed ze dat?'

'Ze was te gehecht aan meneer Emerson, en haar hart stond niet toe een kind af te wijzen. Alleen zij en meneer Emerson kenden de waarheid, en nu alleen hij en ik.'

'Niemand heeft het Wade ooit verteld?'

'Niemand. Het heeft geen zin het hem nu nog te vertellen. Meneer Emerson ging geloven dat hij zelf de oorzaak was geweest van het kwaad dat in huis werd gebracht, de dood van zijn vrouw en toen het falen van zijn zoon en schoondochter om hem het kleinkind te geven van wie hij in zijn hart hoopte dat het hem op de een of andere manier zou verlossen. Van tijd tot tijd, in een van zijn dronken buien, vertrouwde hij me dat toe. Ik spreek hem niet tegen, en evenmin bied ik hem enige troost.'

'Dus hij houdt u hier omdat hij bang is dat u zult vertellen wat u weet en omdat hij denkt dat u hem kunt beschermen met uw kaarsen en kruiden en krachten?'

'Ik kan hem niet beschermen tegen zichzelf,' zei ze. 'Hij is feitelijk een heel eenzaam mens. Dat is de jonge meneer Emerson ook, en vooral Ami Emerson.'

'We zijn op de een of andere manier allemaal wezen, hè?' dacht ik hardop.

Ze glimlachte flauwtjes en knikte.

'Wat gebeurt er als ze ontdekken dat ik in deze kamer ben?'

'Dat zullen ze niet. Rust nu maar. Laat het medicijn zijn werk doen. Ik zal kleren voor je halen en de dingen die je nodig hebt.'

Ze stond op.

'En dan?' vroeg ik.

'Dan hoor je naar huis te gaan,' zei ze alsof dat de simpelste en duidelijkste oplossing was. 'Dat weet je natuurlijk.' Daarop verliet ze zwijgend de kamer.

Ik viel weer in slaap, maar toen ik deze keer wakker werd, voelde ik me sterker en mijn geest was helderder. Net als mama's wondermiddelen had het drankje van mevrouw Cukor gedaan wat het moest doen. Ik zag een koffer rechts van de deur, en een spijkerbroek, een warme blouse en sweater, een paar schoenen, sokken en een slipje keurig uitgestald op de kleine sofa.

Langzaam ging ik rechtop zitten en stak mijn voeten in de slippers die naast het bed stonden. Ik was nog in mijn nachthemd. Ik was nog nooit in dit deel van het huis geweest en wist niet waar de badkamer was. Voorzichtig en zo zacht mogelijk deed ik de deur open en luisterde eerst. Het was doodstil in huis, dus ging ik naar buiten en zag dat de badkamer aan het eind van de smalle gang aan de rechterkant was.

Het koude water op mijn gezicht deed me goed. Maar mijn oogleden hingen en mijn haar was niet om aan te zien. Het leek wel of er de hele nacht muizen in hadden rondgetrippeld. Toen ik uit de badkamer kwam, stond ik plotseling tegenover mevrouw Mc-Alister, die net haar kamer uitkwam. Ik verstarde. Ze keek naar me, maar schokte toen op die automatische manier met haar hoofd en liep verder de gang door alsof ik niet bestond.

Mevrouw Cukor kwam pas terug in haar kamer toen ik me aangekleed had.

'Dit zul je nodig hebben,' zei ze, en overhandigde me een envelop.

Ik maakte hem open en zag een stapeltje biljetten van twintig dollar.

'Waar komt dat vandaan?' vroeg ik haar.

'Doet er niet toe. Je zult het nodig hebben. Over een paar minuten komt er een taxi, die je naar de stad zal brengen, naar het busstation. Ik denk niet dat je de auto van die man nog zal willen aanraken,' ging ze verder, voordat ik zelfs maar de mogelijkheid kon opperen.

'Bedankt voor uw hulp,' zei ik.

'Ik help jou minder dan hem. Jij bent niet de enige die hulp nodig heeft,' ging ze verder, toen ze mijn verbaasde gezicht zag.

'Toch bedankt,' zei ik.

Ze pakte mijn koffer op toen ik mijn hand ernaar uitstak.

'Ik heb hem naar binnen gedragen; ik draag hem ook weer naar buiten.' Ik dacht dat het misschien een bijgelovige betekenis voor haar kon hebben, dus liet ik haar begaan. Zoveel energie had ik trouwens toch niet.

'En Ami?'

'Die is nog in haar kamer.'

'Ik wou dat ik afscheid kon nemen van Wade,' dacht ik hardop.

'Ik zal het voor je doen als de tijd er rijp voor is,' zei ze.

Ik volgde haar de gang door naar het andere deel van het huis. Het leek me nu zo leeg, ondanks de luxueuze inrichting, de kunstwerken en kostbare accessoires in elke kamer. Onze voetstappen leken te galmen door het huis. Bij de deur van het kantoor bleef ik staan en staarde naar het geschilderde portret van de eerste mevrouw Emerson. Nu begreep ik dat geheimzinnige flauwe glimlachje om haar mond, dacht ik. Mevrouw Cukor zag waar ik naar keek en maande me toen om door te lopen.

De telefoon ging, en mevrouw McAlister stak haar hoofd om de deur van de keuken om te zeggen dat een taxi stond te wachten bij het hek.

'Nou, laat hem binnen, idioot,' snauwde mevrouw Cukor. 'Je denkt toch zeker niet dat ik hiermee die hele oprijlaan af ga lopen, hè?'

Mevrouw McAlister verdween met haastige spoed weer in de keuken. Mevrouw Cukor schudde haar hoofd, keek even naar mij en liep toen verder naar de voordeur. Ik bleef nog heel even staan om langs de trap omhoog te kijken, half en half verwachtend Ami naar ons te zien staren. Ze was er natuurlijk niet.

Ik liep achter mevrouw Cukor aan naar buiten. De middagzon was heel fel. Mijn ogen traanden en ik moest ze met mijn hand beschermen tegen het felle licht terwijl ik naar de glinsterende taxi tuurde die over de oprijlaan reed. Zodra hij stopte, holde mevrouw Cukor naar het portier aan de achterkant en opende het. De chauffeur stapte uit en liep om de auto heen, om de koffer van haar over te nemen en in de achterbak te bergen.

Ik aarzelde, probeerde iets te verzinnen om haar nogmaals te bedanken.

'Er valt niets meer te zeggen,' zei ze. Ze moest over een zekere helderziendheid beschikken. 'Wat gebeurd is, is gebeurd, en wat moet gebeuren, zal gebeuren. Ga en zoek jezelf en de plaats waar je thuishoort.'

Ik stapte in de taxi en ze deed het portier dicht, sloeg haar dikke armen over elkaar en bleef staan als een paleiswacht die haar leven zou geven voor ze zich overgaf, zo vastberaden was haar gezicht, zo doelbewust waren haar ogen. Ik drukte mijn handpalm tegen de ruit, en ze knikte naar me toen de taxi wegreed. Ik keek achterom en zag dat ze zich niet verroerde tot we daadwerkelijk buiten het hek waren. En toen maakten we een bocht en was ze verdwenen.

Evenals het grote huis.

En iedereen erin.

18. Terug op de Atwell-farm

Twintig minuten later stond ik op het busstation. Ik kocht een kaartje naar Sandhurst en moest een halfuur wachten. Telkens als er iemand binnenkwam, keek ik angstig op, of niet Ami of Wade of zelfs Basil zou komen binnenstormen om mijn vertrek te verhinderen. Eindelijk kwam de bus en ik stapte in. Ik moest onderweg overstappen op een andere bus en dat betekende weer een wachttijd. Deze keer duurde het bijna een uur. De meeste tijd sliep ik in de bus, maar in het tweede busstation begon ik me af te vragen of het wel goed was wat ik deed. Had ik niet moeten teruggaan naar het weeshuis en Moeder Higgins? Nee, dacht ik, goed of slecht, mevrouw Cukor had gelijk. Ik moest terug naar huis. Ik moest de band met mijn verleden weer aanknopen en met wat er hopelijk nog op me wachtte in de schaduwen en donkere hoeken van die wereld. Dan zou ik weten wat ik moest doen.

Het was al laat in de middag toen ik in Sandhurst arriveerde. Ik herinnerde me bijna niets meer van het dorp – niet dat er veel te herinneren viel. Het had twee hoofdstraten, een die dwars door het dorp liep, en een die er na driekwart van de weg mee samenkwam en dan naar het noorden afboog. Er waren een postkantoor, een brandweergarage, een tiental winkels, waaronder een supermarkt, en twee café-restaurants. Het busstation was een klein snoepwinkeltje, dat al bijna vijfentwintig jaar beheerd werd door een oud echtpaar. Het heette George's, en de naam van de vrouw was Annie. Ik was de enige die uit de bus stapte. Er hadden maar vijf mensen in gezeten, en de anderen waren uitgestapt in Centerville, het dorp vóór Sandburg.

De straten waren vrijwel verlaten, slechts een enkel voertuig kwam voorbij. Ik zag een paar jongens voetballen op het schoolterrein toen we langs het veld reden. Het was koud, maar de lucht was helder en de ramen glinsterden in het late zonlicht. Toen we naar het busstation reden, zag ik een man een winkelruit schoonmaken, en een hond lag uitgestrekt, ontspannen op het trottoir, alsof hij wist dat niemand hem zou storen. Zijn ogen gingen nieuwsgierig open toen ik uitstapte. De chauffeur pakte mijn koffer, keek naar mij en de omgeving, alsof hij me achterliet aan het eind van de wereld. Hij stapte weer in de bus en reed weg, terwijl ik het snoepwinkeltje binnenging om te informeren of ik een taxi kon krijgen.

'Hallo,' zei George. Hij droeg een lang, gesteven wit schort en maakte de toonbank schoon met een grote spons. Zijn vrouw had een kort schort voor op een vrolijk gekleurde katoenen jurk, en zat op een kruk de krant te lezen. Ze draaide zich om en keek even naar mij voor ze haar aandacht weer richtte op het artikel in de krant dat haar interesse wekte.

'Kan ik hier een taxi krijgen?' vroeg ik.

'Natuurlijk. Ik zal Al voor u bellen. Hij is de enige taxi op het ogenblik. Waar wilt u naartoe?'

'Ik moet naar de Atwell-farm.'

'De Atwell-farm!' zei Annie, die haar oren spitste. Ze kon haar nieuwsgierigheid niet bedwingen. 'Waarom gaat u daarnaartoe?'

'Ik ben de eigenaresse,' zei ik.

George verstarde met de telefoon in zijn hand.

'De eigenaresse? Bent u... bent u de baby?' vroeg Annie verbijsterd.

'Ja,' zei ik glimlachend. 'De baby.'

Ze staarden me allebei aan, zonder iets te doen.

Annie was de eerste die het zich realiseerde.

'Bel Al voor haar,' beval ze.

Snel toetste hij het nummer in.

'Ik heb een vrachtje voor je,' zei hij door de telefoon. 'Naar de Atwell-farm. Oké.' Hij hing op. 'Hij is er over vijf minuten. Moet alleen zijn jasje even aantrekken. Hij woont hier verderop in de straat.'

'Weten de Farleys dat je komt?' vroeg Annie.

Ik wilde niet laten merken hoe weinig ik wist over de huurders van de farm.

'Ik bedoel maar,' ging ze verder, 'Pru Farley was hier eerder in de middag en ze heeft er niks over gezegd.'

'Niet iedereen vertelt alles over zichzelf, Annie,' merkte George op.

Haar oog viel op mijn koffer.

'Van plan om een tijdje te blijven?'

'Ja,' antwoordde ik glimlachend. 'Ik blijf een tijdje.'

'Eh, ik... hoe is het je vergaan?' vroeg ze, hoogst nieuwsgierig om alles te weten te komen. 'Waar ben je al die jaren geweest?'

'Ik was... weg,' zei ik.

'Ik herinner me nog als de dag van gisteren dat je moeder hier met je binnenkwam. Voor een baby kon je zo serieus naar mensen kijken, met ogen als twee kleine zoeklichten. Ik mocht je geen lollie geven van je moeder, maar wel een wortel. Die at je op als een klein konijn. Weet je nog, George?'

Hij bromde iets en lachte.

'Pru en Brice Farley zijn heel aardige jonge mensen,' zei George. 'Hij is schooldecaan van de high school.'

'Ik weet zeker dat ze alles van de Farleys weet, George,' zei Annie en keek toen naar mij om te zien of het waar was.

Ik knikte zonder commentaar te geven.

Ze kneep haar ogen argwanend samen.

'Het gerucht gaat dat Marvin Becker, een advocaat, je land probeert te kopen om er vakantiehuizen neer te zetten. Is dat de reden waarom je bent gekomen?' vroeg ze.

'Let maar niet op haar. Ze denkt dat ze het plaatselijke nieuws voor de krant moet schrijven.'

'Dat is niet waar. Iedereen weet het,' protesteerde ze.

Er stopte een auto voor de winkel.

'Daar is Al,' zei George. 'Hij is er eerder dan ik dacht. Hij krijgt niet veel ritjes in deze tijd van het jaar, dus is hij er erg happig op.'

'Wees maar niet bang, hij kan goed rijden,' zei Annie.

'Dank je.'

'Je was een mooi kind,' zei ze. 'Het verbaast me niks dat je een mooie jongedame bent geworden.'

Ik onderdrukte een glimlach.

'Ik ben niet gekomen om het stuk grond te verkopen,' antwoordde ik. Ze straalde bij het horen van dat exclusieve nieuws.

Tijdens de korte rit naar de farm vertelde de taxichauffeur, Al Shineman, me wat er met de farm gebeurd was sinds mijn vertrek.

'Het heeft heel wat tijd gekost voor je advocaat de farm verhuurd had, weet je,' zei hij. Hij liet zijn kin zakken en keek naar me boven de dikke glazen van zijn bril. 'Met de gedachte aan wat daar allemaal was gebeurd, waren de meeste mensen bang voor de farm. Met Halloween gingen de tieners erheen en hielden feesten bij kampvuren, totdat de politie er ten slotte een eind aan maakte. Ze hadden een bosbrand kunnen veroorzaken en er was altijd wel iemand die inbrak in het huis.

'Ik heb gehoord dat de Farleys het van binnen mooi hebben opgeknapt. Brice is coach van het universitaire juniorenbasketbalteam, en Pru werkt voor je advocaat. Ze is juridisch assistent.'

Ik zei geen woord dat erop zou kunnen wijzen dat ik praktisch niets wist. Hoe zwijgzamer ik werd, hoe meer hij praatte. Al die tijd bonsde mijn hart als een drum in een optocht. Naarmate we dichter bij de farm kwamen, werd de omgeving vertrouwder. Ik viel terug in de tijd met elke minuut die voorbijging, elke kilometer, elke boom, elk veld en elke rots waar we langsreden.

'Gaat het goed met je, jongedame?' vroeg Al toen we bij het toegangshek waren van de lange oprijlaan en ik een duidelijk hoorbare kreet liet horen.

'Stop!' riep ik, toen hij door wilde rijden.

'Stop?' Hij remde. 'Wat is er? Dit is de Atwell-farm.'

Ik haalde diep adem. Links van me kon ik het kleine oude stenen kerkhof zien; de bovenkanten van de drie grafstenen staken net boven de veldstenen muren uit. Ik had Nobles of mama's hand zo vaak vastgehouden als we een bidwake hielden en naar het anonieme graf keken dat ons diepste geheim bevatte.

Ik keek om me heen naar het stuk grond. Het bos dat het omringde was dichter en groter geworden, alsof het langzaam optrok naar het huis. Het drie verdiepingen hoge Queen Anne-huis met de o-zo-vertrouwde toren waarin ik zo vaak verborgen was geweest, leek onveranderd. Het grasveld aan de voorkant van het huis was goed onderhouden, maar de velden waren overwoekerd, het onkruid kroop zelfs omhoog langs de muren van de oude schuur. Ik zag dat het terrein waar vroeger de kruidentuin was, volkomen overgroeid was door wild gras en bloeiend onkruid. Een nieuw model rode sedan stond geparkeerd voor het huis, en een zwarte pickup rechts ervan. Links van het huis hadden de bewoners kennelijk een kleine groentetuin aangelegd. Ik zag de restanten van pompoenplanten en herinnerde me hoe Noble en ik de gezichten uitsneden voor Halloween. We gaven ze allemaal een naam.

'Hoeveel krijgt u van me?' vroeg ik aan Al.

'Moet ik je niet naar het huis rijden?'

'Nee,' zei ik. Ik kon het hem niet uitleggen, hij zou het niet begrijpen.

'O, goed, dan is het twaalf dollar.'

Ik maakte de envelop open die mevrouw Cukor me had gegeven en haalde het geld eruit. Hij pakte het aan en stapte uit om mijn koffer van de achterbank te halen.

'Weet u zeker dat ik u niet naar het huis moet rijden?' vroeg hij, toen hij me de koffer overhandigde. 'Het wordt al donker.'

'Nee, dank u,' zei ik.

Straks is hij terug in het snoepwinkeltje en zal hij natuurlijk in geuren en kleuren hierover praten, dacht ik, maar het kon me niet schelen.

Ik ging op weg over de oprijlaan.

Hoe vaak had ik hier niet gelopen met mama of met Noble en ze horen praten over de geesten van onze familie die glimlachend aan de kant naar ons stonden te kijken! Waren ze nu ook hier? Ik kon ze niet kwalijk nemen dat ze zich niet lieten zien, me niet vertrouwden. Kijk maar eens naar alle omwegen die ik had gemaakt, hoe ik ze had ontkend en vermeden, ze had behandeld alsof ze hersenspinsels waren, spookbeelden van een verwarde jeugdige verbeelding.

In de wind die met mijn haar speelde en langs mijn gezicht woei, kon ik me het zingen van mama herinneren. Misschien blijven geluiden, stemmen, woorden en muziek net zo lang hangen als alle andere dingen, en op het juiste moment, als alle natuurkrachten op de juiste manier tezamen komen, keren die herinneringen terug als echo's, laten zich opnieuw horen. Onder het lopen dacht ik aan dat alles. Ik merkte zelfs niet hoe zwaar mijn koffer was, en ook keek ik niet om naar meneer Shineman, die nog achteruit over de oprijlaan reed. Ik wist dat hij me gadesloeg, in de verwachting iets vreemds en verbijsterends te zien, een mooie roddel om in het winkeltje over te praten.

Wat hij zag was dat ik stopte en zo stil bleef staan, dat hij zich

303

ongetwijfeld afvroeg of ik me bedacht had en op het punt stond om te keren en te vluchten. Ik stopte omdat ik piano hoorde spelen. Ik herkende de melodie. Mijn hart sprong op. Zou ik, als ik op die deur klopte, Noble voor me zien staan? Zou mama achter de piano zitten? Zou alles wat er daarna gebeurd was als een droom verdwijnen zodra de zon me wekte? Zou het bos achteruitwijken, het onkruid verdwijnen en de kruidentuin bloeien?

'Alsjeblieft, alsjeblieft,' fluisterde ik. 'Laat mijn droom uitkomen.'

Ik klopte op de deur met de oude koperen klopper die er nog was. Ik hoorde de piano stoppen. Een paar ogenblikken later ging de deur open, en een jongeman met kortgeknipt lichtbruin haar en lichtbruine ogen, keek me aan. Verrast vormde hij zijn lippen tot een innemende glimlach. Hij droeg een flanellen hemd en jeans en hardloopschoenen. Hij was minstens een meter tachtig lang en slank, maar stevig gebouwd.

'Hallo,' zei hij opgewekt. Hij keek naar buiten en zag geen auto. Al Shineman was inmiddels verdwenen. 'Wie bent u?'

'Ik ben Celeste Atwell.'

Zijn mond viel open en zijn ogen werden groot. Hij keek weer langs me heen en ik besefte onmiddellijk dat hij dacht dat ik me op een of ander manier uit het niets had gematerialiseerd. Ik glimlachte nu zelf ook.

'Ik ben met een taxi gekomen,' zei ik.

'O, dat had ik niet gehoord,' zei hij. 'Mijn vrouw speelde piano.'

'Wie is daar, Brice?' hoorde ik een vrouw in de zitkamer roepen.

'Het is Celeste Atwell,' riep hij terug en deed een stap achteruit. 'Kom binnen, kom binnen,' drong hij aan.

'Wie?' hoorde ik. Ik keek naar de deur van de zitkamer en zag Pru Farley. Ze was een heel knappe vrouw, ongeveer net zo lang als ik. Ze had groene ogen, dezelfde kleur die mijn eigen ogen soms aannamen, en donkerbruin haar. Ze had smalle gelaatstrekken, maar volle lippen, en een scherpe kin, die haar jukbeenderen nog prominenter maakte. Ze was slanker dan ik en had langere benen. Haar haar was zacht en glanzend, en krulde aan de uiteinden.

'Het is onze huisbaas,' zei Brice geamuseerd. 'Celeste Atwell.'

'Is het heus?' zei Pru, terwijl ze een stap in mijn richting deed. 'Hoe ben je hier gekomen?'

'Met een taxi,' legde Brice uit. 'Kom binnen, kom binnen,' herhaalde hij, terwijl hij mijn koffer van me overnam.

'Ja,' zei Pru, en deed een stap achteruit. 'Kom mee naar de zitkamer.'

Ik zag dat ze elkaar verbaasd en verward aankeken.

Ik bleef even staan toen ik in de zitkamer kwam. Er stonden andere meubels, maar de piano was nog dezelfde en stond precies waar hij altijd had gestaan. Er lag een crèmekleurig kleed onder.

'Ga zitten waar je wilt,' zei Pru.

Ik knikte, maar liep eerst naar de piano en legde mijn hand erop.

'Die bladmuziek was een deel van de verzameling die we vonden toen we hierheen verhuisden,' zei Pru.

Ik bleef staan met mijn hand op de piano. Een paar seconden lang hield ik mijn ogen gesloten en een melodie vond via mijn arm zijn weg naar mijn hart. De tranen sprongen in mijn ogen bij de herinnering aan mama die speelde, terwijl Noble en ik op de bank zaten te luisteren. Een ogenblik later haalde ik diep adem en ging op de zachte, lichtbruine leren sofa zitten, die tegenover eenzelfde sofa stond.

'Kan ik iets fris voor je te drinken halen?' bood Brice aan.

'Sap, mineraalwater?' opperde Pru.

'Nee, dank u.'

Ze stonden me aan te staren, tot Pru besefte wat voor indruk ze moesten maken.

'O, sorry,' zei ze en ging haastig op de sofa tegenover me zitten. Ze keek naar Brice, die naast haar kwam zitten. 'Het is alleen zo onverwacht.'

'Wat brengt je hier?' vroeg Brice. 'We weten in het algemeen natuurlijk net als iedereen wat hier gebeurd is en hoe lang je bent weggeweest.'

Hoe moet ik beginnen? dacht ik.

En toen, alsof de woorden altijd al in het huis aanwezig waren en slechts erop wachtten tot ik ze als rijpe vruchten uit de lucht zou plukken, begon ik mijn verhaal te vertellen.

Bijna drie kwartier later, toen we wat koels hadden gedronken, had ik al mijn belevenissen verteld, en keken ze me beiden ontdaan en verbijsterd aan.

'Wat afschuwelijk,' zei Pru. Ze draaide zich om naar Brice. 'Ik kan begrijpen waarom dat arme kind hiernaartoe kwam. Het is het enige echte thuis dat ze ooit heeft gekend. We moeten iets doen.'

'Ja,' zei Brice en richtte zich vastberaden op. 'Om te beginnen,' zei hij, 'neem je onmiddellijk je intrek bij ons. Ik zal ervoor zorgen dat je wordt overgeschreven naar mijn school. Ik zal contact zoeken met de betreffende autoriteiten en zorgen dat wij de touwtjes in handen krijgen. We kunnen je advocaat, mr. Deward Lee Nokleby-Cook, vragen ons daarbij te helpen. Pru werkt voor hem.'

'Ik weet het. Dat heeft de taxichauffeur me verteld,' zei ik, en ze moesten allebei lachen.

'Het is een klein dorp. In ieder geval zullen we hiermee beginnen.'

'Maar ik ben hier niet gekomen om u, of wie dan ook, moeite te bezorgen.'

'Dat begrijp ik,' zei Brice. 'Maar ik geloof dat ik voor ons beiden spreek als ik zeg dat wij er anders over denken, Celeste. Je bent nog geen achttien, en we willen niet dat je in handen valt van het ene bureau na het andere.'

'Precies,' zei Pru, terwijl ze opstond. 'Ik ga voor het eten zorgen. Je zult wel uitgehongerd zijn.'

'Ik zeker,' zei Brice.

'Dat is niks nieuws,' zei Pru tegen mij.

Ik vond ze allebei onmiddellijk erg aardig. Het versterkte mijn vertrouwen dat ik me hier veilig en op mijn gemak zou voelen, althans voorlopig.

'Kan ik helpen met het eten?' vroeg ik.

'Nee, gaan jullie je gang maar. Brice zal je naar je kamer brengen.'

'Natuurlijk,' zei hij. 'Ik breng je naar boven. Welke kamer, Pru?'

'Die kamer rechts als je boven komt is het mooist.'

'Oké,' zei hij.

Ik stond onder aan de trap en keek omhoog toen hij de eerste stappen had gedaan. Een stroom van herinneringen kwam bij me boven, waarvan de meest schokkende en traumatische was dat ik Betsy Fletcher aan de voet van de trap zag liggen, met een gebroken nek door de val. Die aanblik lag verankerd in mijn geheugen.

'Gaat het goed met je?' vroeg Brice.

'Ja. Alleen een beetje moe.'

'Logisch,' zei hij. 'Ga even rusten. Maak je geen zorgen over het klaarmaken van het eten. Daar hebben we een ware wetenschap van gemaakt. Zij kookt, en ik doe alle andere dingen. Kom,' drong hij aan, en ik volgde hem de trap op, naar de kamer rechts, die in mijn gevoel eerder honderd dan elf jaar geleden mijn kamer was geweest.

Ze hadden de muren geschilderd en de vloer gerenoveerd. Er stond een mooi queensize bed met roze en witte kussens en dekbed, een bijpassende ladekast, en aan de linkerkant een kleine toilettafel met een draaibare ovale spiegel.

'Een paar oude meubels van ons,' zei Brice, 'maar de matras is nieuw.'

'Het ziet er heel mooi uit,' zei ik.

Hij zette mijn koffer bij de kastdeur.

'Ga even rusten. Ik roep je als we gaan eten.'

'Dank u,' zei ik.

Ik was moe, zo moe dat ik de rest van de avond zou blijven slapen als ik ging liggen en mijn ogen dichtdeed. Een kleine trap die naar de torenkamer leidde, oefende een magische aantrekkingskracht op me uit. Weer aarzelde ik. De herinneringen flitsten voor mijn ogen als miniatuurbliksemstralen. Hoe vaak had Noble me die trap op en af gedragen?

Ik haalde diep adem en klom de trap op. De deur was niet op slot. Even bleef ik staan met mijn hand op de knop, overleggend of ik de deur open zou doen of niet. Misschien ging het allemaal te snel in zijn werk. Maar zelfs al was dat waar, ik kon het niet laten.

De kamer leek nu zoveel kleiner. Er stonden meer oude meubels en meer opgestapelde dozen dan vroeger, zelfs tegen de twee ramen. Er was nauwelijks ruimte om verder in de kamer door te dringen, maar ik wist me langs een paar lampen, spiegels en twee ladekasten te persen tot ik in het midden was, waar ik eindeloze uren had doorgebracht met mijn prentenboeken en kleurboeken, of slapend op Nobles schoot, wachtend tot degene die naar het huis was gekomen om geneeskundige kruiden te kopen, weer vertrokken was. Dat was voordat iemand van mijn bestaan op de hoogte was.

Met gesloten ogen ging ik op de grond zitten in de kleine lege ruimte en gaf me over aan mijn herinneringen, zocht naar beelden uit het verleden alsof ik gouderts waste in een beek. Ik hoorde een sonate van Mozart en herinnerde me dat ik een muziekdoos had gevonden die zowel Nobles als mijn nieuwsgierigheid wekte, maar ik herinnerde me ook mama's angst en woede omdat we ermee speelden. Daarna was de muziekdoos verdwenen, en niemand wilde erover praten.

Zoveel van mijn verleden leek te veel op een in de knoop geraakte, moeilijk te ontwarren kluwen touw, om er wijs uit te kunnen worden.

Ik leunde tegen een oude ladekast, sloeg mijn armen over elkaar en hield mijn ogen gesloten terwijl ik fluisterend om Noble riep, verlangend naar die vredige, gelukkige tijd toen ik me geliefd en veilig voelde, zelfs al zat ik opgesloten en verstopt in deze kleine kamer. Ik had het niet erg gevonden om te fluisteren, om me te omhullen met schaduwen. Het was alsof ik wist dat het allemaal ten kwade zou keren als ik naar buiten in het daglicht werd gebracht.

'Celeste,' hoorde ik, en ik deed mijn ogen open. Ik besefte dat ik was ingedut. 'Celeste?'

Haastig stond ik op en kwam uit de torenkamer. Brice stond aan de voet van de korte trap.

'O, ik... ik wilde net...'

'Ik weet het,' zei hij. 'Dit is een groot huis om te verkennen, vooral voor jou. In ieder geval, het eten is klaar.'

Glimlachend stond hij op me te wachten.

'Het komt allemaal in orde,' zei hij. 'Wees maar niet bang.'

'Waarom doet u dit?' vroeg ik. Het leek of mijn terugkeer naar de torenkamer me sterker en behoedzamer had gemaakt.

'Om te beginnen, ik ben Brice, en mijn vrouw is Pru. In antwoord op je vraag: het is zoals Pru zei. We vinden gewoon dat... dit huis goed voor ons is geweest. We zijn hier zo gelukkig geweest dat we ons verplicht voelen het huis en alles wat erbij hoort in stand te houden.'

Tijdens het eten vertelden ze meer over zichzelf, hoe ze elkaar hadden ontmoet, van elkaar waren gaan houden, waar ze getrouwd waren en waarom ze besloten hadden zich in deze kleine gemeenschap te vestigen. Brice beschreef de school en hoe prettig hij het vond voor een school te werken die nog klein genoeg was om counselor te kunnen zijn van elke individuele leerling, van groep tien tot twaalf. Ik hielp met afwassen, al drongen ze er allebei op aan dat ik rust zou nemen.

Daarna gingen we naar de zitkamer en ik beantwoordde zoveel mogelijk vragen over mijn leven in de weeshuizen. Terwijl we zaten te praten ging de telefoon, en Pru nam op. Glimlachend kwam ze terug.

'Dat was mr. Nokleby-Cook,' zei ze. 'Ik had hem al gebeld en ingesproken op zijn antwoordapparaat. Hij is net thuis en belde meteen terug. Ik heb hem over jou verteld en hij wil je morgenochtend vroeg op zijn kantoor spreken. Je kunt met mij meerijden. Hij zei dat hij een leuke verrassing voor je heeft. Hij zei dat hij ook al het nodige zal doen om ervoor te zorgen dat je hier kunt blijven zolang je wilt,' ging ze verder, met een knikje naar Brice.

'Geweldig. Ik zal morgen ook de overschrijving naar de school regelen.'

'Dank je. Ik dank jullie allebei.'

Pru zag dat ik moeite had mijn ogen open te houden.

'Ga slapen, Celeste. Ik ga met je mee naar boven om te zien wat je nog nodig hebt. Ik heb extra tandenborstels en waar je verder nog behoefte aan mocht hebben.'

'Dank je,' zei ik, en stond op.

'Welterusten,' zei Brice.

Ik keek om me heen in de zitkamer. Ze hadden de inrichting veranderd, maar de muren spraken nog tegen me.

'Het is lang geleden sinds ik in dit huis heb geslapen,' zei ik, meer tegen mezelf dan tegen hen.

Brice knikte, en ik liep de kamer uit, gevolgd door Pru. Ze ging toiletartikelen voor me halen en vroeg of ze verder nog iets voor me kon doen.

'Je hebt al genoeg gedaan,' zei ik. 'Het verbaast me niet dat jullie je hier zo op je gemak voelen, dat het huis zo'n goede energie voor je uitstraalt.'

Ze glimlachte, omhelsde me, wenste me welterusten en ging weg.

Ik bleef even in mijn oude kamer staan, luisterend naar het huis dat kraakte in de wind.

'Ik ben thuisgekomen, mama,' fluisterde ik. 'Ik ben bij jullie allemaal teruggekomen.'

Eenmaal in bed, bleef ik vol verwachting liggen, maar ik hoorde geen stemmen en zag geen geesten. Mijn oogleden werden steeds zwaarder, tot ik ze niet meer open kon houden. Ik viel zo snel en zo diep in slaap, dat ik bijna bewusteloos leek. Het zonlicht verraste me; voor mijn gevoel was er bijna geen tijd verstreken. Ik hoorde geluid beneden in de keuken, en dus stond ik op, waste me en kleedde me snel aan. Pru en Brice waren net bezig het ontbijt op tafel te zetten.

'Ik heb roereieren gemaakt met wat kaas erdoor,' zei Pru. 'Brice houdt van een goed ontbijt. Ik hoop dat je honger hebt. Je hebt gisteravond heel weinig gegeten, maar ik wist dat je uitgeput moest zijn van de reis en alles wat je hebt doorgemaakt.'

'Eerlijk gezegd, rammel ik van de honger,' bekende ik. De geur van eieren, koffie en toast deed mijn maag knorren.

Alles was even verrukkelijk. Ik at zo snel, dat ik het zelf niet merkte, tot ik opkeek en zag dat beiden zaten te lachen.

'Meestal ben ik niet zo'n schrokop,' zei ik.

'Ga rustig je gang en schrok zoveel je wilt,' zei Brice. 'Misschien houdt Pru nu op met me voor de gek te houden omdat ik zoveel eet.'

'Reken daar maar niet op,' zei Pru. 'Zij heeft een excuus. Jij niet.'

Ik vond het leuk zoals ze elkaar plaagden en dan innig kusten of alleen elkaars hand aanraakten om blijk te geven van hun intense genegenheid. In dit huis heerst liefde, dacht ik. Waarom zou het niet rustig en tevreden zijn? De duisternis was weggeveegd met het stof.

Na het ontbijt vertrok Brice in zijn pick-up, met de verzekering dat hij al het papierwerk zou afhandelen om me op de openbare school geplaatst te krijgen, zodat ik mijn high-schooldiploma kon halen. Pru ging zich kleden voor haar werk, en daarna reden we samen naar het kantoor van mr. Deward Lee Nokleby-Cook. Ik wist dat hij al heel lang de advocaat van onze familie was en alle details van ons leven kende, vooral van mijn zus Celeste. Ik wilde haar natuurlijk zo gauw mogelijk zien, maar de gedachte daaraan maakte me zenuwachtig. Ze had natuurlijk geen idee wie ik was, en ik wist niet in welke conditie ze zou zijn na al die jaren. En misschien wist hij ook hoe het met Panther ging. Ik was toch nieuwsgierig naar hem.

Het kantoor van onze advocaat was een groot ivoorwit huis met Wedgwood-blauwe luiken en tien kamers. Het huis was verbouwd,

310

de entree vergroot tot ontvangstruimte, en de slaapkamers waren omgebouwd tot kantoren voor de assistenten en juniorpartners. Pru voerde me mee langs de receptioniste, met de mededeling dat mr. Nokleby-Cook ons verwachtte. We liepen regelrecht naar zijn kantoor, dat vroeger de zitkamer was geweest.

Nu stonden er boekenkasten tegen de muren, een groot bureau van donker eikenhout, een zithoek en leren meubels. Ik kon me mr. Nokleby-Cook niet herinneren, en het was trouwens zo lang geleden dat ik hem voor het laatst had gezien, dat ik hem toch niet herkend zou hebben. Hij had een dikke bos grijs haar dat vroeger lichtbruin was geweest, een kleur die nog herkenbaar was door een enkele lok. Zijn borstelige wenkbrauwen waren voornamelijk lichtbruin. Hij had een krachtig gezicht, met diepliggende ogen en dikke, meer oranje dan rode lippen.

Toen hij ons zag binnenkomen, sprong hij overeind en heette ons bulderend welkom in een vlaag van energie, die me het gevoel gaf dat er een windvlaag door de kamer woei. Hij had een brede borstkas, was ongeveer een meter vijfenzestig lang, en had een stierennek.

'Verbluffend, verbluffend,' zei hij, terwijl hij om zijn bureau heenliep om me te begroeten. 'Ik zou haar overal herkend hebben,' zei hij tegen Pru. 'Ze lijkt op hen allebei. Kom binnen.' Hij gebaarde naar de leren bank rechts van hem.

'Zo,' zei hij, schoof een stoel bij en ging tegenover ons zitten. 'Je hebt de weg naar huis gevonden. Maar dat hoort me eigenlijk niet te verbazen. Ik heb op deze dag gewacht. Je grootmoeder heeft me eens verteld dat het land, de farm, alles ervan, net zo'n deel van je was als...'

'Mijn grootmoeder?'

Ik keek naar Pru, die haar blik strak op Nokleby-Cook gericht hield.

'O, mijn god,' zei hij, achteroverleunend. 'Natuurlijk. Hoe zou je dat moeten weten?'

'Wat weten? Ik begrijp het niet. Wat bedoelt u?' vroeg ik op fermere toon.

'Tja, hoe moet ik dat uitleggen?' vroeg hij, hardop denkend.

'Vertel het haar maar zonder eromheen te draaien,' zei Pru. Ze keek naar mij. 'Ze is heel wat sterker en volwassener dan je denkt.'

'Dat geloof ik, ja. Goed,' ging hij verder. Hij leunde naar voren en drukte zijn handen tegen elkaar. 'Je zus, of moet ik zeggen, degene van wie je dacht dat het je broer Noble was, had een relatie met een buurjongen, Elliot Fletcher. Toen ze zwanger werd van jou, hield je grootmoeder haar afgezonderd, en toen je werd geboren hield ze jou een tijdlang geïsoleerd en verborgen, zoals je weet. Je grootmoeder trouwde uiteindelijk met Dave Fletcher, en de wereld... de wereld,' zei hij spottend, 'ik bedoel de plaatselijke gemeenschap raakte ervan overtuigd dat je Dave Fletchers kind was, een kind van hem en je grootmoeder. Zo wilde zij het. Ze wilde dat je moeder je oom Noble zou blijven, zie je.'

Ergens diep binnenin me kon ik een zacht lachje horen, als de lach van een baby. Moest ik zeggen dat ik het altijd al geweten had? Want dat had ik. We waren te close, Noble en ik, Celeste en ik. Ik was altijd meer dan een zusje. Ik zag het aan de manier waarop ze naar me keek als ze niet wist dat ik haar gadesloeg. Ik hoorde het in haar stem en voelde het in haar zachte aanraking.

'Ik vind het jammer dat je het op deze manier moet horen,' zei mr. Nokleby-Cook.

'Wie anders zou het me kunnen uitleggen?' vroeg ik nadrukkelijk. 'Ik had geen familie, en mijn voogden, mijn pleegouders, hadden beslist niets met me te maken willen hebben als ze dat geweten hadden.'

Hij haalde zijn schouders op.

'Dat zou kunnen.'

'En Panther?'

'Van hem weet ik niet zoveel meer. Hij werd al snel door pleegouders in huis genomen en werd later door hen geadopteerd. Ik had wat geld van een trustfonds dat ik hem kon sturen, of naar hen om voor hem te bewaren, maar dat is al acht of negen jaar geleden.

'En dat brengt me op een ander nieuwtje... goed nieuws voor je. Er was een man met wie je moeder een langdurige zakelijke relatie had. Hij heette Bogart, en had een newagewinkel. Hij verkocht de kruidenmengsels van je moeder, op meer commerciële wijze. Op een gegeven moment was haar productie zelfs behoorlijk groot.

'Hij had zelf geen kinderen, en is onlangs overleden. Zijn advocaat nam contact met me op om me te vertellen dat hij het grootste deel van zijn nalatenschap aan jou had vermaakt.'

'Aan mij?'

'Ja, en ik moet zeggen dat het een aanzienlijk bedrag is. Ik zou haast gaan investeren in die newagewinkels, met hun kristallen en stenen en magische kruiden,' zei hij tegen Pru. 'Waar het op neerkomt, Celeste, is dat je, als je achttien wordt, een rijke jonge vrouw zult zijn.'

'Fantastisch!' riep Pru uit.

Ik schudde verbaasd mijn hoofd. Dat dit allemaal nu moest gebeuren, nu ik was teruggekomen. Mevrouw Cukor zou nooit weten hoezeer ze het bij het rechte eind had gehad toen ze zei dat ik naar huis moest.

'In ieder geval zou ik graag willen dat je er eens goed over nadacht wat je wilt gaan doen. Het gaat om meer dan alleen een oude farm. Op het ogenblik is het geld veilig belegd. Over een dag of zo krijg je een volledig overzicht van me.'

Hij sloeg op zijn knieën en stond op.

'Zorgt Brice ervoor dat ze op school wordt ingeschreven?' vroeg hij aan Pru.

'Ja. Ze kan morgen beginnen als ze wil.'

Hij keek me even peinzend aan.

'Misschien is het beter als ze het een dag of twee rustig aan doet. Opnieuw met alles en iedereen vertrouwd raakt.'

Ik keek hem onderzoekend aan. Ik wist over wie hij sprak, en het deed mijn hart sneller kloppen.

'Het gaat haar redelijk goed. Ik kan regelen dat je bij haar op bezoek kan als je daaraan toe bent.'

'Als ik daaraan toe ben,' zei ik.

'Ja.' Hij keek even naar Pru. 'Goed dan, laat het me maar weten.'

'Ik breng haar thuis en kom meteen terug,' zei Pru.

'Doe het rustig aan,' zei hij. Hij richtte zijn blik weer op mij. 'Opmerkelijk. Als ik jou zie, zie ik een jonge Sarah Atwell. Ze was een mooie vrouw. Net als jij en je moeder.'

Ik stond op en gaf hem een hand.

'Dank u,' zei ik.

'Graag gedaan. Ik weet dat het je goed zal gaan, kindlief.'

'Ja,' zei ik, hem zó strak aankijkend dat hij zijn wenkbrauwen optrok. 'Mij zal het goed gaan.'

We liepen naar buiten, naar Pru's auto.

'Ik vind het erg voor je dat je het zo te horen hebt gekregen. Er had een andere mogelijkheid moeten zijn, beetje bij beetje of zoiets.'

Ik glimlachte naar haar.

'Ik heb het altijd geweten, Pru. Diep in mijn hart heb ik het altijd geweten.'

Ze glimlachte.

'Wanneer wil je haar bezoeken?' vroeg ze.

Ik gaf geen antwoord.

Ze vroeg het niet nog eens.

Het was iets wat ik zelf niet wist.

Epiloog
Weer thuis

Ik ging niet onmiddellijk naar school. Mr. Nokleby-Cook had gelijk; ik had tijd nodig om te acclimatiseren. Ik had het boek nooit gelezen, maar de leraar Engels op de school die ik bezocht toen ik in het tweede weeshuis woonde, citeerde vaak Thomas Wolfe en zei dan: 'Je kunt niet terug naar huis.' Daarmee bedoelde hij dat daar zoveel veranderd was, dat niets meer hetzelfde zou lijken.

Natuurlijk klonk niets onwaarschijnlijker in de oren van een weeskind dat nooit een thuis gekend had, maar ik was verschillend van de meeste anderen. Ik had vroeger een thuis gehad, en ik maakte op iedereen indruk met mijn opmerkelijke geheugen. Ik kon me zoveel details herinneren van de eerste zes jaar van mijn leven, vooral van het zesde jaar, maar allemaal even levendig voor iemand die naar me luisterde als ik mijn huis beschreef, ons land en natuurlijk Noble, mijn grootmoeder en ten slotte Celeste, mijn moeder Celeste.

Pru en Brice waren heel geduldig en begripvol. Geen van beiden drong erop aan dat ik iets moest doen of ergens naartoe moest gaan. De volgende twee dagen dwaalde ik rond in de buurt van de farm; soms zat ik gewoon te staren naar het dichte bos. Uiteindelijk slenterde ik erheen en volgde het pad naar de beek. Die was minder wild en krachtig dan ik me herinnerde. Het kolkende water polijstte nog de stenen op de bodem, maar hij was niet zo breed en diep. Vroeger had hij een bijna religieuze betekenis voor ons. Hier was Noble gestorven, en ik wist nu dat de jongen die hier verdronken was, mijn vader was geweest.

Het land, het water, alles van de natuur, laat zoveel dingen in ons ontstaan en absorbeert dan alles, neemt het op de een of andere manier weer terug, dacht ik. Het is niet alleen stof tot stof. Iets van onze ziel, onze geest, vindt ongetwijfeld een plaatsje in dit geheel, en dat was wat mijn grootmoeder voelde en zag, en wat ze had doorgegeven aan mijn moeder en mij. Ik was het onderweg kwijtgeraakt en nu wilde ik het weer zien terug te krijgen.

Zou dat lukken?

Kon dat?

De tijd zou het leren, maar ik had vertrouwen, niet zozeer in mijzelf als wel in het land, in elke boom en grasspriet, en vooral in de beek. Ik zou alles aanraken en ervoor zorgen dat alles wist dat ik terug was.

Ik zat urenlang op het oude kerkhof en dacht aan de gebedswaken die we daar in het donker hadden gehouden, met niet meer dan een kaars om wat licht te verspreiden onder een volkomen bewolkte lucht. Wat zijn kerkhoven anders dan poorten naar herinneringen?

Brice en Pru zagen me rondzwerven of stil zitten staren naar het bos. Soms vroeg Pru of het goed ging met me, en stelde ik haar gerust.

En toen op een ochtend, een zaterdagochtend, kondigde ik tijdens het ontbijt aan dat ik naar het instituut wilde waar mijn moeder nog verbleef, om haar te bezoeken. Pru bood onmiddellijk aan me te brengen.

'Ik neem wel een taxi,' zei ik.

'Geen sprake van. Ik rijd je erheen en wacht op de parkeerplaats.'

Ten slotte stemde ik toe en we gingen op weg. Het was een gedeeltelijk bewolkte dag, zo'n dag waarop de zon ons plaagt door om de wolken heen te gluren of door een dunne wolk te schijnen. Ik voelde me gestuwd door de wind tijdens het rijden. Wat ik deed was niet iets waartegen ik me kon verzetten of dat ik kon weerstaan.

Eenmaal in het gebouw ging ik rechtstreeks naar de receptie en informeerde naar Celeste Atwell. Het was vreemd om naar iemand te vragen die precies dezelfde naam had, en toen ik mijn naam noemde, keek de receptioniste verbaasd op. Ze vroeg me even te wachten terwijl ze iemand ging halen. Korte tijd later kwam ze terug met een lange, donkerharige vrouw met gitzwarte ogen en wat ik zou noemen een professionele glimlach. Ze stelde zich voor als dr. Morton en zei dat zij de verantwoordelijkheid had voor mijn moeder.

'Afgezien van haar advocaat, bent u het eerste echte bezoek dat ze ooit heeft gehad,' zei ze.

Ik legde een en ander uit, voor zover en zo snel als ik kon.
'Ja, ik wist van uw bestaan en dat de kinderbescherming u onder haar hoede had, maar dat is dan ook alles.'
'Dit is de eerste keer dat ik hier terug ben,' zei ik. 'Dat ik weer thuis ben.'
Ze knikte.
'Heeft uw advocaat of iemand anders u iets over haar verteld?' vroeg ze.
Ik schudde mijn hoofd. 'Hm. Nou ja, de beste manier waarop ik haar kan beschrijven is dat ze bevroren is in de tijd.'
Ze zag dat ik het niet begreep.
'Haar manier om het trauma te verwerken dat ik een opgedrongen schizofrenie zou noemen, was om zich op te sluiten in de leeftijd die ze had voordat alles begon.'
'U bedoelt dat ze de geest van een kind heeft?'
'Zo gedraagt ze zich, en ik denk dat je het zo wel zou kunnen zeggen. Het was moeilijk om haar bij wijze van spreken te laten verouderen, want als ze dat zou doen, die oversteek zou maken, dan wordt ze weer met alles geconfronteerd, ziet u. Het is heel gecompliceerd. In feite is ze het onderwerp geweest van een aantal studies en er zijn diverse essays over gepubliceerd in psychologische tijdschriften,' ging ze verder, alsof ik daar trots op hoorde te zijn.
Ik staarde haar met een kille blik aan, en ze schraapte haar keel en stond op.
'Ja, goed, ik zal u bij haar brengen. Ze is in de recreatieruimte. Daar brengt ze het grootste deel van de dag door.'
'Waarmee?'
'Kleurboeken, tekenen, schilderen met waterverf, het lezen van kinderboeken, met kinderspelletjes. De kinderen hier zijn dol op haar. Ze heeft een goede invloed op ze.'
'Ik ben blij dat u vindt dat ze tenminste enig nut heeft voor de kliniek,' zei ik bits.
Ze beet op haar lip en knikte.
'Deze kant op,' zei ze.
Ze ging me voor naar de recreatieruimte, een grote kamer vol tafels, spelletjes, en in elk van de twee verste hoeken een televisietoestel. Een paar oudere mensen keken tv, en een stuk of zes kin-

deren, vergezeld van counselors, speelden bord- en kaartspelletjes. Mijn moeder zat bij het raam te schilderen met waterverf, met haar rug naar ons toe. Ze had kort haar en droeg een simpele blauwe jurk en sandalen.

'Ik denk niet dat ze enig idee heeft wie u bent,' zei dr. Morton. 'Maakt u zich niet van streek.'

'Dat zal ik niet doen,' verzekerde ik haar, en we liepen het zaaltje door.

'Goedemorgen, Celeste,' zei dr. Morton, en mijn moeder keek op.

Het schilderwerkje had geen herkenbare vorm. Het wekte de indruk dat ze slechts geïntrigeerd was door het combineren van kleuren en de grillige vormen die ze ermee kon creëren. Misschien zag zij er een betekenis in.

Ze glimlachte naar dr. Morton en mijn hart stond even stil omdat die glimlach een stroom van herinneringen wekte. De tranen sprongen in mijn ogen, brandende tranen die ik terugdrong achter mijn oogleden.

'Ik heb een gast voor je meegebracht vandaag,' zei dr. Morton, en voor het eerst in meer dan tien jaar keek mijn moeder me aan. Als er sprake was van enige herkenning, dan hield ze dat goed verborgen achter haar kinderlijke glimlach. 'Ik laat haar hier een poosje bij je achter om met je te babbelen, oké?'

Mijn moeder gaf geen antwoord. Ze wijdde haar aandacht weer aan haar schilderwerk.

Dr. Morton keek me aan met die maar al te vertrouwde arrogante uitdrukking van een dokter: 'Ik heb het je gezegd.'

Ik wendde mijn blik af, en ze vertelde me dat ze in de buurt zou zijn als ik haar nodig had.

Ik wachtte tot ze weg was. Toen schoof ik een stoel bij en ging zitten.

'Wat schilder je?' vroeg ik.

Ze keek naar het raam of de vraag daarvandaan was gekomen.

'Morgen,' zei ze.

'Morgen? Kun je morgen zien?'

'Eh-eh.'

Ze boog zich weer over haar schilderwerkje.

'Kun je me vertellen wat je ziet? Is daar iemand te zien?'

Ze hief het papier op, zodat ik het beter kon zien, en glimlachte.

'Ja, ik zie iemand,' zei ik.

Ze sperde haar ogen open.

'Ze komt heel ver uit de tijd. Ze komt terug om jou te zien. Ze is nu opgegroeid, en ze wil je heel graag zien. Ze hoopt dat je je haar herinnert, als het niet vandaag is, dan misschien morgen of overmorgen. Weet je wie ze is?'

Ze knikte en ging weer verder met haar verf.

'Kun je het me vertellen?'

Ze gaf geen antwoord. Ik bleef een tijdje rustig zitten, en toen, alsof hij in mijn oor fluisterde wat ik moest doen, hoorde ik hem neuriën, en ik begon hetzelfde liedje te neuriën en toen te zingen. Het was iets dat mijn grootmoeder voor Celeste en Noble zong en ten slotte voor mij.

If you go out in the woods today, you're sure of a big surprise.
If you go out in the woods today, you'd better go in disguise.
For every bear that ever there was will gather there for certain because
Today's the day the teddy bears have their picnic.

Ze draaide zich langzaam om en keek me aan, deze keer net zo lang tot we elkaar recht en lang in de ogen keken.

'Mama,' fluisterde ik. 'Ik ben thuis.'

Ik pakte haar hand en hield die vast.

'Jij moet ook komen. Alsjeblieft. Ik heb je nodig. Alsjeblieft,' smeekte ik. De tranen stroomden nu over mijn oogleden en drupten langs mijn wangen.

Alsof ze in een spiegel keek en hetzelfde beeld moest creëren, verschenen er tranen in haar eigen ogen, die even later langs haar eigen wangen drupten.

Ik lachte door mijn tranen heen.

'Je wilt binnenkort toch thuiskomen, hè?' vroeg ik.

Ze knikte.

'Wanneer?'

Ze glimlachte.

'Morgen,' zei ze, en liet me weer haar schilderwerkje zien.

'Ja, mama. Morgen. Ik zal elke dag komen, tot je het in je schilderwerk ziet, dat beloof ik.'

Ik boog me naar voren en gaf haar een zoen op haar wang.

Ze keek even verward, glimlachte toen en ging weer verder met schilderen. Ik bleef nog even bij haar, gaf haar toen weer een zoen en ging weg.

Pru stond naast de auto, ze keek gespannen en bezorgd toen ik uit het gebouw kwam.

Ik keek haar lachend aan.

'Hoe ging het?'

'Goed,' zei ik. 'Het was een begin.'

'O, wat heerlijk, Celeste. Ik ben zo blij voor je.'

'Dank je.' We stapten in de auto en reden terug naar de farm. 'Maandag ga ik met Brice naar school,' zei ik.

'Goed zo.'

'Ik wil met mr. Nokleby-Cook bespreken of ik een eigen auto kan krijgen. Die heb ik nu nodig.'

'O, ik weet zeker dat er gauw iets geregeld kan worden.'

'O, vast,' zei ik. 'Ik weet nu alles zeker.'

Ze keek me met een verraste glimlach aan.

'O? Waarom?'

'Ik heb net morgen gezien,' zei ik, 'en morgen en morgen en morgen. Dat is een gave die ik heb.'

'Echt waar?'

'Ja.'

'Van wie heb je die?'

'In zekere zin denk ik van mijn grootmoeder, en natuurlijk ook van mijn moeder.'

Ik wilde nog iemand noemen, maar ik wist dat ze dat nooit zou begrijpen.

Meer dan wie ook wilde ik Noble noemen.

Maar dat was iets dat voor eeuwig in mijn hart gesloten zou blijven, een geheim dat ik met niemand deelde.

Eens zou ik het misschien iemand toevertrouwen.

Ik zou terug moeten naar mama en naar haar schilderwerkje kijken om het te kunnen zien, dacht ik.

Morgen.

Ik zal kijken naar morgen.